ロンドン大学 歴史学者の 歴史のなぜがわかる 世界史

グレッグ・ジェンナー 著
木村高子 訳

かんき出版

ずっと一緒にいてくれた、すばらしい妻へ

ASK A HISTORIAN
by Greg Jenner

Published by arrangement with Orion Publishing Group
via The English Agency (Japan) Ltd

はじめに

僕は生まれついてのおしゃべりだ。しゃべったり耳を傾けたり笑ったりするのが大好きだ。ポッドキャスターをしているおかげで、2020年、コロナ禍で呪われた1年間もしゃべったり笑ったりする機会には恵まれた。それでも、ほかの人たちと交流する機会が失われたことは残念でならない。ウイルスに奪われた、僕のお気に入りの活動の1つが、イギリス各地の人たちとの交流だった。この本の当初の執筆計画では、先に出版した『デッド・フェイマス：青銅器時代から銀幕の時代に至る有名人の歴史』（未邦訳）の販促イベントを行い、同時にみんなから直接歴史に関する質問を集めるはずだった。君の住む町に行って、有名人について1時間ほどしゃべりまくり、それから質疑応答の時間にあらゆる質問を受けつける。僕はステージ上で、できるだけちゃんと答える努力をして、それから正式な回答を本に書くつもりだった。そう、この本に。

残念ながら思いどおりにはいかなかった。先の本は、世界的な緊急事態が始まった1週間後に出版されるという不運に見舞われ、本屋は休業し、イベントは中止になり、出版業界は一時的な壊滅状態に陥った。かなりひどい状況で、また販促イベントがなくなった結果、本書のために聴衆から質問を集めることもできなくなった。やり方を変える必要があった。本書で取り上げた質問は、以前質問されて印象に残っていたものを除けばすべて、オンラインで集めたものだ。胸に手を当てて誓うが、どれも本当に一般の人たちから集めたものだ（ただし、特に答えづらい質問の一部は、僕のエージェントのドナルドが考えたんじゃないかとひそかに疑っている）。質問者に異議がない場合、彼らの名前も記《しる》した。

僕は一般の人々を相手にする歴史学者だ。歴史を学ぶ楽しさを知ってもらうのが僕の仕事で、人々がどんなことを知りたがるかわかると、わくわくする。答えづらい質問を投げかけられて、どう答えるべきかわからないことに気づいたときのきまりの悪さでさえ、楽しんでいる。ステージ上で質疑応答を行うのは、危険がいっぱいだ。まるで強力な手榴弾のように、どんな恐るべき質問を投げかけられるかわからないからだ。これまで数千冊の歴史書を読んできたから、たいていの場合はそれなりの回答ができる。しかしときには、完全にお手上げになることもあるんだ。

最もすばらしい質問をしてくれるのは、まだ知的な創造性を失っていない子どもたちであることが多い。僕が特に気に入っているのは、「イエス様は恐竜のことを知っていましたか？恐竜がみんな死んじゃって、イエス様は悲しみましたか？」という、幼い少女からの質問だ。そのときの会場のムードはすばらしいものだった。聴衆はまず爆笑し――「子どもって本当におもしろいことを考える！」――、やがてこの少女の質問が、ローマ教皇でさえあわてさせるような神学上の難問であることに気づくにつれて、笑い声は徐々に抑えられたささやき声に変わっていった。僕がどう答えたか覚えていないが、模範的な回答でなかったことだけは確かだ。たしか、恐竜の絶滅を神が残念に思ったかどうか、聖書ははっきり述べていないなどとむにゃむにゃ答えたのだと思う。

本書で採用するものを選ぶため、集まった質問に目を通したときも、思いもよらないものをいくつか見つけた。最もすばらしかったのは、「壁に描かれたトンネルの絵を本物と勘違いして、人や車が激突したことはありますか？」というものだ。興味を惹かれた僕は、もしかしてセシル・B・デミル〔１８８１〜１９５９、アメリカの映画監督、映画プロデューサー。映画草創期に最も成功した映画制作者の１人で、『クレオパトラ』『十戒』などを制作した〕が砂漠に映画セットをつくったとき、酔っ払った不運なドライバーがこれに突っ込んだことがなかったかと思い、初期のハリウッド映画の歴史を調べたが、残念ながら何も見つからなかった。でも第二次世界大戦中に連合国側がダミーの戦車や戦闘機を用意し、ノルマンディー上陸作戦に向けた準備からナチスの気をそらしたという話は、質問の趣旨から離れすぎていると思われた。そんなわけで、残念ながらこの質問に対しては敗北を認めなければならない。

君がこれから読むであろう、僕がうまく答えられた質問は、身近なこと、重要なこと、それにほとんど知られていないが楽しいことの絶妙な組み合わせだ。人々がお決まりのナチスとテューダー朝（みんな本当にアン・ブーリンが大好きだ！）だけでなく世界史についても知りたがっていることがわかって、本当にうれしかったし、また石器時代の生活に関する質問にからめて、最新の考古学上の知見を学ぶことができたのも楽しかった。ときには僕自身の個人的な意見を求めるという間違いを犯した人もいた。ありがたいことに、僕の辛抱強い編集者のマディーが、興奮しきった僕の言葉が本筋から大きくそれて、まるで叙事詩みたいに！　感嘆符の！！　つけすぎ！！！　になる前に穏やかに軌道修正してくれた。

全体として僕は軽く陽気な口調を維持し、かつ教育的であることを心がけた。どの回答も、君が知るべきことを大筋でうまく説明していればいいと思うが、それ以上に願っているのは、君が本書をきっかけに、さらに充実した発見の旅を始めてくれることだ。質問することがなぜすばらしいかというと、回答がさらに多くの質問を引き出し、「正のフィードバック」が働いて好奇心を刺激しつづけてくれるからだ。この本が歴史についての君の好奇心を満たすだけでなく、さらなる好奇心をかきたててくれることを願っている。これに成功したのなら、ぜひ祝杯を上げさせてほしい。「なるほど、でもなぜ……？」と尋ねつづける人生に乾杯！

この本を手に取ってくれてありがとう。楽しい読書になることを願っている。

グレッグより

ロンドン大学歴史学者の「歴史のなぜ」がわかる世界史　もくじ

第2章 起源と始まり

第3章 健康と医療

第4章 食べ物

第5章 歴史学

第6章 動物と自然

第7章 ファッションと美

第8章 思想と技術

第9章 国家と帝国

登場人物の生没年は、翻訳の際に付記した。
本文中の〔　〕は原注を、［　］は訳注を表す。
本文中の書名は、未翻訳のものは逐語訳を記した。

デザイン　杉山健太郎
イラスト　中根ゆたか
校正　円水社
ＤＴＰ　野中賢・安田浩也（システムタンク）

第1章

事実？　それとも
フィクション？

1

アン・ブーリンには本当に乳首が3つあったんですか？歴史の先生は、それが魔女の証拠だって言ってました。

MH‐Bより

寄せられる質問で圧倒的に多いのは、アン・ブーリン（1507頃〜1536）について。ブーリンは、ヘンリー8世が結婚した6人の妻のうちの2番目だった。王妃のなかで最初に処刑された彼女は、イギリスの歴史上最も有名な女性と言えるだろう。王妃の座に少しずつ近づき、そしてそこから一気に転落したストーリーは、5世紀経った今でも誰もが思わず引き込まれる。これまでたくさんの作家が、アン・ブーリンの悪評という燃え盛る炎にさらなる薪を投げ込んできたんだ。そして、MH‐B、君の先生はあいにく、近代になってでっち上げられた話を信じ込んでしまったようだね。

アン・ブーリンの物語のなかでイギリス国民が取りつかれたように熱狂するエピソードの多くが、でたらめか、でっち上げられた反逆罪の裁判で彼女の評判を傷つけるために流された悪質なデマにすぎない。これまでに無数の伝記、小説、テレビドラマ、映画、ドキュメンタリーが制作されてきたが、彼女の真の姿は不思議ととらえどころがない。そのためなのか、強くて権威のある男たちに滅ぼされた不幸な犠牲者に見えることもあれば、当然の報いを受けただけの狡猾な魔性の女《ファム・ファタール》にも見えることもある。つまり正反対の印象を与えるのだ。しかし、いずれにしても彼女が生きている間に、妖術を使ったとして、あるいは３つ目の乳首を持っていると非難されたことは一度もない、ということだけははっきりしている。

　こうした根も葉もない噂のもとは、アン・ブーリンの死から約50年後に反体制派のカトリックの神父ニコラス・サンダーが広めた悪意に満ちた話の数々だ。サンダーはプロテスタントだった当時の女王エリザベス１世を憎んでいた。アンはエリザベスの母だったため、母親を攻撃することによって娘の評判をおとしめようとしたわけだ。アンの首がフランス人剣士によって切り落とされた１５３６年にはまだ子どもだったサンダーは、成人すると、カトリック神父であったために追放され、ローマ、マドリッド、アイルランドで亡命生活を送りながらも、イギリスで反乱の気運を高め、君主としてのエリザベスの評判を失墜させるために活動していた。

　サンダーの著作『英国の教会分裂の起源と経過について』は１５８６年以降順調に売れつづけ、１７００年までに少なくとも15版が出ている。プロテスタント国家としてのイギリスに不満を抱いていたヨーロッパの作家たちは、この作品から大きな影響を受

けた。17世紀の著述家ピーター・ヘイリンは、「サンダーには中傷屋《スランダー》という名のほうがふさわしかっただろう」と言っている。

サンダーによれば、アン・ブーリンは「どちらかというと背が高く、黒髪で、楕円形の顔はまるで黄疸《おうだん》にかかっているかのように血色が悪かった。上唇の下に歯が突き出ていて、右手には指が6本あった。あごの下には大きなできものがあり、その醜さを隠すため、喉まで覆う衣服を身につけていた。……彼女は目鼻立ちが整っていて、口の形もよく、独特の快活さを備え、リュートの名手で、巧みに踊った」。要するにサンダーは、アン・ブーリンは独特の魅力や優雅さを備えていたかもしれないが、けっして美人とはいえないと言いたいのだ。

サンダーは、実際にはアン・ブーリンの姿を一度も目にしたことがないのに、どこからこんな印象を得たのだろうか？　当時、ゴシップ好きの外交官がベルギーに送った何通もの手紙に書かれたのをはじめとして、アンの首はこぶだらけという悪意ある噂が広まっていた。この噂はその後も何度も繰り返された。しかし、これを疑うだけの理由がある。アン・ブーリンは、国王ヘンリー8世の心をつかむための駆け引きを行ってきたとはいえ、宮中で最も性的魅力のある女性と考えられていたわけではない。彼女の魅力は肉体的というよりむしろ精神的・人間的なものだった。だからといって、魅力的な外見を持たなかったわけではない。つまり、身体的な欠点については、完全なでっち上げとまでは言えないとしても、誇張にすぎないのだ。

6本目の指は、近年出版された多くの小説やインターネットのサイトでは定番の「事実」と化しているものの、これまたアンの死後数十年経ってから著述家のジョージ・ワイアットが述べた言葉をもとにしているようだ。ワイアットは次のように書いている。「彼女の指の1本の爪の横には、たしかに小さな爪のようなものが見えたが、実際に彼女に会った者によれば、それは非常に小さかった。それはまるで彼女の手にさらに優雅さをつけ加えるための創造主のいたずらのようだった。なぜならその爪はほかの指先で隠すことができ、事実彼女はよく隠していたので、その爪のせいで彼女の魅力が損なわれることはなかったからである」。ということは、6本目の指というよりは、ごく小さないぼといったところか。

すでに気づかれただろうか。これまでのところ、アン・ブーリンの物語には3つ目の乳首も黒猫も泡立つ大鍋も登場しない。またこうした毒々しい噂は、ヘンリー王の側近トマス・クロムウェルが集めたアンに対する裁判の証拠としていちはやく採用されたに違いないと思われるだろう。しかし実際に彼女にかけられた嫌疑は、魔術や悪魔崇拝ではなく、反逆罪、近親相姦、姦通罪といったわかりやすいものだった。彼女は5人の男たち――そのなかにはスキャンダラスなことに、自身の弟であるジョージ・ブーリンも含まれる――と定期的に性的関係を持っていたと糾弾されたのである。

音楽家のスミートンだけが罪を認めたが、その自白は残酷な拷問によって引き出されたため、信頼性に欠ける。ほかの4人、そしてアン自身も無実を主張した。さらに姦通は死罪に値する罪ではなかった。ヘンリー王でさえ、浮気を理由に妻を処刑することはできなかったのである。

そこで、さらに過激な罪状を必要としたクロムウェルは、アンの嫌疑を反逆罪にエスカレートさせ、彼女が愛人の1人と結婚するために国王を暗殺しようとしたと主張した。ヘンリーはその2年前に、自身の死を話題にするだけで反逆罪になるという法律をつくりあげていたのだ。たとえアンが本当に国王の暗殺を企てていなかったとしても、この件で彼女の有罪が決定した可能性はある。

裁判の結果はわかりきっていた。歴史学者がしばしば指摘しているように、自分が裁判にかけられることにアンが気づくより早く、ヘンリーはフランスから剣士を呼び寄せていたのだ。そして裁判にかけられた6名全員が、無残にもすぐに処刑された。宮廷の陰謀と冷酷な政治にまつわるこの驚くべき物語に、魔術や妖術はまったく登場しない。

はっきりしていることがひとつある。16世紀当時、アンに対する批判はもっぱら性的なものだったということだ。アンは外国の大使をはじめあらゆる方面の人たちから、ヘンリーが彼女と恋に落ちるよう秘薬やほれ薬を利用したとして、性的に放縦《ほうじゅう》で浅ましい色魔であると何度も攻撃された。ヘンリー自身、自分は魔法やまじない、あやしげな術（sortilège）［この言葉を残したのは英語を解さない噂好きの大使であり、その出どころを名指ししていないことを考えれば、信頼に足りる証拠とはとても言えない］の犠牲になったと怒りの声を上げたとされている。

とはいえ、ヘンリーは、だまされてとんでもない女と結婚してしまったとわめいたものの、その女が悪魔と結託しているとは言っていない。アンが比較的罪のない「まじない」や「呪文」を利用したという非難が、果たして黒魔術や悪魔崇拝という不吉な嫌疑に結びついたのだろうかと、これまで数々の小説家や伝記作家たちが首をかしげてきた。しかし裁判記録を見ればはっきりしている。クロムウェルと彼がかき集めた陪審員たちは、アンを死刑にするためのあらゆる口実を探していたにもかかわらず、オカルトじみた主張は歯牙にもかけなかったのである。

魔女がどうしたこうしたという主張はむしろ20世紀の発明である。最初にこの説を唱えたのは1920年代、人類学者のマーガレット・マレーで、彼女はアン・ブーリン、ジャンヌ・ダルクその他数名の歴史上の重要人物たちは、実は古代の異教的な秘密結社に属していたと主張した。これはもちろん、完全なたわごとだ。誤った歴史を正すことにうんざりしている歴史学者たちにとっては不運なことに、大人気の映画『ハリー・ポッター』シリーズでも、アンの肖像画がホグワーツ魔法魔術学校の大広間に飾られている。もしアンがこのような名高い教育施設を卒業していたら、きっと死刑執行人の剣に向かって「エクスペリアームス、武器よ去れ！」と唱え、ロンドン塔から脱出したに違いないと思うのだが、どうだろう？

こうした「魔女アン」のイメージが登場したいきさつははっきりしている。20世紀フェミニズム研究の最も影響力のある学説は、1540年代から1590年代にかけてヨーロッパで発生した熱狂的な魔女狩りを、女性の力を叩きつぶそうとする女性嫌悪《ミソジニー》で説明した。このことは、アンの悲劇を引き起こした張本人であるトマス・クロムウェルの言動にも見て取れる。クロムウェルは、女性的な意見を主張してばかりいるでしゃばりな王妃を引きずり下ろすために嘘をついた。しかし、もう一度はっきり言っておく。実際に魔女狩りが頻発した時代に起きた、「政治的な魔女狩り」とも言うべきこの裁判だが、アン・ブーリンは魔女として裁かれたのではなかった。「魔女」という言葉は一度として使われていないのだ。

アン・ブーリンは3つ目の乳首など持っていなかった。しかし、1600年代にはたしかに3つ目の乳首は不吉なものだと考えられていた。それは悪魔が身体につけた刻印、女または男(そう、男の「魔女」も存在したのだ！)が暗黒の力と結託している印とされていた。魔女はその乳首から、悪魔の使い――しばしば黒猫といわれる――に乳を与えるのだという。

そういうわけでMH-B、残念ながら君の先生は事実とフィクションを混同しているようだ。アン・ブーリンは噂になることが多かったので、無理もないが。しかし、彼女は3つの乳首も6本の指も持っていなかったし、5人の愛人も存在しなかったことははっきりさせておきたい。そんなものがなくても、彼女の物語は十分におもしろいだろう？　それなのに作家という連中は、いつだって新しい設定を求めずにはいられないらしい。「魔女アン・ブーリン」の物語だけにとどまらず、2010年に発表されたS・キンシャラの小説では、アンはヴァンパイア・クイーンになっている(『ブーリン――テューダー朝のヴァンパイア』(未邦訳))。ということは、彼女が地球の滅亡を狙う異星人のロボットとして登場する日も近いということだ。ヘンリー8世のような夫を持ってしまったのだから、そんなロボットになってしまったとしても、誰もアン・ブーリンを責めることはできまい？

2

死んだ教皇が裁判にかけられたことがあるって、本当ですか？

ステフより

ステフ、君の質問への答えを言おう。**本当だ。**もっと長い答えが欲しいって？まったくもって、そのとおりだ！

それではこれから、君を9世紀の混乱に連れて行ってあげよう。当時は西ヨーロッパの輝かしい黄金時代だったとされている。強大な皇帝カール大帝（シャルルマーニュ）は、彼の確立したフランク帝国を支配し、イングランドはアルフレッド大王の改革の成果を享受し、そして各地の図書館や修道院は、文化活動にさかんにいそしんでいた。しかし同時に、9世紀はあらゆるものが炎上した時代でもあった。北方から来たヴァイキングは川や海沿いで襲撃を繰り返していた。彼らは845年にパリを襲い、860年代にはヨークシャーに侵入している。南では846年に強大なアラブ軍によるローマ略奪が起こっている。東では890年になってマジャール人がハンガリー平原から西に移動を始め、現在のドイツのバイエルン地方まで到達した。

この混乱状態に、ローマ教皇という問題をつけ加えなければならない。キリスト教会の政治的・宗教的な最高責任者として、地域の安定化勢力であるべきローマ教皇の実態は、それとはまったくかけ離れていた。そして８００年代の状況が悪かったとすれば、９００年代は目を覆うばかりの惨状だったと言える。最大の問題は、多くの教皇が、生きつづける能力を完全に欠いていたことだった。法律史家のドナルド・Ｅ・ウィルクス・ジュニアが指摘しているように、８７２年から９６５年の94年間に、24人の教皇が存在した。これはかなりひどい状況だ。特に８９６年から９０４年の間にはさらに目まぐるしい椅子取りゲームが展開され、わずか8年間に9人の教皇が位に就いていたのだ。20世紀全体に在任した教皇の合計が、同じく9人だったことと比べてみよう！

この入れ替わりの激しさは、果たして単なる不運のせいだったのか？　残念ながら、そうではなかった。この混乱の世紀に生きた24人の教皇のうち7人は、いつ止まってもおかしくない心臓を抱えたよぼよぼの老人ではなく、政敵に暗殺された健康な人だったのだ。そう、この時代の教皇を取り巻く政治状況は冷酷で暴力的なものであり、歴史学者は「教皇庁のどん底時代」と呼んでいる。

９００年代の混乱の最大の原因は、権門同士の争いであり、そのなかでも特筆すべきなのがトゥスクルム伯（またの名は、より発音しづらいテオフィラット［Theophylact］家）である。彼らが台頭したのは、トゥスクルム伯の十代の娘マロツィアが、前任者2人の絞殺を命じた教皇セルギウス3世の愛人となった904年のことだった。殺人者かつ好色家とは、なんと魅力的な取り合わせだろう！　彼については、のちほど詳しく述べる。

一部の歴史学者は、状況が本当に悪化したのはセルギウス3世の時代だったと考えている。マロツィアが産んだ私生児を自身の後継者にしたことも、その理由のひとつだ。ケンブリッジ大学歴史学部教授のイーモン・ダフィーがこの時代の教皇庁について、「聖ペテロの座は、暴君や盗賊の求める賞品となり、大波のように押し寄せる犯罪と淫らさで汚された。それは地域の支配者となるための切符であり、これを手に入れようとする者は強姦・殺害・強奪も辞さなかった」と説明したのもうなずける。しかしこの恥ずべき危機より7年前にすでに教皇ステファヌス6世（在位896～897）が、教皇庁の品位を足首のレベルまで下げていた。僕たちの質問者ステファが述べたように、死んだ教皇が本当に裁判にかけられた、悪名高い「死体裁判」が開かれたのである。

897年1月、教皇に就任して7か月が経過したばかりのステファヌスは、先々代教皇フォルモススの墓から死体を掘り出し、公会議でそのさまざまな犯罪を裁くことを命じた。

そう、死者が正式な被告となったこの裁判は、パロディの域を超えた見せしめ裁判だった。当然、死者は自らの弁護などできない。そこでステファヌスが悪臭を放つ肉塊に向けて糾弾の言葉を浴びせかける間、1人の若い聖職者が死体の後ろに立って腹話術師・弁護人という珍妙な役を務めた。そしてこの裁判には、当時まだ一介の司教だったセルギウスもかかわっていた。

意外でも何でもないことだが、フォルモススは、ステファヌスが考えついたあらゆる罪に関して、有罪を宣告された。教皇衣がはぎ取られ、人々を祝福するのに使われていた3本の指が折り取られた死体は、平信徒の墓に埋められた。どうやらステファヌスはほどなくこの措置を後悔したようだ。フォルモススの支持者によって死体が掘り返され、骨が聖遺物として崇敬の対象となることを恐れたのかもしれない。そこで彼は新たな命令を発して、死体をふたたび掘り出し、テヴェレ川に投げ込ませた。言い伝えによれば、この計画は失敗したらしい。ある修道僧だか漁師だかがフォルモススの死体を川から引き上げたのだ。残念だったな、ステファヌス！

その後、彼の運命は悪化の一途をたどった。要するにステファヌスはこの異様な行動によって、自分自身と教皇職を辱めすぎたのだ。公然の敵となったフォルモスス派は、ほどなく反撃に成功した。彼らはステファヌスを教皇から平僧侶の身分に落とし、牢に放り込んでそこで彼を絞殺した。ステファヌスが教皇の座についていたのはわずか1年だったが、それも彼の後任者たちに比べれば驚くほど長いといえた。

おそらく一味には、新たに教皇の座についたロマヌス（在位897）も含まれていたのだろう。彼が歴史に名を残しているのは、わずか4か月後に平僧侶に落とされたからにすぎない。彼の前途に希望はなく、ローマには教皇がいなくなったが、果たして彼もまた殺害されたのか、それとも単に屈辱的な隠遁生活を強いられただけだったのかは、明らかではない。空位を埋めるために登場したのが、より立派なテオドルス2世（在位897）だった。彼はフォルモススの死体を漁師／修道僧から取り戻し、教皇としての礼をつくして再埋葬するように命じた。死体裁判を否定したテオドルスは賢明で慈悲深く温厚な人物と評されている。彼こそ、この危機の時代の教皇として求められるべき人物だった。ということは、その彼を襲った運命はわかりきっている。

そう、テオドルスは不可解な状況下で、就任12日目にして死亡した（21日後とする記録もあるが、12日としたほうがおもしろい）。またしても暗殺か、と思うだろうが、コメントは控えておく。次のヨハネス9世はちょうど2年間在位していた。その次のベネディクトゥス4世は就任から3年半後、謎めいた状況下で退場した。さらに次のレオ5世の時代は、7か月後に無慈悲に首を絞められて終わり、その次のクリストフォルスもまったく同じ運命に――ただしずっと早く――見舞われた。この迅速な二重殺人は、果たして偶然だったのだろうか？

下手人はもちろん、悪名高いセルギウスで、彼は教皇衣を身にまとったとたんにフォルモスの死体裁判の結果をふたたびひっくり返した。あの異様な裁判に関与していたセルギウスは、死せるライバルの評判をふたたびおとしめることを固く決意していたのだ。彼はそれから、先に述べたマロツィア女伯と同棲し、生まれた私生児を後継者と定めて、教皇位の品位をさらに落とすことに邁進したため、歴史学者たちが彼のことを「教皇の暗黒時代」の開始者と名づけたのも無理はない。この汚れ切った男の死に次いで登場したのはヨハネス10世だった。兄弟が大聖堂で殺害されるのを傍観していたこの男はその後、自身も絞殺されている。９６４年、ヨハネス12世は愛妾とのセックス中に踏み込んできた相手の夫に殺されるという、メロドラマ的な死を迎えた〔セルギウスの3代後がヨハネス10世で、その3代後のヨハネス11世は、セルギウスとマロツィアの子と噂された。そのさらに5代後がヨハネス12世〕。

要するに８００年代と９００年代に教皇であることは、第一次世界大戦中に戦闘機のパイロットを務めるのと同じくらい危険で、はるかに評判の悪いことだった。パイロットたちは、死後に後継者に墓を暴かれて裁判にかけられるという屈辱は受けずにすんだのだから。

少なくとも、今のところは……。

3

歴史上で一番金持ちだったのは誰ですか？

ナナ・ポクより

歴史学者という仕事は楽じゃない。外国語や過去の言語を学ばなければならないし、古くさい法律用語の知識も必要だし、読みづらい字で書かれた古文書を解読しなければならないし、ずっと前に忘れられた俗語やジョークを文脈に即して理解しなければならないし、はるか遠方の文書館まで出かけていかなければならないし、重要な記録文書が欠けている、あるいは多すぎるというジレンマにも襲われる。そして知るべきことはまだまだあるのに、僕たちが永遠に知ることのない事柄があまりに多いのではないかという疑惑に絶えず苦しめられている。

正直なところ、歴史学者という奴らはみんなマゾヒストだ。だがそのなかでも特に注意が必要なのが、昔の貨幣価値を現代の基準で判断しようとすることだ。なぜならそれは、品物の価値、経済規模、当時の平均的な賃金のどれを基準とするかによって、大いに異なってくるからだ。

たとえば有名人を扱った拙著『デッド・フェイマス』で、僕はチャールズ・ディケンズが1

867年に行った2度目のアメリカ旅行の際の売上額を現代の金額に換算してみた。彼がかき集めた金額は4万5000ポンドだったことが知られているが、これは果たして莫大な富なのか？　そうは思えない。何十年も続いたインフレのせいで、4万5000ポンドはいまや大した金額ではなくなっている。現在なら、BMW5シリーズの新車を購入できる金額だが、それでも21世紀の基準では富とは言えない。

しかし1867年当時、ディケンズにとって、4万5000ポンドはどういう価値を持っていたのだろう？　従来の伝記作者たちは、これを現在の300万ポンド相当と換算してきた。いい数字だ。しかし彼らは1867年当時の物価を経済的なリトマス試験紙として採用しており、それによるとディケンズは明らかに、3000頭の馬を買えるだけの収入を得たらしい。1頭の馬も買ったことのない僕には、これはすごいことに思える。

しかし彼は、金を稼ぐために、仕事の一環としてアメリカを旅したのだから、むしろ当時の平均的な個人所得と比べたほうが適切ではないか？　結局のところ、人々は彼に会いたくて、稼いだお金のなかから2ポンドを払ったのであり、彼らが売り場に群がったのは、馬を最前列の席と交換するためではなかったのだから。当時の賃金を経済的な尺度として採用すると、まったく異なる結論が得られた。ディケンズの売上は現在の300万ポンド相当などではない、なんと3000万ポンド相当だったのだ！

この話をしたのは、歴史上の富にはいかに幅広い解釈の余地があるかということを示すためだ。こうして、「歴史上で一番の金持ちだったのは誰？」というナナ・ポクの最初の質問に戻ってくる。おもしろい問いだが、答えるのは簡単ではない。

本稿の執筆時点における地球上で一番の金持ちは、1850億ドルという馬鹿馬鹿しいほどの額の個人資産を所有するイーロン・マスクだ。ということはこの競争の勝者は彼で決まりだ、と思われるだろう。しかし、ディケンズ以来の難問にどう取り組むかですべては変わってくる。そこで、いったんはっきりさせておこう。歴史上の一番の金持ちという場合、それは「個人資産が最も大きい人間」と「最も大規模な経済を支配していた人間」のどちらを指すのか？　両者はまったく異なるからだ。

最初の問いに対する最も簡単な答えはおそらくジョン・D・ロックフェラー、かのアメリカ石油界の大立者だろう。1937年に亡くなったとき、追悼記事には彼が15億ドル相当の資産を所有していると記された。フォードの新車の価格が750ドルだった時代のことだ。過去85年のインフレ率を考慮すると、ロックフェラーの富は残念ながら220億ドルぐらいにしかならない。

しかしここで経済学者の狡猾な魔術を駆使して、アメリカ一国のGDPにおける割合を考慮してみると、その2パーセントを占めた偉大なるジョンの財産は突如として、現代における4200億ドルという信じられない額に膨れ上がる。これに比べればイーロン・マスクなど、ディケンズの小説に登場する、物乞いする貧民街の浮浪児でしかない。問題はもちろん、2つの数値を隔てる４０００億ドルだ――ロックフェラーは、現在の『フォーブス』誌の長者番付で30番あたりにつけるのか、それとも果たして彼はすべての時代におけるナンバー・ワンなのか？　これはけっこうな違いだ。

ほかに候補者はいるかな？**「金持ちヤーコプ」というわかりやすいあだ名を持つドイツの銀行家、ヤーコプ・フッガーがいる。**イタリアとの織物貿易で豊かになった一族にとって最大の画期となったのは、１４９０年代に貴重な銅鉱山の支配権を手に入れたことだった。こうして王侯貴族の金貸しとなったフッガーは、ハプスブルク王朝に融資を行うようになった。16世紀前半の重要な政治的事件のいくつかは、彼の深いポケットからの出資によって実現したといえる。

そして皇帝マクシミリアンが１５１９年に亡くなると、フッガーは２人の後継者候補が彼から借りた金で戦争を始めるように仕向け、融資額をつり上げ、最終的にはマクシミリアンの孫息子であるスペイン王カルロス１世が選出されるように選帝侯たちを買収した。この結果カルロスは、当時の２つの軍事的スーパーパワー、つまり（ネーデルラントと新大陸を支配する）スペイン帝国と神聖ローマ帝国の支配者となった。王朝間のメガ同盟によって、ヨーロッパの政治的運命が決したのだ〔現在のオーストリア地方のしがない領主だったマクシミリアンは自身の結婚でブルゴーニュとネーデルラントを獲得し、息子フィリップは新大陸を所有するスペインの王女ファナと結婚してカルロスをもうけた。なおカルロスと皇帝位を争ったのはフランス王フランソワ1世〕。

このフッガー家はどれほど金持ちだったのだろうか？　１５２５年に死去したとき、フッガーは200万グルデン（当時の通貨）を蓄財していたが、5世紀分のインフレ率を考慮しても、その金額はわずか数十億グルデンにしかならない（なんてつまらない！）。しかし、当時のヨーロッパ経済においてフッガー家の富が占めていた割合を測ると、とたんに彼はロックフェラーと互角になるのだ。

君主や皇帝や政治指導者を競争に加えると、判断はさらにむずかしくなる。彼らは果たして個人資産を所有していたのか、それとも強力な経済を管理していただけなのか？　広大で肥沃な領土と利潤の多い交易路が驚くべき収入をもたらした皇帝たちを、何人も挙げることができる――南アジアのムガル帝国のアクバル大帝（在位1556〜1605）、アケメネス朝ペルシアのダレイオス大王（在位紀元前522〜486）、マケドニアのアレクサンドロス大王（在位紀元前336〜323）、古代エジプトのラムセス2世（在位紀元前13世紀）、中国の諸皇帝など。しかし彼らの資産は、彼ら個人のもの、それとも国家の所有物だったのだろうか？　後者が正しいと、僕は思う。しかし全貌を知るために、またこれ自体が魅力的な物語なので、ここで**西アフリカのマリ帝国の支配者だったマンサ・ムーサ（在位1312〜1337）**を紹介したい。

ムーサの帝国は現代のマリよりはるかに大きく、その莫大な富は塩の採掘と、残酷で忌まわしい奴隷貿易、そして最も名高い黄金の採掘を通じて形成された。中世ヨーロッパ美術に使われた金や、戴冠式で使用される王冠の材料の大部分は、マリで産出されたものだ。僕たちがマンサ・ムーサについてある程度のことを知っているのは、彼が敬虔なイスラム教徒で、現在のサウジ・アラビアにあるメッカへ聖なる巡礼（ハッジ）を行ったからだ。しかしムーサは何事も中途半端には行わず、また旅する場合もけっして身軽ではなかった。彼は大キャラバン隊を組織し、非常に多くの従者を随行させたのだ。

文化人であるムーサは観光も好んだことから、この巨大な巡礼団はカイロに立ち寄った。黄金を21トンも携えてきたムーサはこれを気前よくばら撒き、それにより暴落した金相場は20年も回復しなかったという！　アラブの歴史家たちは、目を奪うような派手な行列で町を訪れた彼のことを、ディズニーの『アラジン』に登場するアリ王子になぞらえている。メッカで礼拝を終えたムーサは帰路にもカイロに寄った。マリ帝国、特にトゥンブクトゥを拡大し、美化するために、そこで優秀な建築家、詩人、学者、神学者をリクルートしたのだ。トゥンブクトゥの図書館に保存されている有名な古文書から、その成果を知ることができる。現代の歴史学者は、近代の価値にして４０００億ドル前後の資産を保有するマンサ・ムーサのことを、しばしば人類史上最も富裕な人間と呼んでいる。

こんなわけで、ムーサ、フッガー、ロックフェラーの3人がトップタイになった。しかしここにもう１人、ある皇帝を加えたい。この人物は、ずるい抜け穴を大いに活用したからだ。

ローマの初代皇帝はカエサル・アウグストゥス（在位紀元前27〜紀元14）**だ。**彼の名はもともとオクタヴィアヌスだったが、ユリウス・カエサルが暗殺されると、その養嗣子《ようしし》と宣言されて、最高の政治権力――および精強な軍隊の忠誠心――だけでなくその個人資産も受け継いだ。カエサルが征服したガリア地方は、かなり広大な不動産だ。したがってオクタヴィアヌスはローマの最初の皇帝として、20億セステルティウスにのぼる莫大な税収と交易収入を得ただけではない。1人のローマ市民としても、非常に裕福になったのである。その個人資産は、アクティウムの海戦でマルクス＝アントニウスとクレオパトラを破ってエジプトを征服した結果、さらに膨れ上がった。肥沃な土地に恵まれ、古い歴史を持つエジプト王国はそのまま彼の私有地となり、オクタヴィアヌスはその個人領主となったのである。

明らかにこの男は金をたっぷり持っていた。権力を握った当初、彼はカエサルの軍の維持費をポケットマネーで支払っている。古代経済に詳しいスタンフォード大学古代史教授のウォルター・シーデルによれば、アウグストゥスは自らの最高権力を利用してほかの富裕市民を言いくるめたり脅したりして、遺言書に自身の名を書かせ、その死後に財産を相続したという。不満を言う者がいれば、彼はためらうことなく相手を追放したり処刑したりし、ついでに全財産を没収した。

20年にわたる徴収や強奪の結果、アウグストゥスの全収入はなんと14億セステルティウスにのぼったと、シーデル教授は推測している。そして訊かれる前に言っておくが、セステルティウス硬貨の価値を判断するのも頭の痛い問題だ。当時のカネは金属の価値に連動していたのに対して、現在のカネは不換通貨である。真鍮製のセステルティウス硬貨1枚は、現在の価値でわずか50ペンスしかなかったのかもしれないし、数ポンドの価値があったのかもしれない。すべては何を買うかによっていた――パンの値段が安かったローマでは、1枚の硬貨でパンを2個買うことができたが、衣類は高かった。それでも、14億枚の硬貨がトーガのポケットでチャリンと音を立てているというのは、なかなか気分のいいものだっただろう。

アウグストゥスがカエサルから相続した財産の総額ははっきりしないが、（彼の業績が自慢げに列記された一覧表である）『神君アウグストゥスの業績録』からは、多くの建築プロジェクトがポケットマネーから支払われていたことがわかる。そのなかには中サイズの個人宮殿（いいなあ！）とアポロン神殿も含まれる。また数億セステルティウスを贈り物や好意の印として忠実な側近や友人に与えているので、おとぎ話のドラゴンのように宝物をじっとしまい込んでいたわけでもなかったようだ。このため、残念ながら彼の所有する富を評価するのは必ずしも簡単ではないが、それでも2つの巨大な収入を組み合わせれば、カエサル・アウグストゥスが人類史上最も裕福な人間だった可能性はある。その2つとは、個人的な資産と、ローマ帝国の資産だ。だが正直なところ、ここであえて彼を勝者と宣言する勇気は、僕にはない。

それに、イーロン・マスクが近いうちに僕の抱える問題を解決してくれるかもしれない。丁寧にお願いすれば、彼がＢＭＷを買ってくれるんじゃないだろうか？

4

「アトランティスの物語は、異星人が存在することを証明している」という主張にうんざりしていますか？

匿名より

うん、している！　じゃあ次の質問は……

おっと、編集者に呼ばれてしまった……。一言だけの返事は失礼だ、ということらしい。それは悪かった。では、言葉を連ねてみよう。

対話重視型の歴史学者として、僕はツイッターやユーチューブに多くの時間を割いている。歴史に関するさまざまな考えを人々がどうとらえているかを知るためだ。憂慮すべき最近の傾向のひとつが、異星人がピラミッドを建設した、あるいは彼らはアトランティスの原住民だと考える人がますます増えているという事実だ。カリフォルニア州のチャップマン大学の研究者たちは毎年、一般のアメリカ市民がどんな恐怖を抱いているか調査しており、その一環として、どんな超常的な考えが影響力を増しているか調べている。2018年には、投票に参加した

人々の41パーセントが、遠い昔、異星人が地球を訪れたと信じており、57パーセントは、アトランティス文明は本当に存在したと信じていた。これは２０１６年からの大幅な増加で、僕は非常に懸念している。理由を説明しよう。

まずアトランティスから始めよう。海の底に沈んだ例の古代帝国だ。この有名な物語は、古代ギリシアの哲学者プラトン（紀元前４２７頃～３４７）によって伝えられた。彼の対話集『ティマイオス』と『クリティアス』では、師のソクラテスが３人と、世界の創造、そしてかつてアテネがどのようにさまざまな競争相手に対抗したかについて話し合っている。対話の重要な目撃者であるティマイオスとクリティアスはアトランティスのことを、進んだ文明を持つ強大な島国で、アフリカとヨーロッパにも植民地を所有していたと述べている。クリティアスはその進んだ社会について詳しく説明しているが、ざっくりいうと、アトランティスはアテネに先制攻撃を仕掛けたものの、ギリシア人に敗北を喫した。そして傲慢の報いとして、彼らは自然災害によって地上から拭い去られてしまったのである。

で、クリティアスはどうしてこの物語を知っているのかって？

彼はこの話を子どもの頃、祖父から聞いた。祖父はその父親から、父親は有名な立法家ソロンから、ソロンはエジプトの賢明な神官から、そして神官は……誰から聞いたか知られていない。あまり信頼できる出典とは言えないが、しかし世界各地で何世代にもわたって知識が口承で伝えられてきたのは事実だ。またそれは多くの先住民コミュニティにとって豊かな意味を持つ宝庫なのだから、無視することはできない。しかしプラトンのエジプト人神官は、この戦争が9000年前に起きたと断言した——当時はまだ石器時代で、アテネなんて場所は存在しなかった。

この怪しげな点を別としても、海に沈んだ都というのは、本当に起きたことかもしれない、と思われるだろう。たしかに可能性はある。以前から存在する説——幅広く調査されたものの、立証はされていない——によれば、アトランティスとはクレタ島に実在したミノア文明のことだという。今から約3500年前、この強大な青銅器文明は突然衰退した。それは、テラ島(現在のサントリニ島)の火山の爆発によってアクロティリの町が破壊され、次いでクレタ島の沿岸部の集落を呑み込む巨大津波が押し寄せてきた少しあとのことだった。しかし、クレタ島自体が水没したわけではない。この島は今も存在していて、もし君がそのつもりなら、そこですばらしいバカンスを過ごすことができる。一方、頭の固い考古学者や科学者や古代史専門家たちは、証明された事実のあら探しばかりしている。テラ島はたしかに「ドッカーン」と爆発したが、それ以上のことははっきりしないんだ。

人々が好んで推理をたくましくするのも理解できる。しかし、ミノア文明＝アトランティス説には問題がある。プラトンによれば、アトランティスはジブラルタル海峡の西側に存在した大きな大陸で、大西洋に水没したという。これに基づいて、アトランティスの所在地に関してありとあらゆる説が唱えられてきた。ファロス島、キプロス島、サルデーニャ島、マルタ島、あるいはトルコやスペイン沖の島、あるいはアゾレス諸島、カーポベルデ、カナリア諸島、アイルランド、ブリテン島、フィンランド、デンマーク、スウェーデン、カリブ諸島のさまざまな島などなど。

プラトンの忘れ去られた文書はルネサンス期に、イスラムやビザンツの学者によってヨーロッパ思想に再導入された。これはクリストファー・コロンブスが新大陸を発見し、スペインのコンキスタドーレスがメキシコのマヤ文明に遭遇したのと同時期のことだった。したがって、マヤの人々こそ最初のアトランティスの住民だったのではないかとルネサンス期の思想家たちが考えはじめたとしても、無理はない。さらに驚くべきことに、最近ではアトランティスが南極大陸に存在したとする主張まであるのだ！　まったくのナンセンスだが、僕自身は、したり顔で会話するペンギンたちに支配された強力な南極文明という考えが大いに気に入っている。

ほかにも、プラトンのアトランティスは、聖書に登場するノアの大洪水にまつわる民間伝承だとする説もある。ノアが大あわてで海洋建築学の基礎知識を勉強した、あれだ。洪水伝説はたしかに複数の古代文明に伝承された気配があり、彼らがこの恐ろしい経験を共有していたことを推測させる。海抜の低い町が突然水没した可能性はあると、僕も思う。公平を期して言えば、熱心なアトランティス愛好家たちは失われた都市トロイアを候補に挙げているが、この町自体、１８７０年代にドイツのアマチュア考古学者ハインリヒ・シュリーマンが強固な城壁を発見するまで、架空の存在にすぎないと考えられていた。

しかし僕が思うに、トロイアの場合は、シュリーマンがトルコ西部で位置の同定に成功するほど、ギリシア美術や文化に頻繁に登場するのに対して、巨大文明だったとされるアトランティスが古代文献でわずか一度しか言及されていないという事実は、さらなる疑惑をかき立てる。強力なインパクトを持つアトランティス文明が本当に存在したのなら、彼らに対するギリシア勢の勝利は、陶器などに繰り返し表現されたはずではないか？　楽しみに水を差して申し訳ないが、アトランティスへの言及がほとんどないのは、この文明が実在しなかったからなのだ。

プラトンはしばしば「西洋政治思想の父」と呼ばれる。彼の『国家』は、正義や幸福を取り上げた記念碑的な著作で、社会はいかに統治されるべきか、またライバルにいかに対処すべきかを重点的に論じている。この点に注目するとアトランティスは、あまりに傲慢・貪欲・攻撃的になった国家がたどる運命を示した寓話であることは明らかだ。これは歴史記録ではなくおとぎ話であり、巨大文明の破滅を因果応報に基づいた歴史からの警告と説く、逆ユートピアのケーススタディとでもいうべきものなのだ。これをギリシアの敵であるペルシア帝国へのあてこすりとする研究者もいれば、アテネ民主主義そのものに対する攻撃「プラトンは、大衆が投票に参加するのは好ましくないと強く考えていた。彼の考えの正しさはその後、ドナルド・トランプの当選によって証明された」とする考えもある。しかし重要なのは、アトランティスを打ち負かしたのは、道徳的により優れたアテネ人だということであり、そしてプラトンはたまたま、道徳的に優れた１人のアテネ人だった。奇妙な一致ではないか。

プラトンが生きていた頃より９０００年前にアトランティスが滅亡したとされていることからして、これは荒唐無稽な空想話であり、映画『スター・ウォーズ』の「遠い昔、はるか彼方の銀河系で……」というオープニング・クレジットを想起させる。物語の正確性に関していえば、たとえるならばこれはプラトンが、「ぼくにはゴージャスなスーパーモデルのガールフレンドがいるんだけど、別の学校に通っているから君に会わせることはできないんだ」と言っているのと同じようなものだ。つまり、証明はできないが、アトランティスは実在しない。プラトンは、自分の哲学的な主張を裏づけるために物語をつくった。なぜそれがわかるかといえば、プラトンの弟子のアリストテレスがそう言っているからだ。

物語に穴が存在するにもかかわらず（あるいはそれが理由で）、人々はますますアトランティスに惹きつけられていることが、アメリカ市民が抱く恐怖に関する調査で明らかになった。アトランティスは、ポップ・カルチャーに繰り返し登場する。たとえばＤＣコミックスの『アクアマン』シリーズ、ディズニー映画の『アトランティス　失われた帝国』や『リトル・マーメイド』。ジュール・ヴェルヌの古典『海底二万里』と、同じくヴェルヌの作品からインスパイアされた映画『地底探検』。さらに『アサシン クリード オデッセイ』や『トゥームレイダー』などのビデオゲーム。そしてテレビドラマ『スターゲイト アトランティス』〔２００４年から２００８年にかけてアメリカで放送。〕まで来れば、異星人の世界はすぐそこだ。異星人……。

異星人が僕たち人間の間を気づかれずに動き回っているという考えに、ハリウッドは取りつかれているようだ。そのなかでも少なくない数の物語がさらに先を行って、異星人が僕たちの古代史に関与していたとしている。リドリー・スコット監督の映画『プロメテウス』〔２０１２年公開〕然り、『エイリアンＶＳプレデター』〔２００４年公開〕然りだ。また『トランスフォーマー／リベンジ』〔２００９年公開〕では、悪人たちはギザのピラミッドに太陽を破壊する超兵器を保管している。許しがたい所業だ。

ハリウッドのエンタメ映画のファンである僕は、こうした映画を何本も楽しんできた。しかしこのような異星人ファンタジーが、いわゆる事実に基づくドキュメンタリーや書籍に登場したとたん、僕は憂鬱に襲われる。ユーチューブ、ポッドキャスト、それにアメリカのテレビ番組はしょっちゅうこのようなテーマを取り上げている。特に問題なのが、テレビ番組『古代の宇宙人』シリーズ〔ヒストリー・チャンネルで２０１０年から放送されているアメリカのテレビ番組。古代宇宙人飛行士説を唱えている〕だが、どれも放送時間中にＳＦ的なお題目を、まるでそれがれっきとした根拠を持つ考古学上の学説であるかのように唱えているのだ。７世紀の石棺に刻まれているのは、宇宙船に乗ったマヤの王なのか？　違う！　水晶製の頭蓋骨は、古代メキシコが火星の生命体とつながっている証拠なのか？　いや、あれは19世紀ドイツの偽物だ！　ペルーのナスカの地上絵はひょっとして……？　ちーがーう！

津波のように押し寄せるこうしたたわごとは、大ヒットしたエーリッヒ・フォン・デニケンの著作『未来の記憶』〔角川書店、1997年〕とともに始まった。この作品は1960年代に刊行されて以来、6500万部以上売れている。何の害もないお楽しみだと思われるかもしれない。しかし古代の驚異的な建造物は、非ヨーロッパ文明によって建設されたにしてはあまりにも先進的すぎるので、火星人がつくったものに違いないと主張するのは、かなり失礼ではないかと思う。そしてアトランティスにふたたび戻るが、そこには君が考えるよりもずっと邪悪な歴史が隠れている。

1880年代にアメリカの政治家イグナティウス・L・ドネリーが『アトランティス：大洪水以前の世界』（未邦訳）を出版し、そのなかでアトランティスは文明のゆりかご、またエデンの園であり、あらゆる偉大な文明がそこから発したと主張した。彼はまた、アトランティスの住民はその後英雄的な神々と混同され、古代ギリシア、インド、スカンディナヴィアなどの多神教のパンテオンに発展したと考えた。ドネリーのアトランティスもまた例の聖書の大洪水で滅亡し、生き延びたのはわずか数名にすぎなかった。

ドネリーの次に現れたのはオカルト思想家のヘレナ・ブラヴァツキーだった。神智学協会の共同設立者である彼女は、アトランティスの住民はインドのアーリア人種の祖先で、彼らの優れた知恵と技術――それにテレパシー能力（嘘だろう?!）――は数々の偉大な文明の手本になったと主張した。「アーリア人種の優越」などという言葉を見聞きしたら当然、君の脳内でただちにアラーム音が鳴り響かなければならない。ほどなく登場した一連のドイツ人作家たちの思想は次第に秘教的な性格を強め、いわゆるトゥーレ協会〔1918年にミュンヘンで結成〕の誕生につながった。彼らはアーリア人の住むアトランティスをインドから、寒冷なスカンディナヴィアと北極圏に移動させた。言い換えれば、金髪碧眼の人々の故地としても知られる場所だ。

1912年に『氷宇宙論』（未邦訳）が本屋の店頭に並んだ。著者のハンス・ヘルビガーはオーストリアの発明家で、惑星は氷の大爆発によって誕生したとする「世界氷理論」というトンデモ説を唱えた。彼によればトゥーレ＝アトランティスは、テレパシー能力を持ち、電気を操る優れた人種の故郷で、彼らは流星に乗って地球に飛来した「神聖な種子」の子孫なのだという。幾つもの氷状の天体が地球に衝突し、聖書に記された大洪水でアトランティスが水没したときに彼らの繁栄は終わりを告げたが、一部のアーリア人はチベット、日本、インドに逃れ（そして仏教と神道を開基した）、また子孫のなかにはイエス・キリストという名の人物もいたという。もちろんだ！　この説に従えば、イエスがユダヤ人だったという厄介な問題も回避できるのだから。

天文学や地質学の学位を持たないヘルビガーは、啓示を得てこの説に至ったと述べている。単なるナンセンスと笑って片付けることは簡単だが、彼の擬似科学的な説は非常に人種差別的だった。北方アーリア人は、猿から進化しているために動物的で劣ったユダヤ人、スラブ人、アフリカ系の人々よりも優れた人種であると彼は主張した。ヘルビガーのねじ曲がった説の熱心な信奉者のなかにヒトラーの右腕ハインリヒ・ヒムラーがいる。氷宇宙論がユダヤ知識人に支配された近代物理学を否定しているのも、その大きな理由だった。アインシュタインの助けを借りずに宇宙現象を説明できる擬似科学理論は、反ユダヤ的な体制からは常に歓迎されたのだ。

ヘルビガーは1931年に死去したが、その思想は継承された。ヘルマン・ヴィルトはヒムラーの民族中心主義的タスクフォース「ドイツ先祖遺産、古代知識の歴史と研究協議会」〔ナチスの公的な歴史研究機関であるアーネンエルベのこと〕の初代会長となった。かつてアーリア＝アトランティス文化が栄えた証拠を見つけるため、この協議会は考古学者、言語学者、美術史家、音楽学者を世界各地に派遣した。そしてマーベル・コミックの世界に登場するナチスの科学部門や、映画『レイダース／失われたアーク《聖櫃》』〔1981年公開〕に登場する悪人たちのモデルとなっている。しかし残念ながら現実の世界では、ナチスの悪行を止めるためにキャプテン・アメリカやインディアナ・ジョーンズが登場することはなかった。

ヒトラーやほかのナチス幹部に比べ、ヒムラーははるかに強くオカルト思想に惹きつけられていたものの、総統も氷宇宙論を支持していたことは、フロリダ州のステッソン大学の歴史学教授エリック・クアランダーの興味深い著書『ヒトラーの怪物たち：第三帝国の超自然的な歴史』（未邦訳）で述べられているとおりだ。こうした思想はドイツ文化に広範に受け入れられていたとクアランダーが主張しているのに対して、元ケンブリッジ大学歴史学教授のリチャード・エヴァンズ卿をはじめとするほかの歴史学者は、これを周縁的な思想に強く位置づけている。どちらにしろ、異星人のアトランティス＝いわゆるアーリア人の優越という思想がファシストの優生学計画に浸透したことははっきりしている。それは、1100万人が組織的に殺害されたホロコースト――僕の曽祖父も犠牲者の1人だった――の根拠となった。

要するに、古代の巨大建造物は異星人によって建設されたと主張する人々は、非ヨーロッパ文明の担い手たちの技術的独創性を否定し、彼らの歴史という尊厳を奪っているだけではない。この人々は、第三帝国の有害思想に汚染された有毒な井戸からその思想を汲み上げているのだ。だから、ナイーブに聞こえるかもしれないが、僕は人々が『古代の宇宙人』シリーズのデタラメを信じるのをやめることを強く願っている。アトランティス物語は結局のところ、民主主義は最悪の政体だということを示したいプラトンのつくり話にすぎなかったのだから！

第2章

起源と始まり

5

最初のジョーク集が書かれたのはいつ頃ですか？どんなおもしろいジョークがありましたか？

ジョンより

質問：森にあるすべての葉っぱのなかで一番きれいなのはどれ？
答え：ヒイラギ。誰もこの葉っぱで尻を拭こうとしないから。

これは僕のお気に入りの中世のジョークだ。たしかにとても優れているとは言えないが、これまでパブで披露するたびに、場は静かなくすくす笑いに包まれた。前提とオチがはっきりしている。わかりやすく短いのもいい。そして尻——尻ほど誰でもおかしみを感じるものがあるだろうか。

このジョークは、ヘンリー8世の治世初期の1511年にイギリスで出版されたシュールななぞなぞ集から取ったものだ。正直なところ、それなりに笑える内容ではあるが、滑稽さには限界がある。掲載されているユーモラスななぞなぞの大半は、シェイクスピア作品の難解な台詞に大笑いできる者も含めて、現代のほとんどの読者には理解不能だ。ヒイラギのジョークは間違いなくこの書物で最も優れているが、僕が次点とした次のジョークを読めば、質の低下は明らかだろう。

質問：世界の人類の4分の1を殺したのは誰？
答え：カイン。彼がアベルを殺したとき、世界に人間は4人しかいなかったから。
質問：羊の群れにまぎれ込んだ1頭の牛を見分ける方法は？
答え：目を使え！

白状すれば、この2番目のジョークには笑わせられた。あまりにもわかりきった答えだからだ。なぞなぞが知恵を絞った答えを期待させるような形式である場合、こういうのが意表をついていておもしろいのだ。意外性は笑いの重要な要素であり、ジョークの名手の多くは、私たちのもつ無意識の前提を平然と突き崩す名人なのだ。

たとえば最近僕はツイッターで、「なぜ鶏は道を渡ったのか？」という有名なジョーク〔初出は1847年〕に関して、人々が不吉な解釈を非常に好んでいることに気づいた。それによると、これは自殺願望を持つ鶏なのだそうだ（答えの一例：あの世へ渡りたいから）。これは現代人に特有の考えすぎという現象で、この意図的なアンチジョークのオチを誤解している。要するに単独ではおかしくもなんともないが、先ほど挙げた羊と牛のジョークと同じように、ほかの知的ななぞなぞのあとで提示されるべきものなのだ。脳みそを振り絞って考えさせるなぞなぞのあとでは、これもまた悪魔的に巧妙な言葉遊びだと思われ、その結果「反対側に行きたいから」というわかりきったオチに足をすくわれた者が大きな笑みを浮かべて「ちぇっ、1本取られたよ！」と言うことが期待される。

これこそがユーモアのキモだ。文脈を理解する必要があるが、非常に多くのジョークは特定の文化的枠組みのなかでしか効果を発揮しないため、歴史上のジョークは往々にして現代の読者に何も訴えかけない。世界は進歩した。僕たちは先人と同じように考えず、同じものを恐れず、異なる俗語を使用し、異なるジョークを楽しむ。技術も変化した。喜劇は文化の注釈というべきものだが、文化がじっと動かずに停滞していることはめったにない。

ジョークはあっという間に賞味期限を迎える。歴史学者のボブ・ニコルソン博士は「ヴィクトリア朝時代のユーモア」という非常に愉快なツイッター・アカウントを持ち、19世紀の新聞や本に掲載されたジョークをツイートしている。僕こそ、これらのジョークの理想的な読者に違いない、と思われるかもしれない。僕はコメディ業界で働き、19世紀の文献に親しむ歴史学者でもある。……それでも、これらのジョークにはまごつかせられることが多い。オチがあまりにも不器用かつ難解なため、性能の悪い機械で英語から日本語に翻訳し、それをまた英語に訳し戻したもののように感じられるのだ。もしかしたら、当時は腹がよじれるほど笑えたのかもしれない。それともわざとくだらなくつくられているのだろうか？

そうはいっても、時を超越したテーマもたしかに存在する。世界最古のジョークは、おならにまつわる、3900年前の古代シュメール（現在のイラク）のものだ。

（これは）はるか昔から一度も起きたことがない。夫の膝の上に座った若い女がおならをしなかった。

青銅器時代にしては悪くない、そう思わないか？「一度も起きたことがない」と「おならをしなかった」という二重否定のせいで、ただちに意味を把握するのはむずかしいかもしれないが、視覚的効果はすばらしい。夫のロマンティックな情熱が、魅力的な若妻がその膝の上で発した音の結果、突然鼻も曲がる嫌悪に転じた。そしてもしかすると友人たちの前で恥をかいた様子が目に浮かぶようだ。ここにはシチュエーション・コメディ的なエネルギーがある。これは紙に書かれた言葉——あるいは粘土板に刻まれた記号——よりも実演のほうがはるかに滑稽な、「語らず見せよ」という類のジョークなのだ。

だがジョンの質問は「最古のジョークは何？」ではなく、「最初のジョーク集はいつ書かれたの？」だった。両者はもちろん別物だ。ジョーク集は、読むために編まれるものだ。たとえ喜劇俳優が演じなくても、読んで滑稽でなければならない。さらにジョークの数も多くなければならない。ではこれはいつ頃までさかのぼるのだろう？

古代ギリシア人はジョークをこよなく愛した。当時の劇作家のなかで一番笑える作品を書いたのが、アリストファネスだった。非常に独創的なシュルレアリズムと、なんとも下品なおならジョークは彼の生前から大ヒットし、死後も繰り返し上演された——その多くの部分が近代の翻訳者によって検閲され、無害化されてしまったが。ただし、彼の作品にはゲップやおならが繰り返し登場するが、アリストファネスは優れた一行ジョーク集を執筆したわけではない。古代の喜劇についてもっと詳しく知りたい向きには、ケンブリッジ大学古典学教授のメアリー・ビアードの著作『古代ローマの笑い：ジョークとくすぐりと大爆笑』（未邦訳）をおすすめする。しかし僕のほうは演劇や詩歌や陶器は無視して、実際のジョーク集に集中したい。そこで登場するのが「60人クラブ」だ。

古代の文筆家アテナイオス（紀元2世紀頃）の作品『食卓の賢人たち』（全5巻、京都大学学術出版会、1997〜2004年）には、哲学者の一団が夕食会で知的会話を楽しむ様子が描かれているが、彼によると、喜劇オタクだったマケドニア王フィリポス2世（アレクサンドロス大王の父親）は、ある時耳にしたという——アテネ郊外のキュノサルゲスという場所に建つヘラクレス神殿では、「60人クラブ」が定期的に会合を開いており、そこでは最も滑稽なジョークを耳にすることができる、と。酒を飲みながら哲学談義を交わす60人の話し上手の会話は明らかに、数百マイル離れた敵国の王でさえ参加したいと願うほど質の高いものだったらしい。アテナイオスによれば彼らに最も優れたジョークを書き留めて送らせるため、フィリポスは多量の銀を送ったという。**フィリポスが暗殺される紀元前３３６年より少し前に書かれたこれが、歴史上最初のジョーク集だったのかもしれない。**

残念ながら「60人クラブ」の陽気な哄笑は歴史の波に失われてしまった。また別の有名な劇作家プラウトゥスの作品で言及されているジョーク集も、現存しない。しかしそれよりも新しいジョーク集『フィロゲロス』（「笑いを愛する」という意味）は、現代まで伝わっている（『フィロゲロス：ギリシア笑話集』国文社、１９９５年）。西ローマ帝国が崩壊の危機に瀕していた紀元４、５世紀のものだが、この作品を編纂したヒエロクレスとフィラグリオスに関してはほぼ知られていない。２６５編のジョークが集められており、何より興味深いのは、定番キャラクター——愚か者、医者、守銭奴、臆病者、宦官、才人、不機嫌な人間、酔っ払い、女嫌い、好色女など——が繰り返し登場することだ。近代イギリスのジョークに登場するケチなスコットランド人、愚かなアイルランド人、放縦なエセックス女の同類と言えよう。

では、これらのジョークに果たして君を笑わせる力があるだろうか。２６５編の大半は、僕自身何のことか理解できないほどつまらない。しかしなかにはクスリと笑わせられるものもある。ギリシア語からそのまま訳しただけではおもしろくも何ともないので、その代わりに21世紀の言葉遣いにブラッシュアップしたものをお届けする。

ではどうぞ！

1. ある医者が不機嫌な男の家を訪ねて診察し、「悪熱（bad fever）がある」と診断した。男はこう答えた。「あんたは良熱（＝情熱）が欲しいのか？　ならそこにベッドがある。試してみたらどうだ？」

2. 愚か者が泳ぎに行って溺れかけた。男は悪態をつき、泳ぎ方を学ぶまでは二度と水に入らないぞ、と叫んだ。

3. 患者：先生、先生！　朝起きると30分間めまいが続いて、それからよくなるんです。
医者：では30分後に起きなさい。

4. 愚か者に会った男が、「お前から買った奴隷は死んだぞ」と言うと、愚か者が答えた。「神様に誓って言うが、私のもとにいたとき、あの奴隷はそんなことはしなかった」

5. 2人の愚か者が食事に出かけた。食後、2人は礼儀として相手を家までエスコートしようと申し出た。その夜、どちらも一睡もできなかった。

6. 疲れた愚か者がベッドに入った。枕がなかったので、愚か者は奴隷に、頭の下に水差しをあてがうように命じた。水差しは硬すぎます、と奴隷が答えると、愚か者は言った。「なかに羽毛を詰めなさい！」

7. ある愚か者が友人に会い、「君は死んだと聞いていたよ！」と叫んだ。友人が「見ればわかるだろう、私はピンピンしているよ」と答えると、愚か者は言った。「うん、だけどそう教えてくれた奴のことは、君より信頼しているんだ」

8. ある愚か者が所有する奴隷たちとともに船に乗っていると、突然激しい嵐に遭遇した。恐怖に襲われた奴隷たちは嘆きはじめた。愚か者は彼らに向かって、「心配するな！　お前たちを全員解放すると、遺言書に書いておいたから！」と言った。

9. ある愚か者が、知り合いの双子の片割れが死んだと聞いた。彼は生きているほうのところに行って、「死んだのは君かい、それとも君の兄弟かい？」と訊いた。

10. 町に向かうある愚か者に向かって、友達が「15歳の奴隷を2人買ってきてくれないか？」と頼んだ。愚か者は、「もちろんだとも。もし2人買えなかったら、30歳の奴隷を1人買ってくるよ」と答えた。

このなかに、君を大笑いさせたジョークはあったかな？　奴隷が頻繁に登場することは、僕たちの倫理観からいえば大いに問題があるが、それでも似たようなジョークは、僕自身もこれまでに耳にしたことがある。

というわけでジョン、『フィロゲロス』は大笑いできるジョーク集とはいえないかもしれない。それでも現存する最古のジョーク集を読んで、少しはくすくす笑いができるんじゃないかな。

6 いつ月曜日が生まれてしまったのですか？

トマスより

トマスはとてもよい質問をしてくれた。そしてあらゆるよい質問と同様、一見シンプルなこの質問の背後には、とてつもなく複雑な事情が隠れている。月曜日を発明しなければならない事情なんて、これまで君はあまり考えたことがなかったかもしれない。ビスケットや人種差別と同じように、曜日もまた明らかに人間が発明したものだ。しかし、それはいつのことだったのだろう？　そして現在のような名がついたのはいつなのか？　この疑問に明快に答えるのは、正直なところ簡単ではない。それでも、これまで提案されたなかで最も説得力のある仮説をざっと見てみることはできる。

時間計測の歴史をひもとく場合、最初に目を向けるべきは、青

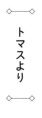

銅器時代のイラクだ。約5000年前、古代シュメール人は立派な都市の建設にいそしんでいた。シュメールとエジプトの先進文明では、時間は占星術と天文学を融合したものに基づいて理解されていた。さらに興味深いことに、シュメール人は7という数字の持つ純粋さに深く魅了されていたようで、この数字は彼らの書き残したものに頻繁に登場する。したがって1週間は7日からなると最初に決めたのはシュメール人だと、これまで推測されてきた。それは、7日ごとに月が目に見える変貌を遂げるのに彼らが気づいていたからだ、というのがインターネットでしばしば散見する「事実」だが、しかし歴史的な物証には欠ける。

疑惑はあるものの、このミステリー・ボックスをもう少しつつき回すことをお許し願いたい。ここには本当に興味深い事実がたくさん隠れているのだ。青銅器時代の時間の計測は、太陽と月の両方に深く依存しており、シュメール人に続いてまずアッカド人、紀元前二千年紀にバビロニア人が登場した頃には、月齢30頃に新月が観測されるまでは正式に新しい月は始まらないと定められていた。さらに、もし雲が厚く垂れ込めていて、窓から首を突き出した神官が月を見つけられない場合、1か月が1日伸びることさえあったと、古代の粘土板に記録されている。

これは、神聖な儀式を執り行う日を定める宗教上の暦の場合だった。これと並行して、庶民が日々使用する世俗的な暦が存在した。はるかに規則的なこの暦を見れば、人々は税金の支払い日や事業ローンの返済日を知ることができた。1か月30日の月が12か月あり、そこに潜む唯一の厄介な問題は、合計が365日にならないので、時々13か月目を挿入する必要があったということだ。

要するに、バビロニア王国（とのち新アッシリア帝国）の聖なる暦は、太陽、月、火星、水星、金星、木星、土星を観測する賢明な神官たちの努力によりつくられていたが、しかし彼らは次の段階、つまりこれらの惑星の動きをどう予測するかという点で苦労していた。彼らは天体の動きを、僕たちが天文学と呼ぶ宇宙論的な規則性に帰するよりも、神々が未来について人間に告げようとしているしるしだと考えたのである。天文学は占星術に従属していたのだ。何世紀にもわたる観測の結果、紀元前600年頃になると予測天文学が確立され、これに黄道帯《こうどうたい》〔黄道を中心として、南北にそれぞれ8度の帯。主要な惑星と太陽と月は、この帯のなかを移動している〕という新しい概念が合流して古代ギリシアに受け継がれた。

惑星そのものは少なくとも3700年前にはバビロニア人に知られていたものの、よく知られている惑星の名が曜日と結びつけられた——つまり土星《サターン》の日、太陽《サン》の日、月《ムーン》の日、火星《マーズ》の日、水星《マーキュリー》の日、木星《ジュピター》の日、金星《ヴィーナス》の日——のは、アレクサンドル大王の飽くなき征服欲の結果エジプトやペルシアの叡智がギリシアに流れ込んできた紀元前4世紀以降のことだった。実際、現在僕たちが使っているこれらの名は、実はローマ起源なのだ。

ただしここで注意していただきたい点がもう1つある。**七曜制を最初に採用したのはいつか、研究者たちもよくわかっていないのだ。**ネット上の人々は、青銅器時代のバビロニア人にこの功績を与えることで満足しているようだが、僕自身は確信が持てずにいたため、歴史学者に尋ねてみることにした。アッシリアの科学と医学の専門家であるムーディ・アル＝ラシード博士にこの「事実」をぶつけてみると、彼女は僕以上に懐疑的で、同僚たちの意見も集めたうえで、親切にも次のような返事を寄せてくれた。

ある時期には7日目が重視されていた証拠があります（例：7日目、14日目、21日目、28日目——明らかに月齢に関係するのでしょう）。これらの日には、一部の活動は禁じられていました。古アッシリア時代（紀元前２０００～１６００年）には五曜制が採用されていた形跡もあります。

古代バビロニアの1週間は7日だったのかという問題は、決着がつかないようだ。ほかの研究者は、これが古代ユダヤの発明だとする、より説得力ある主張を行っている。それによるとバビロニアの伝統を一部取り入れたユダヤ人は、繰り返し巡ってくる聖なる安息日《サバト》を中心とした、はるかに堅固なシステムをつくり上げた。たとえバビロニア仮説に議論の余地があるとしても、7日からなる1週間が少なくとも２５００年の歴史を持っていることは断言できる。

それでも、七曜制が唯一の選択肢だったと考えてはならない。ユダヤ、バビロニア、ギリシアの伝統を融合した惑星モデルが最終的に勝利し、やがてインドや中国まで広まったとはいえ、これと競合する時間計測システムも存在した。古代エジプト人は1週間に——驚くなかれ——10日も詰め込み、イタリアではエトルリア人と初期のローマ人が、1週間を8日と定め、それぞれの日をアルファベットのAからHと呼んだ。ローマ時代に驚くほど長く存続したこの習慣は、ユリウス・カエサルの時代にようやく変化しはじめ、紀元３００年にコンスタンティヌス大王が七曜制をローマの暦と正式に定めたときに完全に放棄された。

だがここで、月曜についてさらにオタクっぽいことを調べてみたい。なぜなら厳密にいえば、それは週の別の日に起きているからだ。何のことだと思われるだろうが、説明させてほしい。

２０００年近く前、ローマの文筆家プルタルコスがあるエッセイを書いた。『惑星から名づけられた曜日は、なぜ実際の順番とは異なるのか？』というそのタイトルは、個人的には、哲学的考察というよりも、酔っ払いが午前3時にネットで調べて書いたもののように聞こえる。それはともかく、君は今「え？　実際の順番と異なるって？」と不審に思われていることだろう。残念ながらこの随筆は歴史のなかで失われてしまったが、それでもこの挑発的なタイトルから、彼が何を言いたかったのかは推測できる。

プルタルコスが問いたかったのは、曜日の順序はなぜ、古代の天体観測者たちが実際に定めた惑星の順序を反映していないのかということだ。どの惑星が一番遠方にあり、順番をどう定めるべきかについて、観測者たちは検討を重ねたが、しかし通常は土星に始まり、それから木星、それから火星、それから太陽、それから金星、水星、そして最後に月という順番になっていた。それなら、１週間は土曜日に始まり、その後は木曜日、火曜日、日曜日、金曜日、水曜日、そして月曜日という順番であるべきだ。だがそうではない。なぜか？　プルタルコスの失われた議論のほかにも、別のローマの文書では2つの主張が示されているが、僕が気に入っているのはローマの文筆家カッシウス・ディオ（2世紀後半）によるものだ。これがまた複雑な説なので、注意してほしい……。

カッシウス・ディオによると、1週間は168時間に分割され、24時間が経過すると新しい日となる（十二進法を好んだバビロニア人から受け継いだことで、1時間が60分なのも同じ理由から）。1日の最初の1時間は最も重要な時間、つまり「基準時《コントローラー》」とされ、ある惑星＝神に捧げられていた。つまりその日はその神の名を取るということだ。簡単に言えば、1日目の1時間目は、最も遠方の惑星である土星＝サトゥルヌスに与えられ、土曜日《サタデー》となった。2時間目は次に遠い惑星である木星＝ユピテルに与えられ、3時間目は火星＝マルス、という具合に続き、8時間目は一巡してふたたび土星＝サトゥルヌスに戻った。選択肢は7つの惑星しかなかったからだ。

しかし25時間目はもう新しい日なので、その時間帯が基準時《コントローラー》となり、その神がこの日に名を与えた。25は7で割り切れないため、この神は前日に尊ばれた神とは必ず異なる。その結果、古代の天体観測者が惑星の順番を土星―木星―火星―太陽―金星―水星―月と定めていたとしても、24時間の基準時《コントローラー》システムにしたがって並べられた曜日は、次のようになったのだ。

土星の日、太陽の日、月の日、火星の日、水星の日、木星の日、金星の日おもしろいだろう？　そういうわけで英語を話す国では、月曜日（Monday）はもちろん月の日（Moon's day）であり、そのスペルは古英語の *Mōnandæg* に由来する。これ自体、月の神を表す古ノルド語の *Máni* から来ているのかもしれない。もちろんローマ人は古ノルド語を話さないので、月曜日を表すラテン語は *Dies Lunae* だった。フランス語で月曜日を表す *Lundi* もこれに由来する。

実は英語とフランス語では、曜日の名づけ方が少し異なる。英語の曜日には古代ゲルマン神話の神々が登場するからだ。テュール（Tiw）が火曜日（Tuesday）、オーディン（Woden）が水曜日（Wednesday）、トール（Thor）が木曜日（Thursday）、フレイヤ（Freya）が金曜日（Friday）という具合だ。一方フランス語はローマの伝統に従っているので、*Lundi Mardi Mercredi Jeudi Vendredi Samedi* となる。日曜日のみ、多神教ではなくキリスト教の思想に従い、「主の日」を意味する *Dies Domenica* からきた *Dimanche* としている。スペイン語ではサバト（安息日）を日曜日ではなく土曜日にあて、*Sábado* と呼んでいる。

そういうわけで、トマスの質問は、最初の月曜日はいつだったかということだったけど、**どうやら七曜制は月曜日そのものよりも古い歴史を持っているらしい。なぜなら古代ユダヤ人は、7つの曜日に惑星由来の名をつけたりせず、単に1から7の数字で呼んだからだ。**

ということは、新アッシリア帝国時代の黄道帯がギリシア文明に完全に受け入れられた、今

から2400年前頃になってようやく、月にちなんだ曜日が登場したわけだ。トマス、これで君の質問の答えになっているかな？ ただ、正直に言えば、僕はまだもやもやしているんだ。月曜日を嫌う人が少なくないのは、それが楽しい週末のあとで仕事に出る初日だからだとすれば、２４００年の歴史を持つこの月曜日は、厳密にはこの基準にまったく合っていない！（八曜制を採用していた）多神教徒のローマ人は、土曜日を週の最初の日、月曜日は3番目の日と定めていたからだ。その後キリスト教が到来すると、彼らは土曜日を安息日（サバト）とするユダヤの考えを取り入れたものの、これを日曜日と入れ替え、天地創造を終えた神はこの日に休息したとした。その結果、日曜日は天地創造の物語における7日目、かつ新しい週の最初の日となった。ああ混乱する……。

　こうして月曜日は週の3番目の日から、日曜日に続く2番目の日となった。これは今日に至るまで、アメリカを含む複数の国が共有する文化的伝統でありつづけている。しかし19世紀の産業化、そして大衆労働の広まりによる生活リズムの変化の結果、１９００年代初めになると、週末という新しい世俗的な概念が誕生した。その結果、月曜日には新たに、国際標準化機構（ＩＳＯ）に正式に定められているような非宗教的でより経済学的な意味合いが付与され、現在では日曜日ではなく、月曜日が１週間の始まりなのだ。

　そうだとすればトマス、たとえ月曜日自体は少なくとも２４００年前から存在するとしても、**みんなにとって憂鬱な月曜日には、1世紀の歴史しかないんだ！**

7

ウィンドラッシュ世代がイギリスに到着したとき、彼らはどんな扱いを受けたんですか？

マーシャより

1948年6月21日、客船エンパイア・ウィンドラッシュ号がエセックス州ティルベリーに入港した。もともとドイツの定期客船で、戦後に賠償の一環としてイギリスが獲得したこの船は、カリブ海・中米地域からイギリスへ乗客を運んでいた。当時、船には500名近い人が乗船していると考えられていたが、イギリス国立文書館の保管資料によれば、実際に乗船していたのは1027名で、そのうち802名がカリブ海諸国の住民だった。

彼らの多くは大英帝国の臣民で、「母なる本国」で新生活を始める期待に胸を膨らませていた。彼らはいわゆる「ウィンドラッシュ世代」の最初のメンバーだった。ウィンドラッシュ世代とは、カリブ海諸国出身の、主にアフリカ系の移民コミュニティで、イギリスで生活し、働くために1948年から1973年の間に到着した。その数は1958年までに12万5000人に膨れ上がり、その後さらに50万人まで伸びている（正確な数は腹立たしいほど曖昧だ）。

一般的に理解されているのとは異なり、ウィンドラッシュ世代には、１９７3年以前にイギリスに到着した、イギリス連邦の一員である南アジアやアフリカ諸国などの出身者も含まれる。それでも、彼らの象徴である船がカリブ海と深くかかわっていること、また僕自身、この地域について最もよく知っていることから、質問に答えるにあたって、カリブ海出身者に焦点を当てることにする。

社会に広まっているもう1つの誤解は、多数の黒人がイギリスに入国したのは１９４8年が初めてだったということだ。実はエンパイア・ウィンドラッシュ号は、前年のオーモンド号とアルマンゾラ号に続き、１００名以上のアフリカ系カリブ海住民をイギリスに運んだ3番目の船だった。第二次世界大戦中には、イギリスは15万人のアフリカ系アメリカ人部隊を（感謝とともに）受け入れている。さらに興味深いことに、すでに17世紀後半には、イングランド地方に少なくとも2万人の黒人が居住していたと推測されている。黒人の存在はローマ時代までさかのぼる可能性さえあるのだ。

ウィンドラッシュ世代がイギリスへの移住を決意したのには、さまざまな理由があった。プル要因のなかには、イギリスへの帰属意識――大戦中にイギリスの陸海空軍に従軍した者もいれば、生まれ育った帝国への愛着を覚える者もいた――があった。また多くの者はよりよい生活を夢見ていた。しかしそれはナイーブな夢ではなく、しばしば絶望に駆り立てられたものだった。

英領カリブ諸島は経済的に低迷していた。奴隷制度廃止から1世紀経ったあとでさえ、プランテーション・システムからほとんど脱却できておらず、大恐慌の結果、制度的な欠陥が悪化した。1930年代には労働者のスト、飢餓行進、暴動が頻発した。人々はより高い生活水準を熱望していたのである。

現地の実情を調査するため、1938年にイギリス政府は王立委員会を派遣した。報告書の発表は大戦が勃発したため遅れ、ようやく1945年になって発表されたものは、内容が骨抜きになっていた。少額の補助金が送られたが、とても足りるものではなかった。

一方、イギリスの状況も、バラ色とはとても言えなかった。ファシズムとの戦いを終えたばかりの同国の経済状況は壊滅的で、深刻な労働力不足を反映して求人件数はなんと130万件に達した。アフリカ系カリブ人が新聞を開くたびに、彼らの目に飛び込んでくるのは、海の彼方からの「働き手求む」という広告だった。失業し、不満を抱えた英領諸島の人々がこれらの広告を見て、「ロンドンこそ俺の行くべき場所だ!」と考えたのも、無理はあるまい?

熱心な労働力の供給源となりうる彼らを、イギリスの労働党政府は歓迎したに違いない、と思われるだろう。だが、そうではなかった。政府は反対に、当時の労働省の代表団を現地に送り込んで、大量の求人があるという噂を一掃しようとし――印刷された証拠があるのだから、無意味な試みだった――、ジャマイカ、トリニダード、バルバドスなどの人々に、イギリスは彼らを必要としておらず彼らを歓迎しないだろう、またたとえ来ても、彼らは寒い気候に辟易して肺病になるだろうから、来ないほうがいい、と説得しようとしたのだ。

脅かし作戦は失敗した。ウィンドラッシュ号の出航許可が下りたことを知った首相のクレメント・アトリーは不満を示し、船がイギリスでなくアフリカに向かわないだろうかと願った。乗客は全員イギリスのパスポートを保持していたため、ティルベリーに入港したあとは彼らを追い出す法的根拠は存在しなかった。そこで政府は政策を変更し、これらの移民をイギリス各地にできるだけ分散させることにした。移民コミュニティの形成を妨げると同時に、これ以上の移民が来る気をなくさせるためだ。

マーシャの質問は、ウィンドラッシュ世代がイギリスに到着したときの彼らの扱いについてだった。乗客の大半は、船から降りるとあらかじめ確保しておいた仕事や連絡先に直行した。しかし残りの約230人は、ロンドン郊外のクラパム・コモンの地下の閉鎖された防空シェルターに追いやられた。彼らはおんぼろの木造エレベーターに乗って薄暗い地下に降り、二段ベッドのスペースと薄い毛布を支給された。そして水滴がしたたるなか、地元ボランティアたちが配る熱い紅茶とわずかな量の配給パンを受け取った。熱帯の陽光に慣れた人々にとっては大きなショックだっただろう。移民の1人がのちに次のように回想している。「私たちは、住居として指定された、暗く薄気味悪い、じめじめしたトンネルをものめずらしげに見つめた。設備は原始的で居心地が悪そうで、何もないウサギの巣穴のようだった。しかしこの奇妙な新天地では、ほかの選択肢などほとんどなかったのだ」

温かい歓迎とはとても言えなかったが、それも偶然ではない。人種的な不協和音はイギリスがすでに抱える問題を悪化させるだけだと考えていた労働党政府は、実は彼らの存在を煙たがっていたのだ。ある下院議員は、カリブ諸島からの移民の大量流入は「わが国民と社会の調和、強靭さ、一体性を損ない、関係者すべての不和と不満を引き起こすだろう」と主張している。植民地大臣アーサー・クリーチ・ジョーンズは不安げな同僚たちをなだめるため、イギリスの厳しい気候がすべて解決してくれるだろう、と予測してみせた。しかしやがて、勤勉な移民たちはイギリスの雇用者たちから引く手あまたで、彼らはどこにも行かないことが明らかになった。

やがて画期的な著書『大英帝国の黒人』〔本の泉社、2007年〕を書くことになるジャーナリストのピーター・フライヤーは、ティルベリーで下船した乗客の多くに会い、その3週間後にもふたたび会って彼らのその後を追跡した。彼は次のように報告している。「76名は鋳造工場、15名は鉄道で、また15名は肉体労働者、15名は農作業従事者、10名は電気技師として働きはじめた。ほかの者はさまざまな職種についたが、そのなかには郵便局の事務員、車体製造業、配管工などが含まれる」。この初期の段階のウィンドラッシュ世代はほぼ男性のみで占められていた。そしてアーサー・クリーチ・ジョーンズの予測とは裏腹に、この男たちはイギリスでの最初の冬を耐え忍び、春にタンポポが咲きはじめても、まだ勤勉に働いていたのだ。

当初、アフリカ系カリブ人の移民は非常に限られていた。1948年10月にはオービタ号に乗ってさらに180名がリバプールに到着したが、その後の数年間に到着したのは、わずか数百名だった。ウィンストン・チャーチルが首相に返り咲いた1951年には、年間の移民数は1000名に達し、1953年までに3000名となったが、この頃はまだ、海を渡ってきたのはほとんどが男性だけだった。一家揃って出発するのは金がかかりすぎたためだ。しかし1954年に突然、移民の数は1万名に膨れ上がっている。なぜか？

　要するに、上述の調査報告にもかかわらず、カリブ諸島の生活環境は依然として劣悪だったということだろう。イギリスが植民地の政治的独立を認める兆しもなく〔ジャマイカの連邦加盟国としての独立は1962年、ほかの英領カリブ海諸国の独立はさらに遅かった〕、多数の失業者に対する救済措置もない状況では、住民の希望は、家族を置いて船に乗ることしかなかった。1955年には4万2000人が海を渡っており、この数はイギリスで、国民健康保険、ホテル、ロンドン地下鉄などの大規模雇用者が、病院やサービス業、バスなどで働かせるためにアフリカ系カリブ人を採用するようになったため、その後も維持された。

　本国は洗練と良識に満ちた繁栄の地だ、と植民地の教育システムで教えられてきた移民たちは、イギリスの生活に大きな期待をかけていた。しかし現実のイギリスはぼろぼろで、1954年まで食料は配給制で、求人票の大半が未熟練労働に関するものだった。1950年代にカリブ諸島からロンドンに到着した移民の半数以上は、彼らが実際についた仕事が求めるよりも高い資格を持っていたと、ピーター・フライヤーは述べている。彼らは夜勤、肉体労働、道路掃除、それに白人が好まないような劣悪な条件のサービス業に従事していたのだ。そしてもちろん、気候は本当にひどかった。

ウィンドラッシュ世代の多くが同じように感じていたようだ。マンチェスター大学歴史学部教授のデイヴィッド・オルソガはその著書で、彼らの回想録に最も頻繁に登場する言葉は「失望」だと述べている。自分はイギリス国民だと思っていた人々は、単純労働を与えられて、見下されたように感じた。

そのうえ彼らは住居を見つけるのに非常に苦労した。多くの移民は大家から、ときには憎々しげに、しかし多くの場合、不思議なことに部屋はすでに予約済みだと済まなそうに言われて拒絶された。こうした差別の結果、黒人コミュニティを助けるふりをしてのちに搾取者となる、スラム街の冷酷な悪徳家主のビジネスが拡大した。最も悪名高いのがピーター・ラックマン〔ロンドンの地主で、所有する貸家に不法入国者を住まわせて高額な地代を徴収した〕だ。

イギリスの路上で出会う黒人が増えるにつれて、緊張が高まっていった。歴史学者のアマンダ・ビッドナル博士は、イギリスのメディアが当初、ウィンドラッシュ世代をいかに肯定的に報道していたかを示している。ニュース映画や新聞は１９４０年代から１９５０年代半ばまでは植民地出身者を、本国のために義務を果たす誇り高い愛国者と、温かく紹介していた。しかし年間の移民数が４万２０００名に達すると、社会のムードは急激に変化した。偏見に基づくいざこざが頻発した。アフリカ系カリブ人は遅れていて、無学で、病気持ちで、性的に攻撃的で、ときには人喰い人種だとさえ信じられていた。白人との人種を超えた友情やロマンスは危険視され、嫌悪された。

積もり積もった不満と人種差別は暴力沙汰に発展した。ウォレス・コリンズというある若いジャマイカ人が、最初の週末を過ごしたロンドンでNワード〔「ニガー」という黒人差別表現〕を投げつけられ、ナイフを突きつけられたのは、めずらしくもない経験だった。ノッティンガムでは1958年に起きたセント・アン地区の暴動で、少人数の黒人グループが、ナイフを振り回す多数の白人からリンチを受けている。きっかけとされるのは、あるパブで1人の黒人男性が、地元の金髪の白人女性と話しているのを目撃されたことだった。警察が到着した頃には1000人が暴動に加わっており、医者は多くのひどいナイフ傷を縫い合わせなければならなかった。

その翌週、悪名高いノッティングヒルの暴動がロンドン西部で発生した。このときも、きっかけとなったのは黒人男性とスウェーデン人の妻という異人種カップルで、彼らは敵意をむき出しにした群衆に囲まれた。妻は翌日、「同じ白人に対して罪を犯した」という口実で暴行を受け、その後、(多くがロンドンのほかの地区から来た)400人の白人男性が、人種差別的なスローガンを叫びながら自宅にいるアフリカ系カリブ人を攻撃し、黒人が所有する会社に火炎瓶を投げつけた。

被害者の多くは、暴力の加担者たちが逮捕され、起訴されたときでさえ、警察の同情をほとんど得られなかったと回想している。被害者や当直の警官の詳しい証言にもかかわらず、警察幹部は、これはならず者による騒動で、人種暴動ではないとして、事件を矮小化しようとした。イギリスがこのようなあからさまな偏見の国であるという恥ずべき真実を隠すために、組織的な努力が払われたのだ。

多くの被害者にとって、これは単なる失望や幻滅にとどまらなかった。これは裏切りであり、「母なる本国」というレトリック、包摂的なイギリス性というものは幻想でしかないと思い知らされたのである。バロン・ベイカーという1人の移民がその後のインタビューで回想している。「暴動以前の私は、ユニオン・ジャックの旗のもとに生まれたイギリス人でした。しかし人種暴動を経験して、自分が何者であるか自覚するようになったのです。私は断固としてジャマイカ人なのだと。そうでないと考えることは、誰よりも自分自身を欺くことでした」

ノッティングヒル暴動の衝撃的な暴力沙汰は大きな非難を浴びたが、その後もメディアと一部の政治家は、移民政策を巡る社会の分断を嬉々として広げつづけた。偉大な政治家のなかにもそうした考えの持ち主は存在した。暴動の3年前の1955年には、「イングランドを白くせよ！」というのは優れた「選挙キャンペーンのスローガン」になると当時の首相ウィンストン・チャーチルがひそかに考えていたと、ハロルド・マクミラン〔保守党の政治家、首相在任1957～1963〕が日記に記している。さらに悪名高いのが、イーノック・パウエル〔1912～1998、保守党の政治家〕が1968年に行った「血の川演説」だ。移民の大量流入に反対したこの演説の結果、パウエルはシャドー・キャビネットの閣僚を解任されたものの、強硬な保守派の有権者の間でその人気は高まった。

これが半世紀前のイギリスでの出来事だ。しかし悲しいことに現代の政治家も、ウィンドラッシュ世代を失望させつづけている。マーシャの質問は、彼らがイギリスに到着したときに受けた扱いについてだった。しかしそれよりずっと最近の出来事は、さらに大きな裏切り行為である。そのうえ被害を受けたのはアフリカ系カリブ人だけではなかった。２０１８年に、『ガーディアン』紙の報道をきっかけにウィンドラッシュ・スキャンダルが勃発した。それによると、イギリス内務省は、１９７３年以前にイギリス連邦や植民地からイギリスに入国した無防備な人々に対して、彼らが長年、正当なイギリス国民であったにもかかわらず、その権利を否定し、国外退去を命じてさえいたのだ。「敵対的環境」をつくり出すというテリーザ・メイ〔首相就任２０１６～２０１９年。「敵対的環境政策」はキャメロン内閣の内相在任中に策定〕の反移民政策は、思いやりに欠け、冷酷で――その後明らかになったところによれば――違法な嫌がらせであり、元移民たちの生活をみじめなものにした。国外に追放され、異議申し立てをする間に少なくとも11人が亡くなっている。

　そういうわけでマーシャ、恥ずべきことに、僕たちの国の再建に手を貸すために来てくれたウィンドラッシュ世代は、彼らを保護すべき人たちによって二度も裏切られたのだ。

8 人はいつから誕生日を記憶したり祝ったりするようになったのですか?

アンナより

君がどうかは知らないけど、僕はこれまで誕生日で大騒ぎしたことはない。少なくとも自分の誕生日については。ケーキは大好きだし、みんなみたいにプレゼントをもらうのはうれしいけどね。

誕生日は生命を祝福するイベントだが、僕の愚かな脳みそによれば、死は避けられないという事実を象徴するときでもある。そして老いを恐れるみじめで人間嫌いな人は、僕だけではないはずだ(自分がそうだということは否定しない)。どうやら僕は、少なくとも初期ユダヤ教までさかのぼる習慣に従っているようだ。ユダヤ教の重要な律法であるタルムードによれば、偉大なる預言者モーゼは120歳の誕生日に死んだという。ライセンスが切れたソフトウェアのように、与えられた時間が終わったとたんに迎える死、つまりあらかじめプログラムされた死亡日という考えは、初期キリスト教神学にも認めることができる。イエス・キリストは、奇跡的な無原罪の懐胎の記念日である3月25日に死んだとされており、またそれは神が「光あれ」と唱えて天地創造を開始した記念日でもあるといわれる。

これとは無関係ながら死にまつわるトリビアとして、誕生日が同時に末期の日となった人々のリストに、ウィリアム・シェイクスピア、イングリッド・バーグマン、ユリウス・カエサルを暗殺したローマ時代の陰謀者カッシウス、そしてルネサンス時代の画家ラファエロを含めることができる。カッシウスは決戦に敗れ、カエサル暗殺に使ったのと同じ短剣で自殺した。一方ラファエロの死因は、恋人とのセックスに溺れすぎたこととされている。どちらの最期のほうが幸せか、君もきっと僕と同意見だろう。

しかしここでは、誕生日を記憶していた史上最初の人物に戻ろう。モーゼが実在の人物だったとしても、彼がいつ頃、この地球上を歩いていたのかははっきりしない。しかし多くの研究者によれば、彼は紀元前1300年頃に生まれ、紀元前1200年頃にも生きていたという。**したがって120歳のモーゼは、自分の誕生日を知っていた、記録されたなかで最古の、そして最長老の人物だったということだ。**ただし彼がこれを祝ったかどうかについては、何もわかっていない。たぶん彼は、馬鹿馬鹿しいほど高齢であることに、疲れ果てていたのではないだろうか。若い頃からずっと砂漠をさまよい、山を登りつづけてきた彼の膝の慢性痛を想像してくれ！

知られている誕生日の祝いについては、モーゼの名高い敵に注目したほうがいいかもしれない。聖書の『出エジプト記』によれば、エジプトのある強大なファラオがユダヤ人を無慈悲にも奴隷化し、都市や記念碑の建設に酷使したという。しかしこれは、どのファラオだったのだろう？　近代の研究者は非難の矛先を、最も有名なファラオである大王ラムセス2世に向けることが多い。たしかに彼は、あちこちに自身の巨像が立つ大都市の建設が大好きだった。

ラムセス王が、自分が実際にこの世に生まれた日と、ファラオとしての神聖な誕生日というべき即位日のどちらを記念していたのかははっきりしないが、彼は少なくともどちらか一方を記念していたようなので、ここでは事実上の誕生日とみなすことにする。しかし観光客がしばしば耳にするのは、ラムセス王は両方を祝っていたということ、それだけでなく彼が建設したアブ・シンベル大神殿は、太陽光線がこの2つの日、つまり2月と10月に神殿の奥深くに安置された彼の像を照射するように設計されているということだ。彫像がこの2つの日にまばゆく照らし出されるというのは、たしかに事実だ。しかし、この2つの日と誕生日の関係を裏付ける証拠はまったくない。

もちろん、預言者やファラオというのは特別な人々だ。もし一般庶民が誕生日を祝っていた証拠が欲しければ、古代ギリシアの歴史家ヘロドトスに聞けばよい。彼によると今から2500年前、ペルシア人――彼らの建設した広大なアケメネス帝国は中東から西アジアまで広がっていた――は、身分の上下にかかわらず誕生日に大騒ぎしていたという。

ヘロドトスは次のように書いている。「誰もが最も重視している日、それは誕生日だ。この日には、普段よりもたっぷりした食事を用意すべきだと考えられている。金持ちの前には、オーブンで丸焼きにした牛や馬、ラクダやロバが用意され、貧しい者は小さな家畜を用意する。主食は少ないが、デザートはたっぷりで、すべてが一度に供されるわけではない」。美味しそうだ。

また、ローマ人は自分自身の誕生日だけでなく、友人、保護者《パトロヌス》、上司、皇帝の誕生日を祝うのにも熱心だったということも、特筆しておこう。実際、相手のことを考えていると知ってもらうことは、特に相手が家族やキャリアに対して影響力を持っている場合には重要だった。現在まで伝わるローマ時代の誕生日メッセージの一部は、まじめくさっていて、感情過多でくどい。

しかし皇帝マルクス・アウレリウス（在位161〜180）が贈ったある誕生日メッセージには、思わず笑わされる。そこには、「誕生日になると友人たちは、誕生日を迎えた者のために願いを込めるものだ。君のことは、自分自身と同じくらい愛しているので、君の誕生日には、自分のために祈りを捧げたいと思う」と書かれていた。なんと！　それはありがとう、マルクス！　もしかして自分自身のためにプレゼントも購入したのかい？　ずるい奴だ！　この性格なら、マルクス・アウレリウスはたぶん複数の誕生日を楽しむことができたに違いない。実際に自分が生まれた日、数多くの友人や家族の誕生日、過去の何人かの皇帝の誕生日、そして彼が皇帝に即位した日。これほど多くの記念日があれば、彼はおそらく図書券や包装紙に埋もれて——その多くはおそらく、彼が自分自身に贈ったもの——アップアップしていたんじゃないかな。

このようにローマ人は誕生日が大好きだったわけだが、彼らはどんなふうに祝ったのだろうか？　彼らがパーティを開いていたことは、ピクト人〔ローマ帝国時代に、現在のスコットランド地方に居住していた民族〕のブリタニア属州への侵入を防止するためにイングランド北部に建設されたハドリアヌスの長城の砦で、兵士やその家族、そして知人たちの間で交わされた書簡を含むヴィンドランダ書板が発見されて明らかになった。そのうちの1つは、クラウディアという女性が友人のシュルピシアに宛てた誕生日パーティの招待状だった。こうしたパーティの内容はといえば、プレゼントの贈答、特別な白い衣装の着用、香料を燃やす儀式、小さなケーキなどの賞味、場合によっては動物の供儀《くぎ》、そして燃え盛る火に特別な葡萄酒を注ぐ風習などがあったようだ。楽しそうだ。とはいえ、ローマ時代の誕生日は、楽しいパーティというよりも、聖なる通過儀礼という側面のほうが強かった。

そして、この項を締めくくる前に、誕生日の歴史に関する最後の驚くべきトリビアを紹介したい。アンナ、君の誕生日は毎年同じ日に来るだろう？　実はかつて、誕生日が移動した人もいた。アメリカの初代大統領ジョージ・ワシントンの誕生日は、はじめの20年は2月11日だったが、その後の人生では2月22日になった。これはけっして彼の気まぐれのせいではなく、イギリスがユリウス暦からグレゴリオ暦に移行したからなんだ（改暦が行われた1752年には、彼はまだ誇り高いイギリス人だった）。その結果、新しい暦のスペースを空けるために11日が消失し、9月2日の翌日は9月14日となったというわけだ。

要するにワシントンの21歳の誕生日は、これらの失われた11日間を考慮に入れつつ、前年の誕生日から365日後としなければならなかったということだ。2月11日から365日後というのはつまり、奇妙なことに、2月22日だった。つまり実のところ、彼は誕生日に1つ歳を取ると同時に、1週間半、若返ったのだ！

第3章

健康と医療

9

20世紀以前の女性は、生理のときはどうしていたんですか？

アリーより

これはお決まりの質問だ。日常生活の歴史を取り上げた僕の最初の本〔『１００万年を１日で』（未邦訳）〕のプロモーション・ツアーでは、公開イベントを開催するたびに、最もよく訊かれた質問がこれだった。もちろん僕は答えることができるよ、アリー。しかし人類の発祥以来、地球上でこれまでに約５４０億人の女性が生きていた。その多種多様な経験をすべて取り上げることは不可能だ。そこで、ここでは僕が最もよく理解している地域、つまりヨーロッパとアメリカに範囲を限定する。

最初に言っておきたいが、多くの女性にとって「生理」とは、単に月に一度訪れる不愉快な出血というだけでなく、健康状態の変化という気がかりな問題にも関係していた。抗生物質が誕生する以前の時代には、食料は少なく病気は風土に根ざし、多くの人がビタミン不足、病気、ストレス、あるいは過労に悩んでいた。医療の歴史に詳しい歴史学者のクリスティ・アップソン＝サイア博士は、ローマ人にとっては不健康こそが普通の状態で、健康な状態はめったにない幸運だったと、以前ポッドキャストで対談した際に僕に教えてくれた。実際、18世紀のエディンバラでは、栄養豊富な食べ物の乏しい冬になると、貧しい女性たちは生理が止まってしまうことが多かったと、国立アメリカ歴史博物館のアレクサンドラ・ロード博士も述べている。1671年には助産婦ジェイン・シャープが、生理の出血は「早すぎたり遅すぎたり、多すぎたり、あるいは少なすぎたりする。完全に止まってしまうこともある」と記している。

　古代と中世において、こうしたホルモンの乱れは十分理解されていたとはいえない。ギリシアの名高い医者であるヒポクラテス（紀元前460頃～370頃）やガレノス（129頃～200頃）のような、強い影響力を持つ思想家たちは、人体を四体液説にもとづいて理解していた。4つの体液（黒胆汁、黄胆汁、粘液、血液）は、人の性格や「気質」――ここからさまざまな性質を形容する憂鬱質《メランコリック》、胆汁質《コレリック》、粘液質《フレグマティック》、多血質《サンギーヌ》という言葉が生まれた――を決定するだけでなく、ホルモンの乱れは病気を引き起こすと考えられた。一般論として、内臓は、「過度に熱くなったり冷たくなったり、湿ったり乾燥したりする場合がある」とされたのだ。その主な治療法は、体の本来のバランスを取り戻すことを目的とした食事療法や瀉血《しゃけつ》だった。

　ヒポクラテス以降の伝統思想によると、男は熱く乾燥しており、これは暴力的な気質につながるが、同時に排尿、排便、発汗、鼻血、ひげ、そして太い血管を通じて、体に不要な不純物を効率的に排出できる。一方、女は冷たく湿っているため、鼻血が出ず、ひげも生えず、血管は細く、そして男ほど食物をよく消化しない。そのため、不用物の排出には、子宮を経由するよりほかないとされた。しかし体が排出するということは、その排出物は体にいいものではないということで、要するに明らかに危険だということではないか？

こうした考えは、宗教教義にも影響を及ぼしたようだ。旧約聖書の『レビ記』第15章には、体からの排出物は不浄かつ不潔だと記されている。また正統ユダヤ教の法典ハラハーは、生理中の女性は、1週間白いシーツの上で眠り、それから聖なるミクヴェ（水槽）で沐浴したあとでなければ性行為を行ってはいけないと命じている。同じような戒律が、イスラムやヒンドゥー教の一部の宗派にも存在する。経血は、不快なものとみなされただけでなく、汚染物質だと広く理解されていたのだ。経血に対する恐怖について最も途方もない主張を繰り広げたのは、博識なローマの博物学者大プリニウスだ。紀元79年にヴェスヴィオ火山が噴火したとき、みんながそこから逃げ出しているのに1人だけ向こうみずにも火山に近づいて死んだこの男は、経血とは化学物質の投棄場からにじみ出る毒物のようなものであると述べ、次のように説明した。「（これに触れた）新酒は酸っぱくなり、農作物は実らず、接木は枯死し、庭に蒔かれた種子はひからび、果物は果樹から落下し、金属の刃は切れ味が悪くなり、象牙の光沢は失われ、蜂は巣のなかで死に、青銅や鉄でさえただちに錆びつき、空気は恐ろしい悪臭に満たされる。これを口にした犬は発狂し、噛みついたものを治療不可能な毒に感染させる」。もしこんなイカれた奴が電車で君の隣に座り、妹の生理のせいで蜂の巣が全滅した、なんてささやきはじめたら、君は絶対に席を変えるだろうね。

ギリシア・ローマ時代以来のこうした思考はその後もまるで貝のようにしつこく存続し、中世になると、男はホルモンの影響下にある女に見つめられただけで呪われるとか、また経血は、単に女の子宮内の血液というだけでなく、敏感なペニスの皮膚を焼くと、広く信じられるようになった。中世の男が勇敢にも、あるいは好色にも、生理中の女性を妊娠させた場合、男の情熱によって女は力を得る一方で、男のほうは、女の冷たさと湿り気で力を失い、また生まれた赤ん坊は弱々しく奇形で赤毛（赤毛のみなさんには申し訳ない……）になるといわれた。さらに、女の危険は年齢を重ねれば収まるわけではなかった。閉経前後の女は、それまでに排出しきらなかった危険な経血を体内にため込んでおり、目や鼻から噴き出た有毒なガスが周囲の赤ん坊や動物を病気にする、あるいは殺害する可能性があるとされたのだ。

もちろん、過去の多くの女性がつらい生理痛に苦しんだに違いない。中世の女子修道院長ヒルデガルド・フォン・ビンゲンは生理痛について、アダムに禁断の果実を食べるように勧めたエバに下された罰だと説明している。僕がこのことを特に記しているのは、中世の一部の尼僧は極端な絶食や瀉血を通じて生理を止めることに成功しており、これは彼女らの賞賛すべき聖性を嘉《よみ》した神が、代々女性たちに与えられた罰から彼女たちを解放した印と解釈されたからだ。現在では、このいわゆる「奇跡の拒食」、つまり極端な貧血の結果、先に述べた冬の栄養不足に苦しんだ18世紀のエディンバラの女性たちと同じことが、彼女たちの体内で起こっていたのだとわかっている。

こうした脅かしは別として、古代の医学者たちは、規則的な月経周期は女性の健康にとって非常に重要だと述べていた。したがって多くの女性たちが何より優先すべきこと、それは不規則な生殖サイクルを軌道に乗せることだった。医学の手引き書には、生理痛に悩む既婚女性は、定期的にセックスして健康な食事をとるべきだと書かれているが、これは優れたアドバイスだと僕も思う。その効果がなかった場合の穏やかな治療法のなかには、薬草や葡萄酒を含む薬、すりつぶした果物や野菜でつくった膣ペッサリーなどがあった。

幸い、床屋のナイフは不規則な生理を治療する最後の手段にとどまっていた〔近世以前、西洋では床屋は安価な外科医として活動し、簡単な手術を行うこともあった〕。しかしヒポクラテスは、若い女性の血管から瀉血させることについて、思い悩むことはなかったようだ。彼にとって、血液は所詮血液に過ぎなかったからだ。これがうまくいかない場合、次に選ばれた治療法は、子宮をかき回して活性化することだった。なんと恐ろしい！　ヒポクラテスの治療法では、甲虫の死骸、特に有毒な化学物質を分泌するツチハンミョウを膣のなかに詰め込むことを勧めている。この分泌物（カンタリジン）は、血管を膨張させ、血流の増加を促すとされるからだ。スパニッシュ・フライとしても知られるツチハンミョウは、歴史上最も悪名高い毒薬あるいは催淫剤――服用量による――という名誉を担っている。2つの可能性があるというのは、ベッドタイムの賭け事としてはリスクが大きすぎると思うが。

昔の医者は、この言語道断な処置の必要性を信じていた。そうしないと水分を失って干からびた子宮が、うるおいに満ちた臓器に取りつこうとして体内をさまよいはじめると考えられていたからだ。ギリシアの外科医アレタイオス（2世紀頃）も、子宮は、人間の体内に独立して存在する動物のようなものだと考えていたようだ。幸い彼は、子宮は強い香りに反応するため、患者が強烈な臭いの調合薬を飲むことで、またはよい香りの膣ペッサリーを使って、子宮を元の位置に戻すことができるとしている。つまりタイミングよく与えたソーセージで、リス狩り中の犬の気をそらすようなものだ。

こうした治療法は、女性の生殖能力を完全に回復させることを目的としていた。子どもを産むことは結局のところ、重要な宗教的・社会的な責務だったからだ。同時に外科医が恐れていたのは、治療を受けなかったすべての女性の心臓付近に人を狂わせる経血がたまることだった。これは発熱、発作、気鬱、そして――恐ろしいことに！――たとえば悪態をつく、怒る、大声で意見を述べるなどの、過度に男性的な行動を引き起こすと信じられたからだ。1600年までに、こうした現象はヒステリー性疾患として知られるようになり、その後（ギリシア語で「子宮」を意味する*hystera*から）ヒステリー（hysteria）として定着した。ただしこのいきさつはけっして明快ではない。当初は子宮の不調とされていたものが、1600年代になると、男性も罹患する神経性の病気とする理解が広まっていたからだ［不調の原因を器質的なものとする学派と心因的なものとする学派の間で、19世紀から20世紀初頭にかけて激しい論争が起きた。ジグムント・フロイトも何度も考えを変えたあげく、最終的には男性もヒステリー患者になると結論づけている。それにもかかわらず、「ヒステリー」という言葉はいまだに非常にジェンダー的な色合いが濃く、興奮を露わにしていると判断された女性に対して使用される場合が多い。ただし奇妙なことに、とても陽気な人間に対する褒め言葉としても使われる。この謎めいた言葉には、さまざまなニュアンスが含まれているのだ」。

以上が、月経困難症に悩む近世以前のヨーロッパ人女性が従うべきだとされたアドバイスだった。そこで次に、健康な女性が生理のときにどうしていたかという問題に移ろう。インターネットで見つけた説を信じる（けっして推奨できる習慣ではないが）なら、小さな木片をやわらかい布で包んだものが、原始的なタンポンとしてヒポクラテスの著作に登場するという。可能性はあると思わないかい？　残念ながらこの主張に関しては、おそらく近年の誤解の結果であり、古代の生殖医学を専門とするヘレン・キング教授によって否定されている。タンポンが古代世界で本当に使用されていたとしても、その物的証拠はまったく存在しないのだ。

しかし**2000年前の古代ローマの女性が生理の際にナプキンを使用していたことについては、証拠が存在し、この習慣はさらに古い時代にさかのぼる可能性がある。**ナプキンをつくるのに、複雑な技術は必要ない。再利用された、あるいは低品質の布を脚の間に固定して経血を吸わせ、その後洗濯してふたたび利用するだけのことだ。その名は時代とともに変化したが、聖書には「menstruous rag（生理用のぼろ布）」と記されている。一方シェイクスピアの時代のイングランドでは「clout（ぼろ布）」として知られていたことを、中世史家のサラ・リード博士がつきとめた。

ぼろ布は、女性の下着のなかに詰め込んで使用されたに違いないと思うだろう。それも無理はない。しかし――驚くべきことに――実はショーツは近年の発明品なのだ。１８００年以前には、ヨーロッパ人女性の大半はショーツを穿いていなかった。ということは当然、次の質問は、「ぼろ布は、なぜ落ちなかったの？」だ。イギリスの女王エリザベス1世は黒い絹製ガードルを3枚所有していたことが知られており、彼女はこれを腰に締め、リネン製の生理用ナプキン、あるいは麻布を固定していた。絹製は高価すぎたとしても、同種のものは、さまざまな階層の女たちが広く利用していたことだろう。

別の広く行われていた習慣は、あて布など使わず、着衣にしみ込ませたり床に血液が流れるままにすることだった。現在ではそうする人がほとんどいないのは、おそらく19世紀後半の「バイキン理論」革命のせいだろう。バクテリアやウイルスという恐ろしい存在が知られるようになり、その結果、個人の衛生意識が非常に高まったのだ。そして登場したのが高級石鹸ブランドや初期の制汗剤だ。

そんなわけで、１９００～１９１０年代のエドワード朝時代の優雅な女性たちは、スカートの下に「生理用エプロン」を着けていたのかもしれない。これは洗濯可能なリネン製のおむつのようなもので、ガードルやベルトで腰に固定し、後部に垂らしたゴム製スカートによって、服に染みがつき、それを目撃されるという恥ずかしい事態を回避した。さらに暖かさや、慎み深いという評判を保つため、その上には足首丈の、股下があいたブルマーが穿かれた。しかしかさばり、着脱が面倒なこの一式は、昔から存在する技術にひとひねり加えた、使い捨ての衛生的なナプキンやタンポンなどが登場すると、徐々に姿を消していった。

第一次世界大戦中、塹壕の兵士たちのために開発された木質繊維製の野戦用包帯（セルコットン）が、生理中の野戦看護婦にも利用され、下着のなかに突っ込まれていることを、キンバリー・クラーク社という会社が知った。どうやら同社が開発したセルコットンは、ぼろ布《クラウト》の後継となる吸収力の高い、衛生的な素材だったらしい。噂を耳にした本社は、看護婦たちに説教するよりもむしろ、「コテックス」という新たな商品ブランドとして生理用ナプキンを売り出すことを決意し、信頼できる商品として着け心地のよさと不快感の軽減を強調する広告キャンペーンを行った。これは賢明な決断だった。

タンポンのほうは、アメリカ人の整骨医アール・ハース博士によって発明されている。１９２０年代に開発された彼の「アプリケーター付きタンポン」のおかげで、女性は性器に触れずにこの綿製品を膣に挿入できるようになった。すばらしいアイデアにもかかわらず、なかなか売り上げが伸びなかったため、１９３３年にハースは勤勉なドイツ系移民ゲルトルード・テンドリヒに特許を売却している。彼女はミシンと空気圧縮機だけを使って、タンポンを手づくりしはじめた。１人の女性から始まった製作所はやがてタンパックス社となり、世界中のタンポンの売り上げの半分を占めるまでに成長した〔現在の所有者はプロクター・アンド・ギャンブル（Ｐ＆Ｇ）社〕。アール・ハースの子孫は、自社株を所有しつづけなかった不運をさぞ嘆いていることだろう。

10
花粉症はいつ頃出現したのですか？

匿名より

僕はあらゆる種類のアレルギーを抱える、慢性的なぜんそく患者だ。冬にはゼーゼーいい、子猫の前では老人のようにあえぎ、馬のそばでくしゃみし、犬が脇を通り過ぎると目から涙が滝のように流れ落ちる。貝やナッツ、着火剤のメタノールも要注意だ。しかし不思議なことに、干し草熱〔花粉症の別名。英語（hay fever）に近いことから、ここではこの名称を使用する〕にかかったことはこれまでに一度もない。たとえ花粉がいっぱい詰まったバケツに放り込まれても、なぜか鼻水が出まくるようなことはないのだ。

干し草熱を歴史学者が扱う場合、注意が必要だ。なぜなら**この名で呼ばれるようになったのは、ようやくここ200年のことで、はるかな年月を超えて遠い過去の症状に診断をつけるのは、けっして簡単ではない**からだ。もちろん古代中国、エジプト、ギリシアの医学書にも、夏季のアレルギーのようなものは言及されており、息切れや鼻水などは環境に起因するのではないかという考察も行われているが、これらはぜんそくや単なる風邪だった可能性もある。実は史上初めて、確実に干し草熱に言及したといえるのは、ペルシアの優れた学者で、ラーゼスとも呼ばれるアブー・バクル・ムハンマド・イブン・ザカリヤー・ラーズィだった。彼は9世紀後半に、バラの茂みが強い香りを放つ春には鼻水が出ることがあると、説得力のある主張をしている。

しかし近代の干し草熱についてはどうだろう？　この物語におけるわれらのヒーローは、リバプールの外科医ジョン・ボストックだ。1819年に発表した医学論文で、彼はある患者を苦しめている、紛れもない干し草熱の症状について説明している。この患者というのは、実はボストック自身だった。彼は少年時代から、特に6月になると「季節性の目と胸の症状」に苦しめられており、瀉血、冷水浴、アヘン吸引といった極端なものを含むあらゆる治療法を試していた。ほかに28名の患者を見つけたボストックが補足の論文を発表した1828年には、彼はこれを（寄生虫に感染して鼻や耳管で引き起こされると1800年代に信じられていた）「夏季カタル」と呼んでいる。

しかしこの時までに彼の最初の論文を読んだ人々によって、より一般受けしそうな「干し草熱（hay fever）」という名前がつけられていた。干し草は無害で、真の原因は夏の猛暑なのだとボストックは主張していたのだが。さまざまな医学研究がその後行われたが、特筆に値するのはチャールズ・ハリソン・ブラックレイだ。彼は1870年代に、非常に多くの実験を行った結果、とうとう花粉に照準を合わせた。そして空気中の花粉の数、風の強い日に飛散する距離、そして液体に溶け込んだ場合を含め、花粉がアレルギーを引き起こす強さの計測を行っている。

ほどなく彼は、干し草熱の最大の原因物質を花粉とする正しい結論に達した。問題解決！　バンザイ！

いや、祝うのはもう少し待とう……。

無理もないことだがブラックレイは、一日中花粉まみれで働いている農作業従事者たちがまったく干し草熱にかからず、一方おしゃれな邸宅に住んで高尚な美術本を読んで過ごしている彼の患者たちが診療所で鼻をすすり、症状に苦しんでいるという事実に困惑した。ここから、彼は2つの仮説を立てた。つまり長い間花粉にさらされていた農村の人たちは免疫を持っている、あるいは干し草熱は、特に教養の高い人間だけがかかる病気だということだ。当然、彼は前者の仮説を重視していたのだが、残念ながら広く人気を得たのは後者のほうだった。

19世紀後半というのは、イギリスやアメリカの特権階級が多くの不安を抱えていた時代だった。それまでの社会秩序を脅かしかねない、新たな動きが出現しつつあったからだ。女性が自転車を乗り回し、投票権を要求していた。同性愛者やバイセクシュアルは、風紀紊乱《びんらん》罪に違反しているとして法廷でさらし者にされ、そしてそれまで当然のこととされていたアングロ＝サクソン系の優越性は、アフリカの戦場での敗北で大きく傷ついていた。さらに新しく出現した高速通信技術も、生活をあわただしく、ストレスに満ちたものとしていた。心をかき乱すこうした状態から、いわゆる新しい神経の「病」、つまり神経衰弱症（広くAmericanitisとも呼ばれた）の存在が人々の口にのぼるようになり、これは優れた知性と血統を持つ高学歴の人物だけがかかると信じられた。不思議なことに、干し草熱も同じ論理で解釈されたのだ。

医学史家であるエクセター大学のマーク・ジャクソン教授が非常に興味深い著書『アレルギー：現代病の歴史』〔時空出版、2021年〕で述べているように、垂れた鼻水は当時の人種的・階級的格差、そして男女差の指標となった。このことは、スコットランドの病理学者アンドリュー・クラーク卿が1887年に行った講義にも見て取ることができる。彼はそこで干し草熱について、「これが神経系統と深くかかわっていることは、女性よりも男性が、無知な者よりも教養ある者が選ばれていることからも明らかだ。……灼熱地帯よりも温暖な地域を、田舎よりも都会を好み、そしてそれが出現するあらゆる気候帯において、アングロ＝サクソン系、あるいは少なくとも英語話者を、選びとっているのだ」と述べている。

その後、アメリカの医者ウィリアム・ダンバーが1903年に、自信ある優生学者として、次のような人種差別的なロジックを展開している。「野蛮人、そして文明国では事実上、労働者階級が干し草熱にかからないこと……は、干し草熱について、文明が発展した結果生まれたものと考えるべきであることを示している」。悪意を感じさせるこの主張は、モレル・マッケンジー卿という咽喉科医の著作を下敷きにしたものだ。その著作『干し草熱と発作性くしゃみ』には次のような主張が見られる。「しかし干し草熱に悩む人々は、この疾患がほぼ例外なく教養ある人に限定されるという事実からいささかの慰めを得られるかもしれない。……知性レベルが上昇するにつれて、この傾向が強まることが推測できる。したがって先に暗示したように、わが国民が干し草熱にかかりやすいという事実は、ほかの人種に対する我々の優越性の証拠とすることができるのである」

論理的に考えるなら、家具の埃を払うなどの汚れ仕事をすべて雇った使用人にやらせていた人々は、アレルゲンにさらされなかったので免疫を確立できなかっただけではないか、と推測できる。しかし、いまや特権階級の病気と考えられるようになった干し草熱の患者たちの間では、こんなみじめな状態に陥ったことについて、場違いなプライドが生まれた。1911年にアメリカの外科医ウィリアム・ハードは、あたかもアメリカ社会が旧宗主国を追い越して止まらないくしゃみにふさわしい主要文明国になったことを誇るかのように、干し草熱は「アメリカの特性となった……イギリスはもはや我々に太刀打ちできない」と主張した。それは国家間の競争の焦点にさえなったのだ。

もちろん、干し草熱をこのように紹介することには、医師たちの利害関係もかかわっていた。富裕な患者は、「この症状に悩まされておいでなのは、あなたがあまりにも賢明で、洗練された方だからなのですよ！」と診断されて気をよくし、そして大金を払えば健康クリニックで治療を受けられると知って満足したことだろう。つまり富裕層の病であれば、治療の割増料金を請求できるだけではない。鼻水を垂らした患者たちを治療のために一か所に集めることで、症状の軽減を約束するだけでなく、同類の人々のための集会所をつくり、こうした排他的な鼻水ゾーンを、上流階級の社交場とすることができたのだ。

診断を大いに利用し、鼻水を上質の証だと言いたてる人々は、新聞雑誌で「hayfeverites」としばしば揶揄されたが、彼らは別に気を悪くしなかったようだ。アメリカでは彼らはむしろ、1874年に結成された「全米干し草熱協会」に嬉々として入会し、当初はニューハンプシャー州ホワイト・マウンテンズで、その後ニューヨーク州の美しいアディロンダック山地のレーク・プラシッド・クラブで開催された年一度の会合に参加した。参加費はもちろん高額で、黒人やユダヤ人は歓迎されなかった。それというのも彼らは鼻水を垂らすWASPほど人種的に進化していないので必要ない、ということだった……。

1906年になると、クレメンス・フォン・ピルケ〔1874〜1929、オーストリアの小児科医〕が命名した「アレルギー」という新しい科学用語も、人々の口にのぼりはじめていた。その症状は階級的優位の証とされていたものの、干し草熱の患者数は徐々にイギリスとアメリカのほかの階級や、世界の他の地域にも広がっていった。それはあるいは、大衆を巻き込んだ社会の産業化と、それに伴って地方人口がますます都市部へ流入していった結果だったのかもしれないし、または石鹸や消毒剤が購入しやすくなり、家や人間がより清潔になった結果、偽の脅威に対して免疫システムが過剰に反応するようになったからかもしれない。

1930年代になると、アメリカ人の5パーセントは毎年夏にはくしゃみが止まらなくなり、新聞の天気予報に花粉情報が掲載されるようになった。その主犯はアメリカではブタクサだったが、イギリスでは芝生、フランスではイトスギ、日本ではスギだった。患者数の増加は止まらず、その結果、人種間の優劣に関する優生学的な主張はだいぶ前に完全に姿を消した。明らかに僕はレアケースらしい。ぜんそく患者は通常、一番初めにこういうアレルギーに苦しむものだからだ。自分の愚かな免疫システムに満足することはめったにないが、ここでは例外としたい。偉いぞ、自分！

11

ヨーロッパ人は本当に、ミイラを粉々にして食べていたんですか？

ケイティより

映画や冒険小説の影響だろうか、食人の風習は遠方のジャングルでしか起こらないという、植民地主義的な思い込みはなかなか姿を消さないようだ。もし君もそう思っているとすれば、「死体医薬品（corpse medicine）」という言葉に耳を留めてほしい。ケイティ、君の言うとおり、**ヨーロッパ人は本当にミイラを粉にして食べていたんだ。**

大昔から世界中で、空腹を満たすためではなく、他人の生命力を取り込んで病気を治すために、別の人間を食べるということが行われてきた。ローマ人は明らかにこの習慣の熱心な信奉者だった。彼らは死んだ剣闘士の血を飲んでてんかんを治療し（急死した若者の血は特に強力な力を持つと信じられていた）、また肝臓を食べることにも医学的な利点があると考えていた——。1500年代の貧民たちが、首を切られた死刑囚の血を集めようと断頭台の周囲に群がったのも、同じロジックにもとづいていた。これを飲んだかどうかは定かではないものの、彼らが血を集めたことには、何か大きな理由があったに違いない。当時のほかの著述家たちは、血を加熱してどろりとした「ジャム」をつくるためのレシピを記している。

血液が手に入らない場合、2世紀後半に著作活動を行っていたギリシア＝ローマ時代の外科医ガレノスは、粉砕した骨からとったスープの服用を勧めている。ただし、患者が吐き気を催さないよう、スープの材料について知らせないようにと、彼は賢明にも助言している。17世紀にはアイルランドの自然哲学者で化学者のロバート・ボイル——王立協会の草創期におけるビッグネームの1人だった——が、人間の頭蓋骨に生えた苔は鼻血を止める効果があり、また頭蓋骨を削ったものはてんかんの発作を予防するのに役立つと述べている。同時代の医師トーマス・ウィリスは、頭蓋骨のかけらをチョコレートと混ぜて摂取することを好んだ。

一方、戦死体のほうは、医薬品の別のありふれた材料である脂肪のために集められた。実際、リチャード・サッグ博士はその非常に興味深い著作『ミイラ・食人・吸血鬼：ルネサンス期からヴィクトリア朝までの医薬品への死体利用』（未邦訳）で、人体のほとんどあらゆる部分が、ヨーロッパの歴史のさまざまな段階において薬として利用されたと述べ、それには人間の「毛髪、脳、心臓、肝臓、尿、経血、胎盤、耳垢、唾液、排泄物」が含まれていたとしている。

だがケイティの質問は、特にミイラに関するものだったので、次にこれに注目してみよう。僕自身がミイラと聞いて連想するのは、体に包帯が巻かれた古代エジプトのミイラだ。また、包帯で巻かれているかぎり、ミイラの猫を認めるのもやぶさかではない。しかし、実は「ミイラ（mummy）」という言葉はペルシア／アラビア語の *mumiya* を起源としている。これは瀝青《れきせい》（道路の舗装に利用するアスファルトのこと）として知られる、ベタベタしたピッチのことで、身分の高いエジプト人の死体をミイラ処理するときに利用された。つまり重要なのは実は包帯よりもこの瀝青なのだ。

古代エジプトのミイラは中世後期以降、医薬品として消費されたことが知られているが、ヨーロッパに大量に輸入されたため、品不足に陥った。そこで需要と供給の法則が介入した結果、怪しげな業者たちが、地元エジプト産の、あるいはアラビアやカナリア諸島から輸入した近年の死者を天日干しにして、新しいミイラをつくりはじめた。17世紀の著述家たちはすでに、このような胡散臭い偽物について警告を発している。しかし明らかに多くの人が騙されつづけたようで、この習慣がすたれることはなかった。購入されたミイラから取り出された脂肪分が医薬調合物に加えられ、ときには「ミイラ糖蜜」という不相応に感じのいい名で呼ばれて、咳、骨折、外傷、苦痛を引き起こす潰瘍、痛風、疲労、中毒や麻痺、その他あらゆる疾患の特効薬として利用された。

この糖蜜はどうやってつくるのか、と思われるだろう。１６５１年にイギリスの医学者ジョン・フレンチがその著作『蒸留の技術について』に次のように書いている。「ミイラ（つまり固くなった人肉）を４オンスの大きさに切る。テレビン油を加えた葡萄酒10オンスを混ぜて陶製の容器に注ぐ（４分の３は空けておく）。これを馬糞のなかに１か月間放置してから取り出して絞る。さらに１か月間かき混ぜ、ヒポクラテスの袖〔葡萄酒の不純物を濾す袋状の布〕で濾す。それから液体を蒸発させると、底に油脂状のものが残る。これこそ真のミイラの霊薬である。この霊薬は、あらゆる疾患を予防するすばらしい薬である」。

こんなレシピを提供したのは、ジョン・フレンチが最初ではなかった。ミイラの利用は、中世イスラム医学界の偉人イブン・シーナ（９８０〜１０３７）の医学書でも勧められている。そこではこれをマジョラム、タイム、ニワトコ、大麦、薔薇、レンズ豆、ナツメ、クミンシード、キャラウェイ、サフラン、桂皮、パセリ、オキシメル〔蜂蜜と酢を混ぜたもの〕、葡萄酒、牛乳、バター、カストリウム〔ビーバーの香嚢から得られる香料。海狸香ともいう〕、桑の汁と混ぜるように指示している。君がどう思うか知らないが、僕には意外に美味しそうに聞こえる。これは本当に美味しいミイラ《ヤミー・マミー》かもしれない。

同じく美味しそうな／おぞましい（好きなほうを選んでほしい）のは、「蜜人」という中世アラビア地方の伝説的な風習だ。中国の医学者李時珍《りじちん》（１５１８〜１５９３）によると、これは最晩年の数か月を他者のために捧げた老人たちだった。彼らは蜂蜜だけを食し、蜂蜜のなかで沐浴し、最終的には、まるで人間蜂蜜のように文字どおり蜂蜜を排泄するようになっていた。そして明らかに急性糖尿病の発作で死去したあと、数百年間埋葬されたのちに掘り返されて医薬品として消費された。

ヨーロッパに戻ろう。治療としてのミイラ食いはイギリスのルネサンス期のシェイクスピア、ジョン・ダン、エドマンド・スペンサーらの文学作品で言及されている。また健康を維持したい多くの君主も、好んでこの習慣を取り入れた。1500年代初頭、フランス王フランソワ1世は、狩猟中に怪我をした場合に備えて、すりつぶしたミイラにルバーブを混ぜたものを袋に入れて携帯していた。

しかしフランソワの死後、跡を継いだ息子アンリ2世が新たに雇った侍医は、ミイラ熱にはまったく冒されていなかった。この医師アンブロワーズ・パレは16世紀医学の巨人の1人で、実験を繰り返して効果的な治療法を見つけることを推奨していた最初の1人だった。彼は、実験を100回行った結果、ミイラは胸焼け、吐き気、「口の悪臭」などの副作用を引き起こす、とてもひどい薬だと述べている。すばらしい！　しかし残念ながら彼の見解は「ロスト・イン・トランスレーション」してしまったようだ。なぜなら1世紀後、イングランド・スコットランド・アイルランド国王チャールズ2世は相変わらず、免疫システムを強化するため、ミイラの粉や頭蓋骨の蒸留酒を好んで摂取していたからだ。

キリスト教神学にもまた、聖なる食人という考えが取り入れられている。つまりカトリックの聖餐では、化体説によってパンと葡萄酒が救い主の肉体と血液に実際に変化すると考えられているのだ。それなら3000年前のエジプト人の肉体の乾燥したかけらを飲み込むのも、それほど奇怪なこととともいえないのでは？　1492年に瀕死の教皇インノケンティウス8世が3人のユダヤ人の少年の血液を飲んだとされていることも、同じロジックで説明できるかもしれない。これは最初の輸血の試みだった可能性がある。反教皇、反ユダヤの宣伝臭がぷんぷんするこの物語には、おそらく何の根拠もない。それでもここで取り上げたのは、吸血鬼教皇というゴシック的イメージが大いに気に入ったからだ。

　死体医療の流行は19世紀初めには下火になった。この頃になると、ミイラに対する関心の根拠は、医薬品としての効能よりもその歴史的重要性へと移っていったからだ。ミイラの包帯をほどいてみせるイベントで知られるトマス・「ミイラ《マミー》」・ペティグルーは、ミイラの歴史についての著作も残しているが、これは死体医薬品の歴史に関する僕たちの知見の重要なソースの1つである。あ、この場合の源《ソース》はsourceで、汁《ソース》（sauce）ではないのでご注意を。血液ジャムとはなんの関係もないからね！

12

信じられないほど異様なのに、実は医学的に正しいことがわかった医療処置にはどんなものがありますか？

ポールより

人類が地球上を闊歩しはじめてから、もうだいぶ経つ。その間に僕たちは、あらゆる種類の病気に対して、さまざまな治療法を試みてきた。効果を上げたものもあれば、毒にも薬にもならないものもあったが、なかには本当に危険なものもあった（詳しくは後述を参照！）。しかしポールのおもしろい質問は、「一見ぶっ飛んでいるが、のちに効果が立証された治療法」に関するものだ。幸いなことにポール、君に楽しんでもらえそうな例はいくつも存在するよ。

まずは**吸血ヒル**から始めよう。僕がまず思い出すのはイギリス国営放送ＢＢＣの古典的なコメディ『ブラックアダー』〔１９８３年から１９８９年まで放映。イギリス史のさまざまな時代を背景に、毒舌キャラクターのエドマンド・ブラックアダーが活躍する〕だ。偽医者を訪ねた16世紀のエドマンドは、どんな疾患に対しても吸血寄生動物を使った治療法を勧められる。

ブラックアダー：これまでどんな病気にかかったときも、あんたら医者は必ずヒルを使って治そうとしてきた。耳痛のときは耳にヒルを吸いつかせ、便秘のときはケツにヒル……

正直、医療行為としてこれほど熱心に瀉血を行うことは、現在ではとうてい認められないだろう。だがなんと1800年代以前の歴史上のほとんどの時代、古代から存在する四体液説（質問9を参照）は正規の医学的知見として認められていた。つまり発熱、頭の傷、肺病、あるいは元気がない様子を見せるだけでも、過剰な血液を排出する治療が当たり前に行われていたのだ。だいたいヒル20匹で血液1パイント〔約500ミリリットル〕が吸い出される。

池に生息する吸血動物を頻繁に活用するのは、馬鹿馬鹿しいほど中世的で恐ろしいほど悪趣味な感じがするが、実はこれは中世の治療法ではない。ヒルがかき集められるようになったのは1500年代になってからだ。中世には瀉血は鋭い刃物を使って行われたのだ。正直なところ、おそらく歴史上の多くの患者が、40～50パーセントの血液を失って死んだと思われる。そのなかには、喉頭炎に加えて熱心すぎる医師たちのせいで死んだジョージ・ワシントンも含まれる（死に目に会えなかった友人のソーントン医師は、羊の血液を輸血して冷たくなった遺体を蘇生させようとした）。しかし、医師の誤りの責任をヒルにかぶせるのはやめよう。

実はヒルは近代外科に意外なカムバックを果たして、形成外科医の醜い助手を務めている——ただしその医学的理由は、以前とは異なる。その有用性は、ヒルが患者の血流に抗凝固作用を持つ成分を注入していることにもとづく。つまり切断された部位をつなぎ合わせるという、緻密な作業を必要とする各種再建手術で非常に役立っているのだ。修復された血管は腫れあがりやすいが、ヒルが過剰な血液を吸い出してくれる。そのうえ吸血中には鎮痛物質が注入されるため、患者は何ひとつ感じないのだ。なんと思慮深い！

ヒルを使った治療が効果を上げた１人が、ナポレオン・ボナパルトだった。冷たくジメジメした鞍の上で長時間過ごしていたせいでひどい痔に悩まされていたこのフランス皇帝は、１８１５年のワーテルローの戦いの前夜、時代の転換点となる戦いを目前にして侍医のドミニク・ジャン・ラレー男爵を呼んだ。医師はおそらくヒルに吸わせて、戦の天才を戦場に送り出したのではないかと思われる。ナポレオンはどうやら、便秘の治療にもヒルを利用したようなので、これはけっして初めてのことではなかった。

充血したフランス人のケツ——これはナポレオンの自尊心を傷つけたに違いない——にもう少し注目しよう。非常に野蛮に聞こえるが現代の処置の基礎となった、成功した外科的処置が、肛門潰瘍の切開だ。１３００年代のイングランドの先駆的な外科医アーダーンのジョンは、肛門付近の分泌腺や痔瘻《じろう》治療の第１人者だった。時は百年戦争の時代で、武装した騎士たちが鞍で絶えず尻を擦りむいていたことも、腕を磨くのに役立ったに違いない。彼は次のように書いている。

肛門付近に成長した潰瘍を、破裂するまで放置してはならない。……非常に鋭利な刃物で大胆に切開し、膿や腐敗した血液を排出すること。そうしなければ……肛門に通じる直腸が肛門内部で破裂し……内部と外部の両方で破裂した場合、熟練の外科医でなければこれを治療することはできない。なぜなら、これはもはや痔瘻と呼ばれるべき状態だからだ。

次に登場するのがフランスの偉大なる国王ルイ14世だ。1600年代後半に王が痔瘻にかかった頃、アーダーンのジョンの技術はすでに忘れ去られていたようで、医師たちは効果的な治療法を提案することができなかった。そこで勇敢な侍医のシャルル＝フランソワ・フェリックスは、慈善病院で農民たちを相手に切ったり突いたりする実験を何か月も繰り返した。どれくらいの農民たちが進んで実験台になったのかは明らかではないし、おそらく何人かは感染症で命を落としただろう。それでもフェリックスは痔瘻治療を成功させると、断固決意していた。そしてとうとう十分な知識を蓄えた彼は、独自の痔瘻切開器具を開発して国王の尻の手術を行ったのだ。奇跡的に、手術は成功した。しかし、国王が行ったことはどんなことでも流行したため、廷臣たちまでが同じ治療を要求しはじめたのだ。困惑したフェリックスは賢明にも、本当に必要な場合を除いて肛門を切開することを断った。

ポール、僕がまだ尻にこだわっていることを許してほしい。紀元1世紀の人ペダニウス・ディオスコリデスは、ローマ軍に雇われたギリシア人医師だった。彼は薬草の使用法についての重要な医学書をまとめた高名な薬理学者だったが、それだけでなく、脱肛の治療にシビレエイの使用を勧めている。これは、よくて滑稽、悪くて完全にイカれているように思われるだろう。

しかし『The Journal of Anatomy』誌に2017年に掲載された論文には、直腸肛門に与えられた電気刺激は「治療を受けた患者の機能性に肯定的な作用を及ぼし」、またその結果は、「直腸と肛門につながるすべての部位の構造に（形態学的に）肯定的な作用を及ぼすだけでなく、さらに重要なことに、筋肉の構造性の獲得にもよい影響を及ぼし……非侵襲性の治療法として便失禁に対するこの療法の妥当性を強めている」と述べている。つまりペダニウスが唱えた電気魚を使った尻の治療は、意外なことに本当に優れた考えだったのだ。患者たちにこの治療を受けさせるには、根気強い説得を必要としただろうが。

再度謝らせていただきたいが、もう1つの肛門感電物語を取り上げないわけにはいかない。この物語を読むたびに、笑いすぎて死んでしまいそうになる。ドイツのきわめて優秀な科学者兼探検家のアレクサンダー・フォン・フンボルトは、電気に魅了され、1790年代に自分自身を実験台にした実験を行った。彼は先端を亜鉛でメッキした電極を口にくわえ、銀の電極を直腸に「約4インチ〔10センチメートル〕の深さまで」挿入した。そして電流を流した。その結果は、おかしくも不快なものだったようだ。

電機子に電流を通すと、吐き気を伴うさしこみと不快な胃の収縮、次いで非常に苦痛に満ちた腹痛に襲われ……それから自動的に尿を失禁した……

しかし僕が特に気に入っているのは次の部分だ……。

それ以上に驚いたのは……銀を直腸にさらに深く挿入すると、目の前にまばゆい光が現れたことだ。

「さらに深く」という部分を読むたびに爆笑してしまう。なんてマゾな奴だ！　この実験で死なずに済んだフンボルトは、たぶん運のいい男なのだろう。

ここでフンボルトを取り上げたのは、彼が1799年から1804年にかけて南米旅行に出かけ、動植物の調査を行っているからでもある。大きな危険を伴う旅行だったが、たとえヒョウに飛びかかられて重傷を負っても、フンボルトならおそらく母なる自然の助けを借りて傷を縫い合わせられたに違いない。この地域には、幅広く鋭いあごを持つことで知られるバーチェルグンタイアリ（*Eciton burchellii*）という蟻が生息している。アステカ人をはじめとする中南米の諸民族は、原始的な外科手術にこの蟻のあごを利用していた。その利用方法は、蟻に皮膚を噛ませてから頭部をちぎり取る。すると残った大あごによって傷口がふさがれるというわけだ。

さらにすごいのが、人々が互いの頭部に穴を開け合っていた石器時代後期の頭蓋骨の手術だ。こうした開頭術は生きた人間に対して行われていたが、彼らはけっして恐ろしいサイコパスの犠牲者だったわけではない。発見された頭蓋骨の半数以上が、術後数年にわたって徐々に治癒していった痕跡を残しており、ほとんどの人が手術を生き延びたことを示している。では、なぜそんな危険を冒したのだろうか？　おそらく穴を開けた目的は、頭痛、てんかん、脳外傷、精神病などを治療することだったのだろう。そしてこの習慣は長期にわたって続いた。穿頭術として知られ、世界各地で行われていたことが、ヨーロッパ、中国、南米大陸、アフリカの遺跡からの発見で明らかになっている。

石器時代の穴あき頭蓋骨は穿頭術の痕跡であることが、フランスの医師で人類学者のピエール・ポール・ブローカによって1860年代に初めて明らかにされると、同僚の外科医たちは当惑した。なぜなら彼ら自身が穿頭術を行った場合――これは歴史を通じて受け継がれた治療法だった――の患者の死亡率はもっと高かったからだ。それなのに洞窟に住んでいた先史時代人は、術後も生き延びている。いったいなぜ？　ヴィクトリア朝時代の外科医たちが知らなかったこと、それは、彼らが手を洗わずに汚い手術用メスを使い、そのうえ1日に複数の患者の手術を行っていた結果、危険な術後感染症が発生しがちだったのに対して、石器時代には、おそらくそれほど多数の患者たちが整然と並んで順番を待ってはいなかったということだ。

しかしバイキン理論が理解され、消毒薬が使用されるようになると、穿頭術は、脳が腫れた頭部外傷患者に対する効果的な救急治療法となった。つまり驚くべきことに石器時代人は、現代の交通事故の被害者が受けている頭蓋骨の救命手術と同じような手術を行っていた可能性が高いのだ。そして患者の多くは手術を生き延びた。

消毒薬が出てきたので、これに関する話題を紹介して本項を終わらせたい。２０１５年に、ある微生物学の研究結果が世界中の話題をさらった。それによると１２００年前の治療法が、スーパー耐性菌ＭＲＳＡ（メチシリン耐性黄色ブドウ球菌）を死滅させる力を持つことが判明したのだ。研究者たちがあ然としたことに、玉ねぎ、ニンニク、西洋ネギ、葡萄酒、牛の胆汁を青銅容器に９日間入れて滴下させた液体は、アメリカで毎年１万人以上が命を落としている耐性菌を大幅に死滅させた。もともと『Bald's Leechbook』という９世紀の医学書に記されていたこの治療法は、まつ毛の毛嚢炎《もうのう》のためのものだった。しかし現代の研究者が中世のレシピに基づいてこれを復元した結果、最も強い抗生物質にも匹敵する強力な殺菌効果を持つことに驚嘆したのである。

そういうわけでポール、さまざまな奇跡的な、と同時に奇怪な治療法を見てきた結果明らかになったのは、人間はときに、一度目の挑戦で正しい答えにたどり着く場合もあるということ、そしてずっと前に忘れ去られたほかの文献にも、すばらしい治療法が潜んでいる可能性があるということではないか？　とはいえ、電気ウナギを自分の尻に差し込むことだけは、断固として拒否する。人間、どこかで線をひく必要はあるのだ。

13

現代を別にすれば、ゾンビ・ウイルスに対処するのに最も適していた時代はいつでしたか？

アレックスより

やあアレックス。僕はこの原稿を、世界的パンデミックを9か月も経験したあとで書いている。この経験は、政府の無能さに関する僕の見解に少なからぬ影響を及ぼした、とだけ言っておこう。簡単に言えば、もし恐ろしいゾンビ感染症が突然僕たちを襲ったとしても、おそらく政府による公式の対策は、1時間早くパブを閉鎖し、国民には、対咬傷用鎖帷子《チェインメイル》の着用を求めることだけかもしれない。シニカルかな？　そんなことないさ！

恐ろしいことに、ゾンビ黙示録《アポカリプス》を封じ込めるのは非常にむずかしいことが、ハリウッド映画でも明らかになっている。感染した者は自らもゾンビ化するからだ。必要なのは彼らを病院に収容することではなく頭を切り落とすことだが、家族の一員を殺さなければならないのは、感情的に耐えがたい。そんな苦悩が広がれば多くの人が、数秒余計にためらったがために愛する者に噛みつかれ、その結果自らも問題の一部と化す。ゾンビの数は激増し、軍隊は感染者を、たとえば火炎放射器のような極端で冷酷な方法で処分するよりほかなくなる。とんでもないことだ。

新型コロナの場合と同じように、特に大きな問題になるのは人口が密集した都市部だろう。ゾンビ感染症が発生したのがイングランド北西部の湖水地方なら、問題はロンドンよりも小さい。決定的な問題は、果たしてわれらのゾンビは歩きはじめて間もない幼子のようによろめき歩くのか、それとも狂気じみた野獣アスリートのように猛スピードで迫ってくるのかという問題だ。もし後者だとすれば、人口数百万人の首都では、「感染率」あるいは「R値」〔実効再生産数のことで、感染者1人が何人に感染させるかを示す。R値が1の場合、1人の感染者が平均で1人に感染させる〕が急増した結果、わずか24時間で黙示録的な地獄と化すことが、2015年にコーネル大学の統計モデリング・チームによって示された。しかし田舎でなら状況を理解し、対処する時間はずっと多いだろう。

ここから、アレックスの質問に移ろう。ゾンビ・ウイルスのアウトブレイクに対処するのに最も適していたのは歴史上のどの社会だったか？　まずはっきりさせておきたいのは、これは仮定の質問だということだ。本書の後半で、この種の質問につきまとう問題点を説明する。ともかく、ゾンビよけ効果を最も発揮しそうな歴史上の社会はいくつか挙げられるが、とりあえずは、役に立ちそうないくつかの基準にもとづいて、一番異論の少ない解答を提示しようと思う。

これが僕の思いついた基準の一覧だ。ゾンビ黙示録に陥りたくない歴史上の社会はどこでも、このすべての基準を満たす必要がある。

・都市部よりも田舎の人口が多いこと
・頭を切り落とす能力を最大化するための、鋭い刃を備えた武器が簡単に手に入ること
・住民の多くが五体満足で、また軍事トレーニングを受けていること
・付近に広大な水域があり、多数の船を持っていること（ゾンビは泳げないことが前提！）
・咬傷を防ぐ防具が十分にあること
・ゾンビに噛まれると病気に感染すると理解する能力があること
・死霊にまつわる伝説／文学がすでに存在すること（住民が恐怖に囚われすぎないため）
・他者に警告を発するための通信ネットワークが存在すること

では、僕の答えを言おう。かつて自分が中世史研究者だったからかもしれないが、すぐに頭に浮かんだのは、スカンジナビアの美しいフィヨルドでゾンビたちが叩きのめされる光景だ。そう、**もし君がゾンビ黙示録を免れたいなら、ヴァイキングたちのいる場所が一番安全だと思う。**次に理由を説明する。

全体としてヴァイキングたちの基盤となっていたのは、田園地帯を拠点とした農耕社会だった。考古学者の計算によれば、中世初期のスカンジナビアでは、都市あたりの人口はせいぜい数百名にすぎず、ベルゲンのような大都市でも数千名といったところだった。ヴァイキング時代にノルウェーとデンマークに暮らしていた人口の90パーセント以上が市街地以外に居住していたと考える研究者もいる。このように小さな集落に分散していては、人口の多い商業地区を襲った後のゾンビたちは、長距離の移動を強いられることになる。そうすると、ゾンビたちが人間を食いつくしてしまうか、あるいは都市住民が早めに救援を要請することに成功するに違いない。

ヴァイキング社会はけっして、ポップ・カルチャーでよく描かれるような偏執的に暴力的なものではなかった。彼らは、斧を振り上げて走り回るよりも、交易、農耕、詩の吟誦《ぎんしょう》、漁業などにはるかに多くの時間を割いていた。とはいえ、彼らはけっして闘いから逃げようとしなかった。ヴァイキング社会では、一定の割合の人々が、刃のついた武器——剣、斧、短剣のような戦闘用武器だけでなく農耕器具も含む——を容易に手に入れられた。定期的に軍事訓練を行う戦士なら、鎖帷子《チェインメイル》も着用していただろう。これは、脳みそを貪り食うゾンビたちに対する有効な防具になったに違いない。

戦士以外でも、多数の健康でたくましい農夫、船乗り、鍛冶屋、木こり、漁師たちが戦いに参加しただろう。さらにヴァイキング社会には、スロール（thrall）という奴隷階級が存在し、彼らは辛い肉体労働に慣れていた。これで男たちの長いリストができたが、もしゾンビの襲撃を受けたら、少年たちも戦いに参加したはずだ。成人として認められたのは16歳頃からとはいえ、少年の頃から基本的な武術の手ほどきを受けていたと思われる彼らは、12歳までに剣術、槍術、槍投げ、弓術、そして斧の扱いに慣れていたはずだからだ。

ヴァイキングの女性たちに関していえば、北欧のサーガには「ワルキューレ」として知られる、ズボンを穿いた女戦士たちが登場する数々のすばらしい物語がある。彼女たちは暴れまわり、海を越え、戦いに参加し、そしていつも楽しく浮かれ騒いでいたという。ヴァイキング時代のジェンダーを研究している、ノッティンガム大学のジュディス・イェシュ教授やノルウェー国立図書館のヨハンナ・カトリン・フリドリクスドッティル教授によれば、彼女たちは現代のスーパーヒーローのような存在で、実際の一般女性たちの経験とは異なるという。ヴァイキング女性たちは別の、より暴力的でない方法で力を行使していたと、2人は強調している。

そうはいっても、ヴァイキング世界の女戦士についてははるかに多くの調査が行われており、最近もわくわくするような考古学上の発見が、世界中のメディアの注目を浴びた。これはスウェーデンのビルカで1978年に発見された戦士の墓で、多数の武器やゲーム駒が副葬され、軍事基地に隣接して発見されたこの墓の主の遺骨は1970年代まで、男性のものと考えられていた。しかし近年の染色体分析の結果、骨は女性のものであることが判明したのだ。ネット民がどんなに歓喜したことか！　ヴァイキング娘たちは男たちと同じくらいハードコアだった！

しかしその後、慎重さを求める声が強まった。戦いの傷跡や、定期的な肉体鍛錬の成果である筋肉の発達の痕跡が遺骨にみられないことに、数人の専門家が気づいたのだ。女性が武器やゲーム駒とともにこの墓に埋葬されたのは、本人が格好いい女戦士だったからというよりも政治権力を有していたからではないか、また副葬品は戦士としての能力よりも指導者としての地位を象徴していたのではないかと考えられた。彼女が一度も負傷しなかったのは、非常に優れた戦士だったからか、それとも新米兵士だったからなのか？ 興味深いことに、研究の第一人者であるウプサラ大学のニール・プライス教授は、被葬者はおそらく女戦士だとする説を受け入れ、今後同じような事例がさらに発見されるだろうと予想している。しかし彼は同時に、「この人物が男性として暮らし、男性として扱われていたという可能性を含め、さまざまな可能性を考慮すべきだ」という慎重な意見を述べている。

フリドリクスドッティル教授も同意している。著書のなかで彼女は、アイスランドのサーガでは、戦士は原則的に男性として扱われていたと述べている。つまり文学作品ではワルキューレはほとんどの場合、格好いい女戦士として描かれていた一方で、なかには武器を取ると男性名や男性代名詞が使用されることもあったという。これは文学的方便にすぎなかったのか、それとも北欧社会におけるジェンダーの表現方法を暗示しているのだろうか？

さまざまな疑問が浮かんでくるが、明快な答えはない。ビルカの遺骨の染色体組成は科学的に立証された事実だが、その解釈には異論もある。ひょっとしたら一部のヴァイキングはトランスジェンダーだったか生まれ持った性別に従っていなかった、そして女性も戦士として戦ったのかもしれない。

はっきりしているのは、多くのヴァイキングの女性たちはたくましく才覚があり、親しい男たちが襲撃あるいは交易のために数週間不在にしている間も自力で切り抜けていた。イングランドのアングロ＝ノルマン人と比べて、女性たちはより大きな法的・政治的な影響力を行使していただけではない。彼女たちはときには襲撃部隊、密猟者、犯罪者、逃げ出した家畜、酔っ払いの乱闘などにも立ち向かう必要があった。自家製蜂蜜酒を浴びるように飲んだ騒々しい男たちの集まりに対処できるなら、ゾンビたちにも対処できたことは間違いない。

もちろん、戦う必要はなかったかもしれない。ヴァイキングの別の大きな利点は、彼らがいつでも飛び乗れる非常に種類の豊富なロングシップ〔スカンジナビアのヴァイキングとサクソン人が建造・使用した船で、喫水が浅く細長かった〕、交易船、漁船を持つ熟練航海者だったということだ。実際、さまざまな水域に適した多くの船を所有していた彼らは、あらゆる状況に対処できた。そしてフィヨルド、波の荒い川、それに恐ろしい大西洋でさえ巧みに航海した。有名な航海者レイフ・エリクソンは北米大陸のニューファンドランド島に到達している〔レイフ・エリクソンはヨーロッパ大陸から海を渡ってアメリカ新大陸に到達したと、サーガは伝える。１９６０年代に、ニューファンドランド島の遺跡がヴァイキングのものであることが明らかになり、コロンブスの５００年前に彼らが到達していたことがわかった〕。北欧の集落の大部分は海や主要な水路沿いにあったことを考えれば、ゾンビの襲撃が起きても、ロングボートに飛び乗り、安全な距離をおいて火矢を次々に射かければ簡単に撃退できただろう。

ヴァイキング社会はゾンビの攻撃にびくともしないだろう、そう僕が確信している最後の理由は、次のような事実にある。アイスランドのヴァイキングたちの伝説には、ゾンビみたいな怪物が登場するのだ。『グレティルのサガ』〔『エッダ　グレティルのサガ　中世文学集3』ちくま文庫、1986年。アイスランドの英雄グレティルが不運につきまとわれ、追放生活を送り、ついには凄惨な死を遂げる話〕によると、ドラウグと呼ばれる腐って膨れ上がった死霊は、通常は墓に納められた財宝を守っているものの、ときには墓から飛び出して人間や動物に襲いかかるという。ハリウッド映画に登場する、エネルギーが切れかかったような古典的なゾンビとは異なり、ドラウグは超人的な力と知性を備えていた。しかし人間としてのアイデンティティや記憶は完全に失っており、黒魔術でよみがえった。無感覚で悪臭を放つその肉体は、姿形を変えたり白昼に闇をもたらしたり人間に呪いをかけたり村に疫病を広げたり、人間の夢に侵入したりできた。

北欧の英雄グレティルはどうやってこの怪物と戦ったのか？　彼はドラウグの頭を切り落とし、その膝の間にこれを置いた。簡単なことだ！　ドラウグは、中世イングランド伝説のレヴェナントにも共鳴する部分がある。こちらは吸血鬼とゾンビの中間的な存在で、罪深いと考えられたその邪悪な肉体は、共同体を襲うために夜な夜な戻ってくるという。彼らによるとされる凶行は、12世紀の年代記作者ウィリアム・オブ・ニューバラのおかげで知られている。それによると対処法はその頭を切り落とすこと、または口にレンガを突っこんで噛みつけないようにすることだ。こうした文化的な恐怖は伝説から実践へと広がったようで、頭蓋骨の口の部分にレンガが置かれた、または頭部のない、さらには頭部が膝の間に置かれた中世の墓が、考古学者たちによって発見されている。

ここからわかるのは、中世人はすでにゾンビ黙示録を避ける方法をよく知っていたということだ。これでアレックスの質問にうまく答えられたかな。

第4章

食べ物

14

人類最初の菜食主義者は誰ですか？

レウより

　レウ、僕は信心深い人間じゃない。でもこの質問の答えはわかりきっている、という人間は少なくないはずだ。**最初の菜食主義者はもちろん最初の人間、つまりアブラハムの宗教によればこの地球の最初の住民だったアダムとエバだ。**『創世記』によると、神は創造したばかりのこのロマンティックなカップルをエデンの園に住まわせたが、そこに、植物と果物だけ食べてよし（知恵の木の実は例外だ）とする注意書きを残した。この地上の楽園を2人と分かち合っていた動物たちは、けっして彼らの食料ではなく、また互いを餌とすることも許されていなかった。エデンの園にいたライオンやトラはおそらく、マンゴー・スムージーやケール・チップスが好物だったのだろう。

　もちろんこのままで済むはずはなく、アダムとエバは楽園から追放された。知恵を身につけた人類は邪悪な本性をむき出しにし、後悔した神は「大洪水」というリセット・ボタンを押して、ノアとその動物たちを除くすべてを押し流した。大洪水後、神は食事エチケットの規則を緩めて肉食を許可した。おそらくノアは、救出したばかりの美味な動物たち――完全菜食主義の同乗者から昼食のご馳走に一瞬にして変じた――と気まずい話し合いをしなければならなかったはずだ。

要するに菜食主義という理想主義的な考えは、アブラハムの宗教のなかでも最も古いユダヤ教までさかのぼる。この思想が実際にどれほど古いかについて、研究者の考えはわかれている。きわめて重要なトーラ（ヘブライ語の聖典の最初の五書で、キリスト教徒には「モーセ五書」として知られる）が書き記されたのは、ようやく紀元前6世紀になってからだが、そのなかにはたしかに、3000年前のダビデ王やソロモン王の時代にさかのぼる部分もある。ここで重要なのは、菜食主義が単なる創造神話以上の意味を持っていたのか、つまりそれは古代ユダヤ人にとって日常生活の一部だったのかということだ。古代の食事に関する規定で、ほとんどの肉類はコーシャ〔ユダヤ教において、食べてもよいとされる「清浄な食品」のこと〕に含まれているので、おそらくそうではなかったと思う。

アダムとエバを別とすれば、どこを探ればよいだろうか？　古代ユーラシア社会の大部分――古代エジプト人を含む――ではあまり肉を食べなかったことが知られている。しかしその理由は単に高価すぎたから、あるいは肉の大量生産がむずかしかったからにすぎない。ひねくれているかもしれないが、単に「金がない」という理由からフィレ・ステーキを食べなかった人たちを菜食主義者に含めるべきか、僕にはわからない。しかし一般向けの歴史書にはしばしば、古代エジプトの神官は、身体を清浄に保つという厳格な宗教上の理由で菜食主義者だったと記されている。本当に？　その実態は時代によって異なるかもしれない……。

　さまざまな墓の壁画から、青銅器時代——だいたい4500年前から3000年前ごろ——には、神官たちは神殿で動物を生贄に捧げていたことがわかっている。彼らの特典のひとつが、残り物を家族に持ち帰ることができるというものだった。2010年にはマンチェスター大学の研究チームが古代エジプトの神官のミイラ数体を調査しているが、その結果、いくつかの歴史書の主張とは反対に、彼らは身を律してなんかいなかったことが判明した。たらふく食べた肉料理のせいで数人の神官は動脈硬化を発症し、50歳に達する前に心臓が止まっていたのだ。

　そうだとすれば、菜食主義者のエジプト人神官というよく耳にする説はどこから来たのだろう？　おそらく末期王朝時代〔紀元前664〜332〕として知られる、ずっとのちの時代からではないかと僕は考えている。この時代のエジプト文化については、紀元前425年まで生きていた古代ギリシアの旅行者・歴史家ヘロドトスによるゴシップ満載の報告から、多くのことが知られている。エジプトはこの頃すでにペルシアに征服されていたが、それはたまたま、ギリシア、インド、ペルシア、中国でほぼ同時に登場した精神主義的《スピリチュアル》菜食主義の流行と時を同じくしていた。

　この突然の豆腐人気に関与したインフルエンサーとして、誰が挙げられるだろう？　最初の菜食主義の思想家はゾロアスターだったかもしれない（古典的に有名なリヒャルト・シュトラウスの交響詩『ツァラトゥストラはかく語りき』〔ニーチェの同名の著作に着想を得て作曲された〕から、ツァラトゥストラとしても知られている）。ゾロアスターは、おそらく紀元前7世紀に生まれたペルシアの神官で、一神教信仰を実現するために宗教と社会の改革を命じる最高神アフラ・マズダの啓示を受けたと主張した。ゾロアスターは肉食を控えて動物の供犠を制限した。イランには現在でも数多くのゾロアスター教徒が存在する。

ゾロアスターこそ史上初めての菜食主義者だと断言する自信はない。墓穴を掘ることになりかねないからだが、しかし彼の思想がペルシア支配下のエジプトに浸透し、表向き菜食主義者のはずの神官たちの行動に影響を及ぼした可能性はある。そうだとすれば、彼ら神官たちは、今度は古代世界で最も名高い菜食主義者、ギリシア人哲学者で数学オタクのピタゴラスに大きな影響を与えたに違いない。ピタゴラスはもしかしたら、紀元前535年に勉学を目的としてエジプトに旅したかもしれないといわれており、その後ペルシア人に捕らえられてバビロンに送られたという。少なくとも1つの古文献によれば、ピタゴラスはゾロアスター本人から学んだとさえいわれているが、これには大いに疑問が残る。

ピタゴラスなんて直角三角形の斜辺の二乗に取り憑かれた三角形オタクにすぎない、と思われるかもしれない。しかし彼は音楽的調和と数学の関係に関する興味深い研究を行っただけではない。2000名以上の信者を集めた、非常に奇妙な秘密のカルト教団の指導者でもあったのだ。古代の記録をそのまま信じるなら、教団の規則は極端なものだったらしい。新規加入者は沈黙の誓いを立ててこれを5年間守り、その間ピタゴラスの顔を見ることはできなかった。また——予知夢を見ることを妨げるため——肉食、動物性の素材でつくられた服の着用、豆を食べることも禁じられていた。豆には、亡くなった友の転生した霊魂がこもっているからだという！

そう、ソラマメは菜食主義者である彼らの食事から除外されていた。それは一種の共食いと考えられていたからだ。ある言い伝えによれば、ピタゴラスは豆畑の向こうの安全地帯に逃れるよりも怒れる群衆に殺害されることを選んだという。それというのも、転生した旧友を踏みつけたくなかったからだ。彼について君がなんと言おうと、死をも恐れないこの行動は、自ら選んだ生活様式に彼がいかに忠実だったかを示している。ピタゴラスが肉を嫌ったことは非常によく知られていたため、ヨーロッパや北米大陸では20世紀初めまで、菜食主義者は広く「ピタゴラス主義者《ピュタゴリアン》」と呼ばれていた。

紀元前6世紀にピタゴラスが秘密教団を結成していた頃、インドでも宗教的菜食主義が広まっていた。それはマハーヴィーラ（ヴァルダマーナ）が布教したジャイナ教、そしてその後ガウタマ・シッダールタが開祖となった仏教の両宗教の後押しを受けた。仏教は、無敵の征服者であるアショーカ王（在位紀元前268頃〜232頃）の支援を受けて南アジアに広まったが、彼はやがて残酷な武力の行使をやめて、はるかに穏やかな政策を採用している。

そうそう、仏教がインドに広まっている間、中国では道教と儒教が根を下ろしていたが、これはどちらもやがて菜食主義の一側面と結び付けられるようになったものの、厳格な規則とはならなかった。実際ある文書によれば、とある音楽に非常に心を動かされた孔子は、3か月間肉食を控えたが、その後ふたたび少しずつ肉を食べるようになったという。

結論を言えば、最初の菜食主義者が誰だったか、僕たちが知ることはないだろう。記録に残っていない菜食主義者は無数に存在したに違いないからだ。はっきりしているのは、約２５００年前、古代のいくつかの大帝国で、強い影響力を持つ思想家によって宗教的な菜食主義が広がりはじめたということで、彼らの思想はやがて社会全体に広まっていった。一方、近代の菜食主義についていえば、これは20世紀に始まったと考えている人が多いが、実はイギリスでは、過激な政治思想、キリスト教社会主義、禁酒運動、初期のフェミニズムなどとのつながりにより、１８００年代初頭から中頃にかけて盛り上がりを見せた。

もちろん最近盛り上がっているのは、単なる菜食主義ではなく、より厳格なヴィーガニズムだ。これが果たして同様に長く続く革命となるかというのは、興味深い問題だ。だがベイクドビーンズ乗せトーストが大好物の僕にとっては、ピタゴラス主義が戻って来はしないかという不安のほうがはるかに大きい。お願いだ、マメを食わせてくれ！

15

カレーはいつ発明されたのですか？

匿名より

カレーはいまやグローバルな食べ物だ。日本のカレーライス、タイのグリーンカレー、ジャマイカのヤギカレー、マレーシアのルンダン・カレー〔塊肉をココナッツミルクと香辛料で長時間煮込んだ料理〕、モルディブのフィッシュ・カレー、南アフリカのバニーチャウ〔食パンをくり抜いてなかにカレーを詰めたもの〕、そしてもちろん、南アジアの伝統料理として有名なヴィンダルー、バルチ、それにチキン・ティッカ・マサラがある〔ヴィンダルーはゴア発祥のインド料理、バルチは鉄鍋で調理したイギリス風のカレー料理、ティッカ・マサラもイギリス風の煮込み料理〕。だけどこれらはみな、本当に南アジアの伝統料理なのだろうか？　**カレーは実はイギリスで発明されたもので、いわゆる文化的横領の典型的な例だとする食文化研究家は少なくない。**

カレーという言葉は最近まで、インド亜大陸で話される多くの言語ではなんの意味も持たなかった。おそらくこれはタミル語の「*karil*」または「*kari*」（辛いソース）から変化したもので、アフリカ大陸を1周したポルトガル人航海者ヴァスコ・ダ・ガマが1498年にインドに上陸した数年後から使われるようになったのだろう。ポルトガル人は「*kari*」を「caree」、やがて

「curry」と発音するようになったのだ。おもしろいことに中世英語にも、「料理する」を意味するよく似た単語「cury」が存在した。大英図書館には、１３９０年代に書かれた初期の料理書『The Forme of Cury《料理のあり方》』が保存されており、そのなかにはキャラウェイ、ナツメグ、カルダモン、生姜、オリーブオイル、コショウ、クローブ、サフラン・ライスを使用したレシピも紹介されている。どれも現在のカレーにも使用される美味な材料だが、しかしcuryとcurryはまったく無関係で、これほど似ているのは、不思議な偶然の一致にすぎない。また、これらの香辛料は非常に高価な贅沢品だったことも忘れてはならない。たとえばナツメグは世界中でただ1か所、インドネシアのバンダ諸島でしか生産されず、イギリスには、アラブ商人とヴェネツィア商人を介して年に一度しか届かなかった。

カレーはいまやイギリスの国民食だ。カレー・レストランやその持ち帰り店は２０１９年には、イギリスの経済活動のうち50億ポンドを占めたと推定される。イギリスとカレーのこの蜜月関係は、１６００年代初めにまでさかのぼることができる。その頃、設立されたばかりの東インド会社の口のうまい社員たちが、南アジアの大部分を支配するムガール帝国皇帝ジャハーンギールがポルトガル人に示していた好意を横取りすることに成功した。彼らはインド各地の港や資源へのアクセス権を次々に与えられ、その結果東インド会社は1700年代中頃までに重量級の商業帝国となって、自らの利益を守ったり土地を奪ったりするための私兵さえ抱えるようになっていた。豊かな海外領土から搾取する様子を見た多くの若いイギリス人が、同社の社員となって手っ取り早く金を稼ごうと、アジアに漕ぎ出していった。

そこで多くの者が南アジア料理の風味の虜になったのだ。これらの料理のなかには長い歴史を持つものもある。考古学者たちは近年になって、インダス文明に属する青銅器時代のインドとパキスタンの遺跡で、4500年前の土器に付着したターメリック、ナス、ニンニク、生姜の痕跡を発見した。美味しそうな組み合わせだが、ここに欠けているのはもちろん、かの有名なピリッとした辛味だ。インド料理には、昔からさまざまな香辛料が使われていた。すべて地元で生産されていたわけではないが、古代からアジア、アフリカ、ヨーロッパ、中東の間では活発に交易が行われていたため、フェヌグリーク、タマネギ、コリアンダー、クミン、シナモン、フェンネル、タマリンドがシルクロードを通じて輸入され、反対に黒コショウはインド人商人によって輸出されていた。たとえば300年ごろの富裕なローマ人は、黒コショウをたっぷりふりかけたパルティア風チキンを楽しんでいたことが知られている。

しかし最大の料理革命は、インドに通じる新たな香辛料ルートを探しに出かけたクリストファー・コロンブスが、代わりに新大陸を発見してしまった1492年以降の10年間に起きた。新大陸でトウガラシを発見したコロンブスは、これをコショウ《ペッパー》と混同した（だからチリ・ペッパーと呼ばれている)。ほかにもヨーロッパ人によってトマトやイモを含む数種類の野菜が発見され、これらは1500年代には商人や船乗りたちによって、ヨーロッパや南アジアの料理に導入されている。辛みの強いトウガラシは、最初にゴアに到着したのち、インド亜大陸全域に広がっていった。

ここで重要な問いがある。アメリカのトウガラシが登場する以前から、カレーは存在したのだろうか？　実は本物の南アジア発祥の料理のなかにはマイルドな風味のものもたくさんあり、口から火を吹くような辛味はけっして必要不可欠ではないのだ。むしろ重要なのは風味だった。古代インダス文明の料理は、コショウとマスタードのパワフルな混合物で、味覚にパンチを与えていたのだ。ただ、これをカレーと呼ぶことはできるのか？　どうなんだろう！

そこで専門家に聞いてみよう。1970年代に多くの西洋人にインド料理のレシピを初めて紹介したマドゥ・ジャフリーを含む、数人の食文化研究家によると、僕たちが知っているようなカレーはコロンブス以前には存在しなかった。なぜならそれは南アジアのさまざまな料理の伝統を1つにまとめた、宗主国イギリスの発明品だったからだ。イギリス人が登場する以前の状況については、中世の中国人が次のように観察している。「インド人の食生活は非常に繊細だ。彼らは百種類の異なる調理法を持ち、毎日変化をつけている」。

しかし宗主国のイギリス人は、多様性に富んだこの味覚の快楽をたった1つのレシピにまとめてしまった。食文化研究家のリジー・コリンガム博士も次のように述べている。

カレーは、単にめずらしいインドのシチューやラグーを指すためにイギリス人が採用した言葉だったのではない。それはインドに滞在するイギリス人のためにつくられた、独立した料理だったのだ。ある外科医はカレーについて、「生姜、ナツメグ、シナモン、クローブ、カルダモン、コリアンダー、カイエンペッパー、タマネギ、ニンニク、ターメリックをすり鉢とすりこぎで粉々にして、ギーを加えてペースト状にし……煮込んだ子ヤギや家禽の肉に加えた、非常に複雑な味わいの混合物」と説明している。

インド亜大陸各地に伝わる伝統的な食文化が1つの大バケツに放り込まれ、インド人が使いもしなかった名前がこれに誤ってつけられただけではない。その結果、唯一の決定的なカレー味という怪しげな概念、そしてやがて抜け目なく「カレー粉」と名づけられたものが広まることになったのだ。東インド会社の社員とその家族が、懐かしい祖国に、そしてボイルド・ビーフと水っぽい煮野菜というつまらない料理が供される日曜日の午餐に戻ると、彼らは遠いアジアの香辛料を懐かしく思い出すようになる。高まる需要に応えるために、（伝統的な香辛料をあらかじめ混合した）カレー粉が輸入され、こうしてエキゾチックなカレーがイギリス人の味覚を征服したのだ。

1747年に、中産階級の最初の家事エキスパートの1人というべきハナー・グラスが、大ベストセラーとなった料理書を著しているが、そのなかには英語で記された最初のカレーのレシピが含まれていた。カレー粉はほどなく、美味な食材としても医薬品としても手に入るようになった。１７８４年のある広告には次のように誇らかに記されている。

> すばらしく豊かな素材であるカレー粉は、かの有名なソランダー氏〔ジェームズ・クックの航海にも参加した、スウェーデンの探検家ダニエル・ソランダーのこと〕によって東インド諸島から持ち帰られました。産地と変わらない香りと効能を持つこの粉は今だけ、エア・ストリート近くのピカデリー23番地、ソーリーの香辛料倉庫でのみご購入いただけます。この粉があれば、東インドの数々の名高い料理、そして最も美味なソースをつくることができます。非常に快く健康的で、胃の消化作用を促進します。

メニューにカレーを載せた最初のレストランはナリッシュ・ストリート・コーヒーハウスで、１７７３年のことだった。１７９６年には、クミンやカルダモンの味が忘れられないインド帰りの家族のために、サラ・シェードという労働者階級の女性が持ち帰り用のカレーの屋台を開いている。シェードはインドで暮らした経験があり、そこで彼女は虎に襲われ、戦いで二度負傷したという。非常に運が悪かったのか、それとも非常に幸運だったのか、あるいは両方だったのか……。

イギリスで初めての正式なインド・レストランは、１８１０年にシャイフ・ディーン・ムハンマドがロンドンで開いたものだ。彼は非常におもしろい経歴の持ち主だ。インド生まれのムハンマドは世界各地を旅したのちにイギリスに到着し、そこでロンドンの富裕層にシャンプー・トリートメント（インド風頭皮マッサージ）を提供して上流階級に人脈を形成した。次に彼はヒンドゥスタン・コーヒーハウスを開いて、本物のインド文化を紹介しようとした。竹製の家具や水タバコを用意し、さらに金持ちの顧客にはさまざまなインド料理を提供した。残念ながらヒンドゥスタン・コーヒーハウスはわずか2年後に閉店している。経費がかかりすぎたのだろうか？　それともこの外国生まれの経営者の人種が問題となったのだろうか？　わからない……。ただし白人のイギリス人が所有し、カレーを提供する別の施設は、これよりも経営がうまくいっていたらしい［幸いシャイフ・ディーン・ムハンマドはその後ファッショナブルなブライトンに移動し、そこで上流階級の顧客向けに「シャンプー術」のビジネスを始めて成功したらしい。顧客には国王も含まれていたという！　シャンプーという言葉が現在これほど広まっているのも、彼のビジネスが大成功を収めたおかげなのだ］。

もちろん20世紀になると南アジア人の料理店主が増え、彼らの経営するカレー店はイギリス各地の都市に欠かせない存在となったわけだが、しかし彼らはイギリス人が金曜日の夜に食べたがるものに干渉すべきでないことをよく心得ていた。ＢＢＣの古典的なスケッチ・コメディ番組『グッドネス・グレイシャス・ミー』では、アジア人の騒々しい集団があるイギリスのレストランに入り、大胆にも「メニューに載っている一番味のないものは何だ?!」と訊いているが、これはイギリス人が限界への挑戦としてよく一番辛いカレーを食べたがることを裏返したジョークだ。つまり辛ければ辛いほどいいというわけだ。僕が友人グループのカレーの夕べに初めて参加したときも、激辛のビンダルーを汗だくになって食べる彼らの体が大量のチリに圧倒されている様子を見つめたものだ。彼らがわざわざ金を払い、まるで罰であるかのように食事している――口のなかの地獄はマイルドなヨーグルトほどにも味蕾を刺激していないふりをしながら――ことに仰天したのを、よく覚えている。

本場インドの香辛料が食べられないようではアジア系イギリス人の店員に馬鹿にされる。もしかしたら、彼らはそれを恐れていたのだろうか？　しかしビンダルー、チキン・ティッカ・マサラ、マドラス、コルマなどは、本当はインド料理でもなんでもない。鉄鍋で手早く炒めてつくる有名なバルチは、1970年代におそらくバーミンガムで発明されたものだし、ビンダルー――友人たちとインド料理を食べに行った頃は最も激辛の料理とされていた「今食べることのできる最も辛いカレーは「ファール」だ」――は、ニンニクと酢で肉をマリネした中世ポルトガルの料理 *carne de vinha d'alhos*（カルネ・デ・ヴィーニャ・ダリョス）の発音がなまったものだ。ポルトガル人がゴアに上陸し、地元の料理人にこの酸っぱいポルトガル料理をつくらせたとき、料理人はこれに香辛料をたっぷり加えたのだろう。アメリカからもたらされたトウガラシは1600年代にレシピに加わり、近代になってこのゴア料理は、辛いものを求めるイギリス人のために解釈しなおされ、食べると涙目になるほど辛味が増量されたのだろう。

要するに「カレーはどれくらい古いの？」という問いに答えるのは簡単ではない。核となる部分はなんと4500年もさかのぼる。しかしカレーそのものは、南アジアに押しつけられた近代ヨーロッパの欲望でしかない。つまり近代のアジア系の料理人たちは顧客を満足させるために、世界の反対側で使用される食材を取り入れ、18世紀のイギリス人のために発明されたレシピを繰り返し使い、これを「カレー」という馬鹿馬鹿しい名――「中華料理にとってのチャプスイ〔アメリカで生まれた中華料理。さまざまな材料を刻んで（チョップ）煮込み、片栗粉でとろみをつけたもの〕と同じようにインドの偉大な食文化をおとしめるもの」とマドゥ・ジャフリーも述べている――で呼んでいるのだ。

とはいえ、インド料理と聞いて人々が浮かべるイメージをより本場の洗練された多様性に近づけようと努めるジャフリーも、最もよく売れた著書の1つを『究極のカレー・バイブル』（未邦訳）と名づけざるを得なかった。ということで、カレーは一方では古い歴史を持っているが、他方でそれは植民地帝国の申し子なのだ。それでもイギリスでのその人気ぶりを見れば、カレー――それが何を意味しようと――が近いうちに姿を消すことはないだろう。チキン・ティッカ・マサラはイギリスの国民食といってもいいと思う。

16

さまざまな料理法は、どんなふうに発達したのですか？ パンやチーズのつくり方、そしてメレンゲは誰によって、なぜ発明されたのですか？

アレックスより

アレックス、君の質問はすばらしい。人類と料理という遠大なテーマから始めて、これではあまりに漠然としすぎていると気づくや、材料の数を絞った。それでもまだ漠然としすぎると思った君は――たぶん、ケーキ屋のウィンドウのなかをうっとり眺めながらだろう――突然決めたんだ。「そんなことはどうでもいい。僕が本当に知りたいのは、メレンゲのことだ！」と。アレックス、お見事！　これぞトップクラスの質問だ！

アレックスはここで3つ、あるいは4つの質問をしてくれたが、パンについては次の質問で扱おう。チーズについても状況は似ている。現在、考古学が急速に進歩しつつあるので、君がこれを読む頃にはこの答えは期限切れになっているかもしれないが、ポーランドで発見されたチーズ製作用のふるいに付着していた乳脂肪分を分析した結果、5000年前までさかのぼることがブリストル大学の研究チームによって明らかになった。またトルコ北部で出土した土器に付着していた残留物は6500年前のものだとわかった。別に驚くまでもない。というのも、チーズは簡単につくれるんだ。乳にクエン酸を加えると凝固し、その後チーズのもとになる凝乳が不要な乳清と分離する。

先史時代の製法では、レモン汁よりもむしろ牛や羊の胃袋が利用されたと思われる。胃袋には、乳の凝固を促すレンネット（凝乳酵素）という酵素が含まれているからだ。当時の人々がなぜ牛の胃袋を牛乳に浸そうと思ったのかはわからないが、もしかしたら胃袋にいくつも穴を開けてふるいとして使ったか、あるいは牛乳の貯蔵袋にしたのかもしれない。どちらにしろ、凝固プロセスのおかげで、乳糖不耐症に悩む多くの新石器時代人は、おならや腹痛に悩まされずに栄養たっぷりなソフトチーズを楽しめるようになった。

料理全般についていえば、これは幅広いテーマだ。ここではハーバード大学とイェール大学のアッシリア学者と食品化学者と食文化研究家による最近の共同研究をご紹介したい。彼らは粘土板に（知られている世界最古の文字である）楔形文字で書かれた青銅器時代バビロニアのレシピを再現した。4000年以上の歴史を持つこれらの料理のなかには、現在もイラクで食べられているラム・シチューに似たものも含まれていた。これらはけっして、適当な食材を鍋に放り込んでつくったというものではなかった。料理人がさまざまな風味や食感を試した成果であり、異国からもたらされたレシピさえ含まれていたのだ。そう、エキゾチックな味覚の快楽を勧める人気フードライターは、青銅器時代にも存在したらしい。

だがもう十分。いよいよお待ちかね、メレンゲの話をしよう！

まず砂糖から始めたい。砂糖を最初に食したのは太平洋の島々の住人で、砂糖きびの搾り汁が最初に精製されたのは古代インドだった。蜂蜜よりもずっと甘いのだから、あっという間に各地に広まったと思われるかもしれない。しかしすべての土地を征服しようと南アジアに侵入してきたアレクサンダー大王は、砂糖を食べ物というよりもめずらしい医薬品とみなしたため、1000年頃まで、砂糖がヨーロッパのデザートの材料に加わることはなかった。むしろ中東世界で、最初は医薬品として、その後富裕層の嗜好品として、砂糖は大々的に使用されるようになる。「砂糖と香辛料」といえば正反対のように聞こえるが、彼らは砂糖こそ香辛料であると考えていた。中東の料理人たちは砂糖を結晶化し、アーモンドの粉末と混ぜてマジパンをつくり、そして感覚に強く訴えかける白い純粋な甘味料に精製する技術を磨いたのだ。

その後、中世十字軍という恐るべきホラーショーが始まった。中東に攻め込んだヨーロッパ人は殺戮の合間に、洗練されたイスラム文化、たとえば砂糖という悦楽を知ったのだ。1200年代になるとヴェネツィア商人が砂糖交易に参入し、1400年代にはポルトガルとスペインが、それぞれの植民地であるマデイラ（1419年に発見）とカナリア諸島（1402年から1496年の間に征服）で砂糖きびの生産を開始した。大きな利益を上げた両植民地は、その後のアメリカの植民地経営の原型となった。悲劇的なことに砂糖の需要の拡大は別のホラーショーを生んだ。残酷なアフリカ人奴隷貿易だ。奴隷たちが酷使されたブラジルは富を産む地となり、やがてイギリス人が同じことを行ったバルバドスでは、砂糖は「白い黄金」と呼ばれた。

１５００年代に砂糖が普及したのには、こうした地政学的な事情があった「奴隷を利用したプランテーション制度で砂糖の生産量は激増し、その結果ヨーロッパの消費量も大幅に増えた。１７００年頃の1人あたりの砂糖の年間消費量は4ポンド〔1・8キログラム〕ほどだったのが、１８００年には18ポンド〔8・1キログラム〕に激増した。１７５０年には、砂糖はヨーロッパの全輸入品の５分の1を占めていた」。したがって同じ頃にメレンゲが料理書に登場したのも、けっして偶然ではない。ここでメレンゲ、と書いたが、実は解釈がわかれるところだ。食文化研究家のアラン・デビッドソンは、メレンゲの原型は、甘いクリームと卵白でつくられたやわらかい泡状の「雪《スノー》」という菓子だったと、ほかの研究者とともに述べている。次に挙げるのはより新しい、１６５３年のフランスのレシピだ。

> 一定量の牛乳に少量のフラワーウォーターを加えて加熱する。これを1ダース分の卵白の半量以上に加えてよく混ぜ、砂糖を加える。食べる直前にふたたび火にかけて照りを出す。つまり残りの卵白を泡立て、最初の卵白とよく混ぜる。または残りの卵白をよく焼き、最初の卵白の上に注ぐ。天火《てんぴ》の蓋または真っ赤に焼けた石炭シャベルで焼き目をつける。砂糖水を添えて供する。

技術的な注意点を1つ。1500年代のヨーロッパではフォークは使われなかった——1600年代にようやく広まった——ため、卵白を泡立てるには、ふるいに通すか、カバノキの小枝を束ねたものを使うしかなかった。これを両手の間でこすり合わせるか、かっこいい泡立て器のように構えて使ったのだ。

1604年になると、裕福なイギリス人女性エリナー・フェティプレイスがレシピ本を書き残している。その後一族の人間によって注釈がつけられたこの本は、代々受け継がれた。

砂糖1ポンド半と小麦粉1盛り、卵白12個分をよく泡立て、アニスシードを少量加える。全体が滑らかになるまでよく混ぜる。紙で型をつくり、マンチットを入れてから天火に入れる。

泡立てた卵白と砂糖が登場するのでこれは初期のメレンゲだと、何人かの食文化研究家は推測している。しかし小麦粉も使用されており、出来上がったものは「マンチット（manchet）」（パンの一種）と呼ばれている。ということは……メレンゲっぽい感じはするが、これを否定する要素もあるのだ。

しかし17世紀も後半になると、ようやく固いメレンゲが登場する。「シュガー・パフ（sugar

puffs)」という、現代の朝食のシリアルみたいな名前で呼ばれることが多いが、一方で「ビスケット」と呼ばれることもあり、混乱させられる。では、「メレンゲ」という名が初登場したのはいつなのだろう？　よく言われるのは、スイスのマイリンゲン村で働いていた菓子職人がスパリーニが1720年に発明したというものだ。また、これはポーランド王スタニスワフ・レシチニスキのために考案された菓子で、ポーランド語の*marzynka*という言葉に由来するという説もある。同王の娘が1725年にフランス国王ルイ15世と結婚した際に、このデザートはフランスにもたらされたという。

どちらも魅力的な説だが、あり得ない。なぜなら「メレンゲ」という言葉は、1691年にフランソワ・マシアロが出版した料理本『王家とブルジョワの料理人』にすでに登場しているからだ。マシアロはルイ14世の派手好みの弟オルレアン公フィリップ付きの料理人だった。

そんなわけで、誰がメレンゲを考案したのか、そしてなぜこの名がつけられたのか、はっきりしていない。**確実なのは、1700年代には菓子職人は、しばしばメレンゲ——高くそびえ立つ固形のデザート——をつくっていたということだ。**これが可能なのも、攪拌《かくはん》することで砂糖と卵のタンパク質が混ざり合い、気泡と結合したアミノ酸が強固な構造を支える膜を形成するからだ。クリームを加えた初期のレシピに含まれる脂肪分にはこのような作用はないため、16世紀の「雪」はより粘り気の少ない、泡のような食感だった。

果物やゼリーやカスタードなどを盛りつけても全体が崩れ落ちないように、メレンゲをさらに固くする別の方法は、銅製のボウル（フランス語では「鶏の尻」といういかした名前がついている）を使うことだった。銅製ボウルで泡立てるとメレンゲの安定性が非常に高まることが、化学的にも立証されている。

1800年代後半になると、メレンゲ菓子の崩壊という悲劇を恐れる菓子職人のために、別の技が登場した。使われたのは、葡萄酒をつくる際に発生する酒石酸、クリームタータで、これはパンづくりにおけるイースト菌のように二酸化炭素を生じさせる。二酸化炭素には混合物を固める作用もあり、これを使ったものは（オーソドックスなフレンチ・メレンゲ、シロップを加熱してつくられるイタリアン・メレンゲに対して）スイス・メレンゲと呼ばれる。こうしてさまざまな技が出揃ったおかげで、オーストラリアのホテルの料理人ハーバート・ザクセは1935年にフルーツを盛りつけたクリーミーなメレンゲ菓子をつくり、この軽くて甘いエレガントな菓子にロシアの有名なバレリーナ、アンナ・パヴロヴァの名を奉ることができたのだ。

しかし歴史学者たちは例によって、誰が最初にこの菓子にパヴロヴァという名をつけたかについて、これまで90年間、議論を繰り返してきた。その名を冠した菓子はほかにもいくつか存在するからだ。そんなわけでメレンゲの歴史は、願っていたほど純粋でも甘いものでもない——メレンゲ自体は、そのために命を投げ打っても構わないと思えるものだが。実際、いつもまるまる1袋平らげてしまう僕は、この砂糖の塊のせいで本当に命を落とすはめになるかもしれない。まあ、これよりひどい死に方はいくらでもあるからいいか！

17

昔の人はどうやってパンのつくり方を発見したんですか？

イメルダより

これはイメルダの質問だけど、もちろん同じ問いは、この1つ前に取り上げたアレックスの質問にも含まれていた。だからここでまとめてお答えしたい。こうした質問が数多く寄せられたのも無理はない。恐ろしい新型コロナウイルスが2020年に世界の動きを止めてしまうと、どうやら国民はこぞってパンやお菓子づくりに熱中しだしたらしい。いらだつ神経を鎮めるためか、それとも食費の節約のためかはわからないが、人々はサワー種〔ライ麦と水を合わせた発酵種〕に取りつかれた。インスタグラムやツイッターには、イースト菌を使ったパ

ンやお菓子の写真が誇らしげにアップされた。ジャーナリストや評論家たちは仰天し、イースト菌や小麦粉の供給元も、増えつづける需要を満たすべく悪戦苦闘した。だが、別に驚くことではなかったのだろう。僕たちは『ブリティッシュ・ベイクオフ』〔２０１０年に放送が開始されたイギリスの料理コンテスト番組〕のような人気テレビ番組をきっかけに、素敵な形に焼き上がったふわふわの悦楽というユートピア的な夢を追い求めるようになったが、これまではキャリア形成や家庭生活に追われ、時間が取れなかった。ここにきて突然多くの人々が、することもなく自宅に閉じこもる羽目になったのだ。いよいよパンや菓子づくりに取りかかれる！

しかし、それだけではない気がする。パンには、どこか根源的な魅力がある。最も基本的な主食として、世界のほとんどの国で食べられている（ただし日本に到達したのはようやく１５４０年代のことで、ポルトガル人商人によってもたらされた）。栄養豊富で腹を満たしてくれるパンは、しばしば貧民の救済手段として利用された。その重要性については、歴史上の多くの文化に証拠がみられる。

古代ギリシアの詩人ホメロスは、ネクタル酒を好む神々と対比して、人間を「パン食い人」と呼んだ。アラビア語のエジプト方言では、パンを指す「*aish*（エーシュ）」は文字どおり「生命」を意味する。古代ローマでは、社会の正常な機能にパンは欠かせなかったため、国家により20万人の貧民に無料でパンが分配された。ヴィクトリア朝の人々にとって、食べるパンの色は、階級にそのまま直結していた。貧しい人々は茶色のパン、裕福な人々は白パンという具合だ。そして飢餓に襲われると、パン一揆や、（マリー＝アントワネットも知っているとおり）革命さえ発生した。（君がグルテンフリー志向、あるいはひたすら炭水化物を避けているのでないかぎり）パンは僕たちのアイデンティティに固く結びついている。そしてそのルーツは、文明の始まり、さらにはもっと前までさかのぼる……。

　今でははるか彼方に思える２０００年代初頭、僕が考古学科の学生だった頃なら、今から１万２０００年ほど前の石器時代末期（新石器時代）に農耕が開始されたことに確信を持っていただろう。人々はこの頃、都市を建設しはじめ、食用にするために動物の家畜化を進めた。したがって1か所に定住し、昼食のおかずは田園地帯を追いかけ回して獲るよりも裏口の外で育てることにしたというのも理にかなっていた。しかしその後、すでに3万年前に人々は農耕を開始したかもしれないという、興味をそそられる痕跡が発見されている。そうだとすれば、もはや新石器時代ではない、旧石器時代の真っ只中だ。

　まず中央ヨーロッパでは、今から3万〜2万８０００年前の複数の遺跡から、植物を粉にひいていた痕跡が発見されている。また2万３０００年前に年代づけられる、イスラエルのガリラヤ湖畔の別の遺跡では、住民は１４０種類の植物を採集しており、そのなかには野生のエンマー小麦と大麦だけでなく、非常に多くの種類の雑草も含まれていたことが明らかになった。これは非常に興味深い。なぜならこれが示しているのは、人々は野草を食べていただけでなく、自ら植物を栽培していたということだからだ。それも、農耕が開始されたといわれるよりもなんと1万1000年も前に。

それだけではない。考古学者たちは穀物の種子を挽く石板や、収穫用の鎌の刃なども発見した。3万～2万3000年前のこれらの遺跡の出土品は、先史時代人が、午前中の狩猟前の腹ごしらえに簡単なお粥をつくっていたことを示しているのだろうか？　それともこれは、「ホーム」という概念が発明されるはるか以前に行われた「ホーム・ベーキング」の痕跡なのだろうか？　先史時代のこの段階ですでにパンがつくられていたとする説には――可能性はあるものの――まだ確信が持てない。

そこで今度は1万4500年前へ飛び、現代のヨルダンのある遺跡に注目してみよう。ナトゥーフ文化〔紀元前1万2500～9500年のレバント地方に存在した中石器文化。農耕開始以前ながら、人々はすでに定住していた〕に属する住人たちは長らく狩猟採集活動を行っていたが、その合間に農業も試みていたらしい。ここには原始的なパンをつくっていた痕跡が残っているのだ。炉の灰のなかに、パン種を使わない平らなパンがあったらしいと、発掘に従事した考古学者のアマイア・アランズ＝オタグイ博士は指摘している。おそらくすり鉢とすりこぎ、あるいはひき臼を使って製粉が行われたのだろう。「穀物や水草の塊茎を挽いて細かい粉にし、これに水を加えて生地をつくった。これを炉の熱い灰のなかや熱い平石の上で焼いた」のではないかと博士は推測している。

なぜ、粉にひく必要があったのだろうか。チンパンジーのように植物をよく噛むだけでもよかったのではないか？　これについては、アランズ＝オタグイ博士が次のように説明している。

「パンづくりに要するプロセス（もみの除去、製粉、乾燥、調理や天火焼きなど）を経ることによって、セルロースを多く含むもみ殻のような有害かつ消化しづらい部位が減り、でんぷんとタンパク質が消化しやすくなり、さらに独特の風味が生じます」たしかに、もみ殻入りクロワッサンなんて誰が食べたい？　僕はごめんだ！　そんなわけで、必要カロリーを摂取するための最も安全かつ美味な方法は、パンをつくることだったのだ。

それでも、彼らがお腹いっぱいロールパンを食べていたとは思えない。パンづくりは非常に労働集約的なプロセスで、つくられたパンの量はかなり少なかったことだろう。おそらくめったに食べないもので、あるいはなんらかの宗教行事に結びついていたのかもしれない。農耕がまだ根づいていなかったとすれば、材料もそう簡単に手に入らなかったはずだ。しかしナトゥーフ文化の人々は明らかにレシピを完成させる時間が数千年あり、いざ農作物が定期的に収穫されるようになれば、パンは大量生産される主食となって、エジプトや、（メソポタミアの）シュメール、（パキスタンとインドの）インダス渓谷の青銅器文明の発展を促したに違いない。

これらの地域の大都市国家には、大きなパン工房が建設されただろう。そこには美味しそうに膨らんだパンを焼くのに欠かせないドーム状のオーブンが備えられていたに違いない。しかし彼らは当初、平べったいパンを食べていた。酵母菌が二酸化炭素を発生させて生地を膨らませるという発酵プロセスは、偶然発見されたのかもしれない。たとえば、酔っ払ったビール職人が未焼成のパン生地にビールをひっかけたとか。ビールは実は液体のパンというべきもので、初期の社会においては、カロリー補給の面で、パンと同等かそれ以上に重要な役割を果たしていたと、一部の考古学者は考えている。この奇跡的な発酵プロセスが初めて理解されたのがいつだったかはわかっていない。非常に早い時期だった可能性もあるが、3000年前より以前とすることについては、研究者は慎重なようだ。どちらにしても、エジプトとメソポタミアが主導的な役割を果たしていたことだろう。

そんなわけで、「昔の人はどうやってパンのつくり方を発見したの?」という質問に対する答えはおそらく、**試行錯誤の繰り返し、ときには偶然のアクシデント、少なくない努力、それにひょっとして誰かがビールをこぼしたことを通じて、ということだ!** しかしそれは、僕たちが思っていたよりはるか以前に始まった実験なのかもしれない。つまりパンの歴史は、人類の壮大な物語に欠かせない基本的な食べ物をどうとらえるかという問題を考古学者たちが考え直すきっかけとなっているのかもしれない。

第5章

歴史学

18

私は動物学者で、恐竜が大好きです。だけど、これは「先史時代」ですよね。「歴史時代」はいつ始まったんですか？

クリスより

ああ、クリス。君の質問はどうやら、過去の論争好きな歴史学者たちの亡霊を呼び出してしまったようだ！　僕の部屋では今、幽霊たちが声を張り上げて、何が歴史で何が歴史でないかについて熱心に議論している。ゴーストバスターズを急いで呼んで、エドワード・H・カーがジョフリー・R・エルトンに幽界ヘッドロックをかけているところだと伝えてくれ〔カー（１８９２〜１９８２）とエルトン（１９２１〜１９９４）はどちらも歴史学者で、歴史解釈の方法に関する論争で知られている〕！

クリス、君の質問が問題のあるものだと知って驚いただろうか。歴史学者は研究対象をよく知っているんじゃないのか、と。この、一見無理もない感想について、僕は重要な事実を伝えたい。つまり僕たち歴史学者の別名は「論争家集団」なのだ。これでわれらが職業の一般的な性質をなんとなく理解してもらえただろう。君のために、動物学用語を使って説明できるかもしれない。僕は別に恐竜博士ではないが、君の分野でも最近、恐竜の系統樹に関して激震が起きているそうじゃないか。

僕の記憶によれば、すべての恐竜はこれまで竜盤類あるいは鳥盤類に分類されていたが、最近になって、オルニトスケリダという第三のカテゴリが提唱され、盛大な論争になっているそうだね〔2017年に発表された新説で、これまで同じ竜盤類に分類されていた竜脚形類と獣脚類が別々の分類群に割り振られた。新たに姉妹群である可能性が示された獣脚類と鳥盤類を合わせて、オルニトスケリダと呼ぶことが提案されている。この仮説によれば、恐竜は「オルニトスケリダ」と竜盤類の2系統に分類される〕。実は歴史学者も、各自の持つ主張について同じようなことをしている。僕たちは意味論や哲学論にとらわれ、そのうえ新たに発見された、過去の解釈を一変させるような証拠とも向き合わなければならない。要するに**「歴史」には複数の意味が存在するため、歴史時代がいつ始まったか、合意するのも簡単ではないのだ。**

まずは、日常用語というわかりやすい問題から始めよう。

「歴史」とは頭にくるほど曖昧な言葉で、あらゆるシチュエーションで使われている。すぐに思いつくのは、「過去」と置き換え可能な類義語として使われているということだ。たとえば、何らかの記念日に関するポッドキャストや本、それに「歴史上のこの日に起きたこと」という題名のネット記事が無数に存在する。また医者や歯医者に行くと、医師は診察前に僕たちの「受診歴」を調べる。おもしろいユーチューブ動画が見つからない場合は、「視聴履歴」をスクロールして、リンク先を探す。パーティで2人の人間が視線を合わせようとせず、気まずそうにしている様子を目にしたら、友人たちは「あの2人は過去に何かあったに違いないわ！」としたり顔でささやき合うに違いない。陸上選手が優勝し、政府が法案を通した場合、彼らは「歴史を刻んだ」と評される。歴史とは、昨日、あるいはたった今起きたこと（これを読んでいる君、そう、今やっていることだ）とする定義に、多くの人は異議ないだろう。

「歴史」とは、過去のすべてのことだ。一方「歴史的」とは、未来にも記憶されているであろう、あらゆる重要なことだ。日常生活では、この理解に何も間違ったところはない。しかし歴史の専門家としては、理解をはっきりさせるためだけにも、より厳密な定義を試みたい。しつこいオタク的に言えば、「歴史」とは、過去の時間や場所のことではない。それは、過去に起きたと僕たちが考えることを再構成しようとする、知的努力なのだ。

歴史学者は、名探偵ポワロがカントリーハウスで調査を行うのとほぼ同じやり方で歴史に取り組む。つまりそれは、手元にある証拠に基づいた調査のプロセスなのだ。腹立たしいことに、発表のために容疑者たちを全員、居間に集めるなどという贅沢は僕たちには許されない。風変わりなベルギー風アクセントで新発見を大々的に発表できるのも、ごく一部の者だけだ。

僕は別にアガサ・クリスティの大ファンというわけではないので、言い過ぎかもしれない。だがポワロやミス・マープルが登場するテレビドラマを見るたびに気づくのは、犯人は居並ぶ面々の前ですぐに犯行を自白し、ポワロ／ミス・マープルは自らの優れた推理力に得意満面になっていることだ。残念ながら歴史学者が死者の告白を引き出せることはめったになく、従って彼らは学究生活を通じて、不完全な結論にしか達することができない。実際、それは会ったこともない人間の絵を描かなければならない肖像画家のようなものなのだ――自分の仕事を説明するために、僕はそう言うことがある。調べられるのは、相手の財布、仕事の日誌、レストランの領収書、そして着ている服の一部だけ――こうしたものから意外なほど多くの情報を得られるとはいえ、結局、実物からかけ離れた絵を描いてしまう可能性もある。

次に重要な点だ。「過去」を変えることはできない。過去を変えるには、タイムマシンに乗るしかない。一方「歴史」は変化しつづけている。それぞれの世代が、かつて起きたはずだと自ら思うとおりに書き換えているのだから、それは議論と解釈の尽きることのないるつぼなのだ。これこそが、追究すべき学問分野としての歴史学のエッセンスなのだ。有名な国民的英雄が実は奴隷所有者でもあったと誰かが指摘するたびに、「歴史学者たちは歴史を書き換えようとしている！」と逆上した新聞の論説員が喚き立てるのを見聞きすると、僕はときに笑いたくなり、ときには泣きたくなる。「当然だ！」と叫びたい。「われわれは毎日、歴史を書き換えているんだ！　本屋に絶えず歴史書の新刊が並ぶのはそのためじゃないか、この間抜け！」と。

そろそろクリスと「『歴史時代』はいつ始まったんですか？」という彼の質問に戻ろう。普通、知的活動としての歴史学の先駆者は、ハリカルナッソス出身の古代ギリシア人ヘロドトスとされている。紀元前430年頃に執筆された、ギリシアとペルシア帝国の戦いを描いた大著『歴史』は、研究者が実際に現地におもむき、大量の証拠を集め、そして彼がなぜその判断に至ったかを説明した、最初の重要な著作だった。

実は英語の「ヒストリー」は、ギリシア語で「調査」「探究」を意味する「ヒストリア」に由来する。ヘロドトスがしばしば「歴史の父」と呼ばれるのはこのためだ。もう1つ付け加えておきたいのは、古代ギリシア人はヘロドトスに先行する歴史家として、リュディアのクサントスやランプサコスのカロンらの名を挙げているものの、彼らが果たしてヘロドトスよりも前、あるいは同時代に生きていたのか、現代の研究者は決めかねている。つまり今のところ、ヘロドトスは与えられた尊称を保持しているが、周囲では調査――「ヒストリア」と呼ぶべきか？――が続けられているのだ。

歴史研究という概念は今から約2500年前に始まったと断言してよいだろうか？　もしかしたら！　ただし、自分が生まれる前にもいろんなことが起きていることに気づいて、「よし、これを書き留めておこう！」と決めたのは、ヘロドトスが初めてではなかった。先に述べた基準を少し緩めて、ヘロドトスや仲間たちの著作に見られる資料の批判的分析という点をとりあえず無視すると、これよりもずっと前の時代の歴史記述を見つけることができる。ユダヤ教の伝承によれば、ヘブライ語聖書のいわゆる「モーセ五書」に続く『士師記』は、ヘロドトスのひげが生えはじめるより少なくとも1世紀前にはすでに文書として書き記されていたようだ。

これらの聖なる書物には、ヘロドトスのような批判的な論評は見られない。どれもいわゆる「物語」であり、イスラエル人《びと》がどのようにヤハウェの祝福と怒りを交互に受けていたかを説明するために、重要人物、特筆に値する事件、因果関係などを取り上げている。文書からは批判的精神を持つ歴史学者の声が透けてこないため、「歴史記述」という印象は受けないかもしれない。それでもはるかに壮大な意味で、これはたしかに1つの民族の歴史であり、イスラエル人がいかにバビロンに追放されるに至ったかを説明しているのだ。となると、ここにもまた大きな問題がある。歴史とは、検証と説明を重視した知的活動であるべきか、それともベルトを緩めて、昔の出来事に関するものならどんな記述でも許容すべきなのか？

後者を認めるなら、古代エジプトやバビロニアの多くの年代記を含めることができる。これらの古代帝国について僕たちが豊富な知識を持っているのも、文字が存在したおかげだ。5400年ほど前に、まずシュメール人が楔形文字——葦製の尖筆を粘土板に押しつけてできた三角形を組み合わせたもの——を発明し、その直後にエジプト人がヒエログリフを、そのさらに数百年後には中国人が独自の文字を考案した。これは人類の歴史を変えた非常に重要なイノベーションで、文字の発明は広く「記録された歴史」（有史時代）の開始時点とみなされている。

これより早い時代は自動的に考古学者の領域とされ、1851年にカナダの考古学者ダニエル・ウィルソンが最初に提唱した「先史時代（prehistoric）」という不格好なラベルを貼られる候補となる。ただし、正式にどうかはわからないものの、最近では「pre-History」は主にホモ・サピエンスや僕たち人類の初期の祖先が歩き回っていた石器時代に充てられることが多いが、直立二足歩行で道具を使用する類人猿が登場した約300万年前より前の時代になると、地質学や、クリスの大好きな恐竜に関するあらゆるものは「prehistoric」という語でくくられるようになる。つまり「pre-History」は人間に使われることが多いが、「prehistoric」はそうでないらしい。さらに混乱させられることに、母なる自然が頻繁に起こした奇跡に関する研究はしばしば「natural history（博物学）」と呼ばれる――約2000年前に大プリニウスが著した大著『博物誌』のように。

しかし君の足をすくいかねない話はもう1つある。「歴史学」は分析を必要とせず、それは単にこれまで人類に降り掛かった事柄やその性格、因果関係などを系統立てて物語ったものにすぎないと認めるなら、僕たちも**文字重視という足かせから飛び出し、オーストラリアのヴィクトリア州中央部に居住する先住民ジャブウルンや、米オレゴン州の先住民クラマス族に注目することができる。**驚くべきことに、**正確な繰り返しと暗唱を通じ、世代を超えて受け継がれた彼らのオーラル・ヒストリーは、なんと1万年前までさかのぼる事績を今に伝えているのだ。**

これは本当に驚嘆すべきことだ。これらの物語に取り上げられている火山噴火や洪水やその他の自然現象を、サンシャインコースト大学のパトリック・ナン教授ら近代の地質学者が、地形に刻まれた物理的痕跡と比較してその正確性を検証できたのだからなおさらだ。非常におもしろい読み物であるナンの著作『記憶の果て』（未邦訳）には、文字を知らない古代の人々が歴史を、集団として団結するためのよりどころとして、さらに環境の変化が新たな困難を引き起こしかねない敵意に満ちた土地で生き延びるために重要な知の宝庫として、利用していたことが説明されている。

このように「歴史学」の歴史を探ると、いつそれが始まったかという疑問を巡っていくらでも大騒ぎができる。しかし人類は何千年もの間、歴史的に思考してきたと考えても間違ってはいないだろう。なぜなら僕たちがかつて何者であったかを知ることで、現在何者であるかわかるし、その逆も正しいからだ。偉大な歴史学者E・H・カーも、1961年にその古典的な著作『歴史とは何か』〔岩波書店、2022年〕で、「歴史学」は今、この場所で形づくられていると主張している。なぜなら歴史学者が生まれ育った世界は、彼らが考えつく質問、そして遠い過去に与える意味づけに影響を及ぼすからだ。

そうだとすれば、君が今読んでいるこの本は、君たちみんなが答えを求めている質問というレンズを通して、君自身の21世紀的な関心を示しているだけではない。それは回答に込められた僕自身のバイアスも露わにしているのだ。過去について書くときも、現在に言及せずにいられない――ということは、本書に書かれたすべてのことは、究極的には、僕の愛するサッカーチームであるトッテナム・ホットスパーFC、そしていつもいいところまで行きながらがっかりさせられる彼らの能力にひそかに言及しているのかもしれない。

19

歴史上のいろいろな時代は誰が命名したのですか？

アリスンより

アリスン、君のこの質問はとても気に入ったよ。ただし、その答えは奇妙に感じられるかもしれないので、辛抱強く聞いていてほしい。2008年に僕はBBC子ども番組の新しいショー、「とんでもない歴史（Horrible Histories）」という番組の歴史アドバイザーに就任した。馬鹿馬鹿しいコメディだったが、その中心には歴史的な事実がすえられ、（7歳児にとっておもしろいものをつくるために）脚本家チームに過去のすべての歴史を説明する役目が、突然僕に降りかかってきた。どんな仕事でもそうだが、これは非常におもしろいと同時に難儀な経験で、これまでに学んだ、過去を理解するための方法に潜む欠点も露わになった。歴史上の時代区分というのは、サッカーの反則行為「ハンド」みたいなものだ。一見、疑問の余地がないように思われるが、いざ定義しようとすると大変なことになるからだ。

僕たちのテレビ番組は、テリー・デアリーのベストセラー・シリーズをもとにしている。どの本も歴史上の異なる時代を取り上げていて、「恐ろしいテューダー朝人」「とんでもないエジプト人」「粉砕するサクソン人」「ゴージャスなジョージ朝人」「邪悪なヴィクトリア朝人」などがあった。どの本も１つの時代を扱っていたが、番組では同じエピソード内で異なる時代を行き来したいと考えた。しかしこれでは幼い観客たちを混乱させかねない。そこで時代が変わるときにはテリー・デアリーの本のうち16冊の題名を道しるべとして、次のように16の時代を年代順に並べた。

・石器時代
・古代エジプト
・古代ギリシア
・古代ローマ
・サクソン
・ヴァイキング
・中世
・ルネサンス時代
・アステカ
・インカ
・テューダー朝

・スチュアート朝
・ジョージ朝
・ヴィクトリア朝
・第一次世界大戦
・第二次世界大戦

これらのカードをかき混ぜて正しい順番に並べ替えるように脚本家たちに勧めたのは、我ながらいいアイデアだと思った。クイズ番組の司会になった気分で、ヴァイキングとテューダー朝の順番が間違っているのをそれとなく直してあげたりした。どんなに満足感を覚えたことか！　だが僕の自己満足は手痛いしっぺ返しをくらった。これらの時代はどんなふうに定義されているのか説明してほしい、と脚本家の1人に求められると、僕の「正しい」編年は論理的な問題だらけだということに、遅まきながら気づいたのだ。

まず、いうまでもないことだが、ほとんどのカテゴリは重なり合っている。古代ローマ、古代ギリシア、古代エジプトはどれも別々の文明だ。しかしローマはギリシアを征服したし、ギリシア系のプトレマイオス朝とローマはそれぞれ別々にエジプトを支配した。したがって番組で（アレキサンダー大王の将軍だったマケドニア人プトレマイオスの子孫である）エジプト女王クレオパトラを取り上げたとき、テリー・デアリーの本のうちどの題名を使うべきだったのか？　クレオはローマ人？　ギリシア人？　それともエジプト人？
一方中世初期のイングランド人、あるいはテリーの言葉によればサクソン人は、ヴァイキングと同時代だったが、僕は別の時代区分を与えた。普通はどちらも「中世」という大きなカテゴリに含められるが、僕は中世を1066年から1485年の間までに狭めたのだ。もちろんアステカとインカも中世に含められるかもしれないが、これも別にして、それぞれ独立させた。さらにルネサンスはおそらく1300年代にフランスとイタリアで始まったと考えられているが、当時のイングランドはまだ中世真っ盛りで、黒死病、百年戦争、農民一揆などの定番イベントに見舞われていた。反対にルネサンス屈指の芸術家のなかにはミケランジェロのように、僕がテューダー朝時代に分類した1500年代に生きていた者もいる。

　そしてテューダー朝も大きな問題だ！「テューダー」はもともとウェールズ地方の名前だが、16世紀には非常にイングランド中心主義的な名称となっていた。同時代のスコットランドを支配していた王朝はスチュアート朝だったが、イングランドでスチュアート朝が始まったのはようやく、女王エリザベス1世が死去した1603年だ〔テューダー朝最後の君主エリザベスには子がなかったため、従姉妹であるスコットランド女王メアリーの子のジェームズ6世が、イングランド王ジェームズ1世として即位した〕。その結果「とんでもない歴史」では、スチュアート家の人間であるスコットランド女王メアリーを取り上げたスケッチは「テューダー朝」時代に属するということになったのだ。一方、シェイクスピアの人生はテューダー朝とスチュアート朝の両方にまたがっているが、彼は番組に頻繁に登場したため、これまた頭痛の種だった。

テューダー朝とスチュアート朝はどちらも近世（Early Modern Period）として知られる時代に属している。しかし近世を定義せよなどと言わないでほしい。そんなことをしたら、中世史家とルネサンス研究者の両方から集中砲火を浴びてしまう！　その次が近代（Modern Period）だ。混乱させられることに、1700年〔頃〕より後ならすべて近代だと歴史学者たちは考えているらしいが、この時代をイギリス人は好んでジョージ王朝時代と呼ぶ。立て続けに4人続いたジョージという名のハノーバー朝の王たちにちなんでつけられた名称だが、それではウィリアム4世や1832年の選挙改革法はどうなる？　ヴィクトリアはまだ即位していなかったが、ウィリアムをヴィクトリア朝時代に押し込むべきだろうか〔ハノーバー朝は1714年から1901年まで続き、ジョージ1世からヴィクトリア女王までが含まれる。ジョージ4世の次がウィリアム4世で、その次がヴィクトリア女王〕？　または自分の名を冠した時代が必要だろうか？　ウィリアマイト時代？　ウィリアミアン時代？　だめだだめだ、どっちもひどすぎる！

それからエドワード7世がいる。彼が王だったのはわずか10年〔1901年〜1910年〕で、テリー・デアリーはエドワード朝についての本は書いていない。そのため僕たちが彼を取り上げたときには、ヴィクトリア朝――お母さんはもう死んでいたものの――に押し込むか、それとも――彼自身がもう死んでいたものの――第一次世界大戦期に含めるしかなかった。さらに1920年代と1930年代の問題もある。この時代の出来事は、第一次世界大戦の結果だったのか、それとも第二次世界大戦の原因だったのか？　どちらかの時代に含める必要があったが、実際はどちらにも属していない。さて、どうしたものか。

ミーティングを開くたびに、僕の脳内ではそんな思いが激しく渦巻いた。今もそれを乗り越えられずにいる。だが僕自身が束の間、狂気の瀬戸際まで追いつめられたことは、年代区分の歴史という大きな物語のささやかなエピソードに過ぎない。歴史学の研究者たちはこんなやり取りを何百年も繰り返してきた。インドの歴史学者A・ガンガサランも、時は終わりのない連続である、しかし「歴史学者はゲリマンダーを通じて、そこに意味を与えることを強いられている」と述べている〔ゲリマンダーとは、特定の政党や候補に有利なように選挙区を区割りすること〕。要するに、人類の活動のひとまとまりをより扱いやすくするために、歴史学者は恣意的な境界線をつくり出しているのだ。僕たちは過去について論じ、ある重要な出来事が、時代を分ける分水嶺だったと決める。しかし当時の人々が必ずしも、一夜にして時代の変化を感じ取ったとは思えない。

というわけでアリスン、「歴史上のいろいろな時代は誰が命名したものなの？」という君の質問は、非常に賢いものだ。その単純明快な答えはずばり、**歴史学者だ！** ただし僕たちは大いに悩み苦しみながら、ずっと昔からこの作業を行ってきた。はるか昔の紀元400年代初め、非常に大きな影響力を持ったキリスト教教父、ヒッポのアウグスティヌスは、歴史をそれぞれが1000年の長さを持つ6つの時代に分けた。

1. 天地創造から大洪水まで
2. 大洪水からアブラハムまで

3. アブラハムからダビデ王まで
4. ダビデ王からバビロン捕囚まで
5. バビロン捕囚からキリスト生誕まで
6. キリスト生誕からキリスト再臨まで（救世主が来るはずだ……）

この神聖なる年表は続く1000年間使用されたが、その後ルネサンス期の重要な歴史家レオナルド・ブルーニがすばらしいアイデアを思いついた。彼は過去を古代、中世、近代の3つの時代に分けたのだが、現代の歴史学者たちはこれに、はるかにマニアックなサブカテゴリをどんどん付け加えていった（古代後期、中世初期、中世盛期、中世後期、ルネサンス期、近世、啓蒙時代、ロマン主義時代、長い18世紀など）。しかも、これは歴史学者に限った話ではない。1860年代に、考古学者たちが窓から頭を突き出して、「おはよう！　われわれも石器時代というのを考案したんで、一番はじめにこれを入れてくれるかな？」と叫んだのだ。

歴史学者は誰でも年代区分を利用するが、各時代がいつ始まっていつ終わるかについては、意見はまちまちだ。この答えを書いている最中、ドーン・ソーンダースという歴史学者がツイッターでアンケートを行った。「このうちどれが『長い18世紀』に当てはまるか？」というのがその質問だ〔「長い18世紀」は、イギリスの多くの歴史学者が用いる歴史区分〕。

(a)　１６８８～１８１５年
(b)　１６６０～１８３１年
(c)　１６６０～１８５０年
(d)　１７００～１８００年

回答者の半数はａに投票したが、ほかに９つの可能性が提案された（あまのじゃくな僕は１６８８年～１８３２年を提案してみた）〔１６６０年は王政復古、１６８８年は名誉革命、１８１５年はナポレオンが敗北したワーテルローの戦いが起きた〕。ある時代の始まりと終わりに13通りの可能性があるなんて、まったく馬鹿げていると思うだろう。しかし文化的な分水嶺というのは、文学、歴史、建築、芸術、言語、政治、軍事技術、科学技術、探検、帝国そのほかのどの要素に注目するかで変わってくる。大きな戦いに関する日付でさえ、案外頼りないものなのだ。第一次世界大戦は１９１４年に始まって１９１８年に終わったと思うだろう？　でも実はそうじゃない。

１９１８年11月に停戦が合意された結果、戦闘は止んだが、ヴェルサイユ条約は１９２０年まで発効しなかった。アメリカ下院の戦時緊急体制は１９２１年３月まで続き、悪名高い禁酒法はその勢いを駆って可決された。なぜこんなことが可能だったのか？　それはアメリカ政府が、法的には１９２１年７月２日までドイツと交戦中であるとしていたからだ。１９１７年に始まった両国間の戦争状態を終わらせる共同決議文はようやくこの日、ハーディング大統領によって署名された。一部の歴史学者は最近、さらに踏み込んで、1923年までヨーロッパに平和は到来しなかったと主張しているので、もしかしたら第一次世界大戦の終わった日付はこちらにしたほうがいいのかもしれない。

ある時代に名前をつけるとき、歴史学者はよく、当時はまったく使われていなかったような名称を充てることが多い。アステカ人は自らアステカ人などと名乗りはしなかった。彼らは「メシカ（Mexica）」だったのだ（「メキシコ」はそこから来ている）。ヴァイキングもヴァイキングと自称しなかった。古代ギリシア人は「ヘレネス」、古代中国人は自分たちを「漢《かん》」と言っていた。テューダー朝の君主たちは「テューダー」と名乗りたがらなかっただろうし、王朝の創始者ヘンリー・テューダーに敗れたリチャード3世も「プランタジネット」と名乗りはしなかっただろう。コンスタンティノポリスに住むビザンツ人だって、「われわれはビザンツ人です！」とは言わなかったに違いない。彼らは（帝国東部の）ローマ人だったのだ。

とはいえ、時代名はすべて後から押しつけられたものというわけではない。イタリアのソネット詩人ペトラルカが初めて中世という概念を最初に提唱したのは1340年頃のことだった。彼は暗く陰鬱な、ときには「暗黒時代」と呼ばれるような時代に生きていることに失望していた。ただし「暗黒時代」という言葉が登場したのはずっとあとで、さらに混乱させられることに、現在ではこの名称は1300年代中頃ではなく、500～1000年代を指す。またもし君が真顔で「暗黒時代」なんて言おうものなら、歴史学者は無言のまま、視線で君を殺そうとするに違いない「人類の歴史において文化が後退した時代だけでなく、歴史的痕跡がほとんど残っていない時代（たとえばローマ時代より後の6世紀のイングランドなど）を指して「暗黒時代」と一般に言われることが多い。実はどちらも間違っており、そんなことを聞いたら、近くにいる中世史学者は誰でも激怒するだろう」。とにかくペトラルカは古代ローマの栄光に憧れを抱いていた。過去を振り返って残念がり、未来に希望を込めた彼は、文化の再生、復興という概念を思いついた。こうして彼はルネサンス詩人と呼ばれるようになったのだ。

「ルネサンス」という言葉の出どころは、おそらく16世紀の有名な伝記作者ジョルジョ・ヴァザーリだ。彼の『芸術家列伝』〔白水Uブックス、全3巻、2011年〕のおかげで僕たちは、ミケランジェロ、レオナルド、そしてその先駆者たちにまつわる際どいゴシップを楽しむことができる。ヴァザーリは*Rinascita*（ルネサンス）という概念についても説明しているが、これが世に広まったのはようやく1800年代のことで、歴史学者たちによって過去にさかのぼって応用された。少なくともこの言葉は、実際にこの言葉を使用した同時代人から借用したものだったわけだ。

18世紀になると、いわゆる啓蒙時代が始まる。これは科学的合理主義、宗教的懐疑主義、それに知識の追求からなる哲学・文化運動だった。「啓蒙時代」というのも、運動を担った思想家たち自身が使用した名称だった。大きな影響力を持ったドイツの哲学者イマヌエル・カントは『啓蒙とは何か』という小論を書き、怠け者であることをやめて「敢えて知るべし！」と唱えているが、これは「アホども、目を覚ませ！」の（ただし訳のわからない陰謀論抜きの）当時の言い方なのだろう。

ここで僕たちは馬鹿馬鹿しさ満載の現代に戻ってきた。この時代は何と呼ばれるようになるだろう？　ジャーナリストでBBCのアナウンサーのアンドリュー・マー（彼はけっして愚か者ではない）は、2020年の著書で現代人を「エリザベス朝人（Elizabethans）」と呼んでいる。同じくジャーナリストでBBCアナウンサーのジェームズ・ノーティーの2012年の著作『新たなエリザベス朝人』（未邦訳）を受けたものだ。未来の歴史学者はこの君主主義的な名称を採用して、もしかしたら次のなかから選ぶかもしれない――Elizabethans、Elizab2thans、QE2s、New Elizabethans、あるいは彼らが僕のオーストラリアの友達みたいだったら、Lizzos。

ただ、1952年に女王が即位して以来の目まぐるしい文化的変化や技術的進歩に注目すると、1つのラベルでは間に合わないのではないかと思う。これは現代だけの問題ではない。「ヴィクトリア朝人」と名乗ったのは19世紀の著述家たち自身だったものの、女王が即位した1837年から治世最後の1901年にかけての驚くべき技術の進化、そしてそれが文化や思想に及ぼした影響の大きさを見れば、ヴィクトリア朝を細切れにする必要性に君も気づくだろう。だいたい20世紀になると、各時代は10年しか続いていないではないか。狂騒の20年代、大恐慌時代、スウィンギング・シックスティーズというように。64年も続いたヴィクトリア朝時代をひとくくりにするのは、1837年から1901年の間に社会がいかに変化したかを考えると、あまりに大ざっぱと言わざるを得ない。ヴィクトリア朝前期とヴィクトリア朝後期に分けるのはどうだろう？

僕個人としては、今生きているこの時代を、インターネットの及ぼした革命的な影響に注目してもっと狭く定義したいと考えている。当時パソコンがますます多くの家庭に普及したことからも、１９８９年のベルリンの壁の崩壊は、「デジタル時代」の幕開けとしてふさわしいように思える。ジェフ・ベゾスが今後もオンライン市場を支配しつづけるなら、孫たちは僕たちのことを「アマゾン時代人」と呼ぶかもしれない。本書の執筆のために調査を手伝ってくれた友人のアンリは、デジタル化をトランプとブレグジットという文化戦争と組み合わせ、１と０や対立する政治アイデンティティという「二元時代（Binary Age）」を提案している。ということは、僕たちは……ええと……バイナリアン？　うーん、これもあまりピンとこないな。

現代の僕たちの行動がもたらした恐ろしい結果に対処することを迫られた未来の歴史学者は、怒りと絶望とともに僕たちの世代に向き合うのかもしれない。僕たちの時代は、気候変動、化石燃料への依存、資本主義の危機、全世界的な人口過多といった問題に対処するのにあまりにも時間をかけすぎたと非難されるだろう。僕たちは、「自己中心世代」「クソ世代」または単純明快に「有罪世代」と呼ばれるかもしれないのだ！　だとすれば、ここは異星人に侵略してくれるよう懇願すべきだろうか。そうすれば少なくとも、恨みを込めた子孫たちの糾弾をかわして、すべての罪を火星人にかぶせることができるからだ。「聞いてくれよ、僕たちのせいじゃない。銀河間殺人光線のせいだったんだ、本当だってば！」と。

20 すごい「失われた文書」にはどんなものがありますか？

ダニエルより

アメリカの国防長官ドナルド・ラムズフェルドは2002年の記者会見で、有名な発言をした。イラクが大量破壊兵器を保有している証拠はないのではないかと尋ねられたラムズフェルドは、知識に関する持論を展開するなかで「知られていると知られていること」「知られていないと知られていること」「知られていないと知られていないこと」が存在すると述べた。非常に好戦的な人物として嫌われていたこともあり、彼のこの言葉も馬鹿げたたわ言と嘲笑されたが、これは実は彼がかつて発した最も賢明な言葉だったと僕は考えている。この男とその政治姿勢はけっして好きになれなかったが、「知られていないと知られていないこと」という呪文は、歴史に関する僕の考えについて多くを示している。

失われた歴史上の重要文書を論じる場合、「知られていないと知られていないこと」は、そもそもそれが何かもわかっていないのだから、取り上げることはできない。しかし「知られていないと知られていること」、つまり失われた大作のことなら非常に多くが知られているので、ダニエルのすばらしい質問への答えのなかにこれらを含めたい。

すぐに脳裏に浮かんでくるのは、**バイロン卿**（1788〜1824）**の未発表の回想録だ。**これは親しい友人のトーマス・ムーアによって燃やされてしまった。彼は、バイロンの死後の評判を落としかねない材料を早めに処分することを決意したその最近親者たちの指示に、心ならずも従わざるを得なかった。非常に残念なことに、そのせいでおもしろいゴシップのいくつかが失われてしまった。燃え盛る暖炉の餌食になった別の文書は、**イギリスの歴史家トーマス・カーライル**（1795〜1881）**の『フランス革命史』だ。**彼が友人のＪ・Ｓ・ミルに読んでもらおうと思って送った草稿は、ミル家の女中によって、暖炉の焚き付けと間違われて燃やされてしまった。この悲劇を冷静に受けとめたカーライルは、原稿をふたたび一気に書き上げた。こうして出来上がったのは、間違いなくさらに優れた作品だった。

執筆中に死去した重量級の有名人の作品のなかに、未完のものは少なくない。ジェイン・オースティンの『サンディトン』は未完に終わったし、チャールズ・ディケンズの『エドウィン・ドルードの謎』も同様だ。シェイクスピアの戯曲『カルデ

ーニオ』も現存せず、また彼の『恋の骨折り甲斐』が果たして失われた喜劇作品の1つなのか、それとも現存する『じゃじゃ馬ならし』の別名に過ぎないのかについては、今も論争が続いている。これまで見せられたハリウッドの安直なロマンチック・コメディの多さを考えれば、今さら出てこなくてもいいんじゃないかと思う。

もう少し喜劇について見ていくと、アリストテレスの『詩学』のなかで、喜劇の規則について論じている部分は残念ながら散逸してしまった。また古代ギリシアの喜劇作家メナンドロスについては、100以上の作品をひねり出したとされているにもかかわらず、完全な形で残された喜劇は1本しかない。これは大きな損失だと思うだろう。しかし20世紀に彼の作品の断片が再発見され、大きな関心を集めて翻訳されたが、これは……結局のところ……多くの研究者の考えではむしろ駄作であることが明らかになった。だとすれば、残る部分も失われたままのほうがよくないだろうか?

ローマ時代の喜劇作家プラウトゥスは110本以上の作品を書いたが、そのうち残っているのはわずか20本（および多くの断片）だ。しかしそれ以上に残念なのは、アリストファネスの40本の喜劇作品のうち、11本しか残っていないことだ。古代のジョーク集についての質問5の答えを思い出してほしいが、アリストファネスに糞尿話をさせれば、右に出る者はいなかった――ということは、僕たちは、とんでもないオナラギャグに抱腹絶倒するチャンスを奪われてしまったということだ。同じ答えで言及した、マケドニア王フィリポス2世の有名なジョーク集も残っていない。

古代の詩歌に関しては、古代世界で最も有名な女流詩人サッフォーの詩や断片がごくわずかに残されているに過ぎない。また叙情詩人ピンダロスの詩集も、かなりの部分が失われている。何より興味深いのは、ホメロスの『イリアス』と『オデュッセイア』についても、オリジナル版は残されていないと一部の研究者が考えていることだ。両作品がヨーロッパ文学の土台として称えられていることを考えれば、これはかなり挑発的な説と言えるだろう。

次に悲劇に移ると、古代ギリシアには3人の巨匠がいた。ソフォクレス、エウリピデス、アイスキュロスだ。彼ら3人に話を絞っても、ソフォクレスの失われた戯曲は116本、アイスキュロスのは84本、そしてエウリピデスのは70本以上もあったといわれている。大量の傑作の損失を悲しむべきか、それとも――メナンドロスを思い出せば――お陰でだいぶ時間を節約できていることを喜ぶべきか。どちらも正しいのではないかと思っている。

ローマ時代のノンフィクションを見てみよう。ガリア征服のいきさつをつづったユリウス・カエサルの優れた『ガリア戦記』〔『カエサル戦記集　ガリア戦記』岩波書店、2015年〕なら、少なくとも今でも読むことはできる。しかし彼のほかの作品が失われていることは、残念でならない。カエサルは残虐さの点でも自伝的な文章術においても比類のない才能の持ち主だったので、もし残っていたら、驚くべき読書体験となったことだろう。その後継者でローマ最初の、そして最も偉大な皇帝カエサル・アウグストゥスの自伝も残っていないが、こちらはおそらく肥大化したエゴの優れた研究書とでもいうべきものだったはずだ。アウグストゥスが敗北、そして自殺に追いやったエジプトの女王クレオパトラは、医学と美容製品について執筆していただろうか？「このテーマで書書き残したクレオパトラという名の女性はたしかに古代に存在したが、彼女があのクレオパトラだったかについては、研究者の間でも決着はついていない」。

ご苦労なことに回想記を書いた――だが散逸してしまった――別の女性権力者は、小アグリッピナだ。毒薬を愛用したこの女性はカリギュラ帝の妹、クラウディウス帝の妻、そしてネロ帝の母だった。波瀾万丈の生涯を送った彼女には、書くこともいっぱいあったに違いない！その驚くべき政治活動に関して、現在まで伝わっている挿話は、スエトニウスのような嫌味な男の歴史家が伝えているものだけだ。彼のお上品な『有名な淫売たちについて』も現存しない。

一方アグリッピナの夫のクラウディウス――毒キノコで彼女が退場させたといわれている――は多作なオタクで、エトルリア史20巻、カルタゴ史8巻、そしてローマ史――驚くなかれ――43巻を執筆したといわれている。そのすべてを収蔵するために、有名なアレクサンドリアの図書館は新しい別館を建設したとされるくらいだ。しかし残念ながらこちらも何ひとつ現存しないため、これらの古代文明に関する、そしてまだ若いローマがどうやってライバルたちを滅ぼすまでに成長したかについての僕たちの知識は不十分なままだ。

自然科学の分野では、ギリシアの天才アルキメデス――そう、風呂場で「エウレカ！」と叫んだ男だ――の2本の論文が現存しない。一方でアルキメデスは僕たちに、地球が太陽の周囲を回っていることを論じたサモスのアリスタルコスの失われた論文について教えてくれている（後世の引用や、データや主張への言及などから、その内容はある程度知られている）。古代ギリシアの数学者で地理学者のエラトステネス（紀元前275頃〜194）が地球の大きさについて論じた『地球の測定について』は、内容の紹介が残されているに過ぎない。ブリテン島と北極圏へ有名な旅を行ったピュテアス（紀元前4世紀）の航海記や、夏至・冬至や春分・秋分について論じたタレスの2本の論文も残っていない。ギリシアの幾何学の巨人エウクレイデスが書いた4冊の著作も失われてしまった。そのうえ、最初の科学者であるエウデモスが執筆した、数学の起源に関する3冊も現存しない。

それから古代の哲学者たちだが……著作が残っていないのはソクラテス、エンペドクレス、ディオゲネス、デモクリトス、ヘラクレイトス、クリトマコス、クリュシッポス、さらに続く。それから古代ローマの将軍フロンティヌスの軍事書もないし、とりわけ残念なのは、大プリニウスの5冊の本が残っていないことだ。なぜかって、馬上から槍を投げる方法に関するどんな手引きを書いたのか、興味があるからだ！　もしかしたら、3ページぐらいしかなかったのかもしれない。

そろそろ君にもわかってきたと思うが、ダニエル、君の質問に対する答えだけで、本を1冊書くことができる。実はスチュアート・ケリーが既に『ロストブックス』〔晶文社、2009年〕という非常におもしろい本を書いている。また印刷史の優れた研究者であるセント・アンドルーズ大学のアンドルー・ペティグリー教授によれば、１５００年代以降、多くの書物は、公式の検閲を受けるか（宗教的・政治的に挑発的な内容でないかぎり、非常にまれだった）、あるいは（はるかによくあることだったが）取っておく価値もないと見なされて、しばしば失われたという。「書物は役目を果たし……その後捨てられた。そのため今ではその多くの内容は、現存するボロボロに擦り切れた1冊からしか知られていない。これは、１６０１年以前に印刷された、存在が知られているすべての書物の約30パーセントに該当する」

最後に、屋根裏部屋で見つかったらいいなと思う、ヨーロッパ以外の書物について述べたい。まず古代メソアメリカのマヤ文明からは、悲しいことに4つの文書しか伝わっていない。残りはスペインの征服者たちがすべて焼き払ってしまったのだ。中国でも、秦の始皇帝の時代に孔子の書物が焼かれた。書物だけでなく、学者たちも生き埋めにされたという（焚書坑儒）。孔子の5つの主要な作品は保存されたが、音楽について論じた6つ目については、消失したのか、そもそも存在しなかったのか、それとも『礼記』に含まれているのかについて、学者たちの論争が続いている〔儒教で重視されていた六経は『書』『詩』『礼』『楽』『易』『春秋』だが、このうち『楽』は現存しない〕。

これがひどい話だと思うなら、ひどい話はまだある。１９００年に、西側諸国による帝国主義的介入の結果、中国で悪名高い義和団の乱が発生し、その結果、史上最も重要な文書の１つが失われた。２０００名以上の学者がかかわって明王朝時代の１４０２年に編纂が始まった

『永楽大典』は、約2万3000巻、なんと1万1095冊からなる。約3億7000万字で記されたこの大著は、中国のすべての知識の集大成、いわば中世のウィキペディアというべき存在だ。残念ながら時代が下るにつれてその多くが失われてしまい、1900年の義和団の乱の際に発生した火災で、さらに多くが消失した。ヨーロッパ人の兵士や士官が一部を救助し、今では世界各地の図書館に保存されているものの、現存するのはわずか3パーセントでしかない。これは大きな悲劇だ。

あと宗教文書の話もまだしていない。ヘブライ語聖書と新約聖書、聖書外典、死海文書、またイブン・イシャクが執筆し、イブン・ハシャムが校訂を行う前の預言者ムハンマドのオリジナルの伝記などのうち、どれほど多くが失われてしまったことか。しかし1940〜1950年代の死海文書の発見、そして1900年代初頭に中国の敦煌の洞窟で古代の文書が発見されたことは、すべてが失われたままというわけではないことを示しており、希望を与えてくれる。

つい最近、(クリストファーの息子の)フェルナンド・コロンブスによる16世紀の非常に興味深い書籍が、ウィンザー大学のガイ・ラズール教授によってデンマークの文書館で再発見された。なんと2000ページもあるこのどっしりした書籍の名は『書籍概略(*Libro de los Epítomes*)』で、1530年代当時、手に入れることができたすべての本の相互参照用カタログというべきものであり、さらに各書籍の内容も紹介されていた。

2万冊をカタログ化した『書籍概略』の発見は、16世紀の社会にいかに幅広い知識が存在したかを立証する、画期的なものだった。しかし皮肉なことに、その再発見によって、失われた書物の数は減少するどころか、さらに多数の現存しない書物リストが新たに知られるようになっただけだった！　僕としてはすばらしいことだと思う。これまで「知られていないと知られていないこと」の世界に住んでいた僕たちは、『書籍概略』の発見によって「知られていないと知られていること」の世界に押しやられたのだ。歴史学者たちはこれからリストに記された失われた本をあちこち探し回るかもしれないが、見つかるのはおそらくごくわずかだろう……。

21

お気に入りの「歴史のIF」は何ですか?

デイヴより

僕は歴史のIFを妄想することを、無意味だと思っている。もちろん、「もしこれが起きなかったら?」と尋ねること自体は何も問題はない。むしろ、質問としては大歓迎だ。結末が知られているというだけで、すべての歴史上の出来事は不可避だと決めつけようとする甘い誘惑に、こうした思考実験のおかげで抗うことができるのだから。歴史が不可避なんていうことはまったくない。だが、ある出来事を巡る曖昧な不確実性を解明しようとするのは、賢明なことであると同時に、僕たちの想像力を焦らし、試すことでもある。

映画『バック・トゥ・ザ・フューチャー　パート2』〔1989年公開〕を観たことはあるだろうか? 観たという人は、未来のスポーツ年鑑を利用して大金持ちになったいじめっ子のビフ・タネンが、安っぽい賭博の街と化した故郷を牛耳っているディストピア的な未来の姿にたじろいだに違いない。歴史の「IF」の物語は、ほんのわずかな変化が最大規模のバタフライ効果を引き起こしかねないと僕たちに告げているのだ。

どれもけっこう。僕が不機嫌になるのは、次の部分に来たときだ。

僕は次の原則とともに心中することを選びたい——人間の歴史は混沌として予測不可能だとすれば、事実と異なる物語もまた、混沌として予測不可能であるべきだ。しかしだからといって、仮にヒトラーが第一次世界大戦中に塹壕のなかで戦死したとしても、1930年代のドイツが知覚を持つザリガニや、グースステップで行進するサイボーグ「フューラーボット」に支配されていたりはしなかったはずだ。土気色の顔色をした別の男たちが地図を見つめている別バージョンである可能性のほうが高いのだ。

しかし真面目に思考された仮定的な歴史というものを見ると、必ずといっていいほど、途方に暮れるほど複雑な要素のごった煮が、ありえないほどエレガントで秩序だった物語に収斂されている。こんな困難な思考実験で破綻を免れるには、理解することも結果を予測することも不可能な物事の成り行きに、脚本家のロジックを応用する必要があるのだろう。新たな展開は、実際に起きた出来事に基づいて——つまり新たなシナリオの登場人物は、これがまったく新しい状況であるにもかかわらず、同じように行動するはずだという前提で——組み立てられる。ここで僕は声を大にして叫びたい、「一事が変化したら、万事が変化するのだ」と。

結局のところ、マクロ経済やミクロ経済、科学的イノベーション、芸術的創造性、文化ファッション、言語学的変化やさらに多くのものは、時には互いに打ち消し合い、時には一体化して世界を変える大きなうねりになるような、無数のきわめて小さな運動に支配されている。もし１９１４年にオーストリア皇太子フランツ＝フェルディナンドがガヴリロ・プリンツィプに暗殺されていなかったら、オーストリア＝ハンガリー、オスマントルコ、ツァーリ制ロシアなどの没落する帝国がどんな運命をたどっていたか、推測しなければならなくなるだけではない。第一次世界大戦の不在が、ジャズ音楽、ピカソの芸術、チャーリー・チャップリンの映画、女子サッカーの出現、石油価格、勤労女性の増加、形成外科手術の発展、飛行機デザインの変遷、その他無数の事柄にどう影響したか考慮する必要が出てくる。

たとえ目に見えないほどのごくわずかな変化であっても、連鎖反応を起こして既知のあらゆることがひっくり返った結果、世界は突如としてまったくなじみのないものに一変する。生きている者たちが何を成し遂げたかだけでなく、新たなタイムラインでは命を失わなかった者たちも考慮しなければならなくなる。実際には１９１９年にソンムの戦いで死亡したある兵士が生き延びて、１９５０年代に世界で最も偉大な科学者になっていたら？　闇雲に想像をたくましくすることなく、彼が世界に及ぼしたに違いない衝撃を、どうやって評価すればいいのか？第一次世界大戦が起きなくても、エルヴィス・プレスリーは成功していただろうか？　それとも戦死しなかった別の誰かが、彼の栄光を横取りしていただろうか？　大戦が起こらなかったため、英領マラヤで生産されるゴム価格は安定し、その結果アメリカの合成ゴム産業が低迷し、会社が高価な輸入タイヤを購入できなかったせいで、いまだトラック・ドライバーだった若いエルヴィスが悲劇的な交通事故で命を落としていたら？　きりがない！

これらの仮定はおもしろいと思うかもしれない。人気映画『イエスタデイ』〔2019年のイギリスのコメディ映画〕に登場するのも、そんな世界だ。この映画の世界では、ビートルズは存在せず、代わりにその楽曲のすべてが頭に入っている1人の若い音楽家が、最高のソングライター――正確には盗作者――になる。おもしろいアイデアだ！　ただしビートルズの存在しない世界ではおそらく、僕たちの知っているとおりのエド・シーランも生まれなかっただろう。またリチャード・カーティスによって書き換えられる以前の、ジャック・バースのはるかにおもしろい設定では、無名音楽家は、いくらすばらしい音楽を持っていようと成功できない。カーティスの脚本では、ジョン・レノンやポール・マッカートニーのメロディは、たとえそれらが生み出された環境から切り離されようと、なお本質的に非常に優れているため、それが頭のなかに収まっているアマチュア音楽家はスーパースターになれる。それに比べると、『カバー・バージョン（Cover Version）』と題されていたバースの最初の脚本は非常にシニカルだ。そこではスターダムにのし上がるために要求されるのは才能とすばらしいポップ音楽だけではない。だからこそ、若い音楽家は成功することができない。

それなりにおもしろいロマンチック・コメディである『イエスタデイ』では、1つの変化がおそらく10の明らかな結果をもたらしており、そのアイロニーに笑いを誘われる。それでもこの映画が示しているのは、同じ「歴史のＩＦ」を提示された2人の脚本家がまったく異なる結末を考えだしたということだ。それなら同じ「歴史のＩＦ」を吟味する2人の歴史学者もまた、互いに大いに意見を異にするに違いない。その重要な理由の1つは、無数のごく小さな要素が合流して多くの重要な逸脱となるプロセスは、人間が完全に理解することが不可能なほど複雑なため、両者が導き出した結論は説得力に欠けるからだ。

そんなわけで、「やあグレッグ、もしこんなことが起きていたらどうなっていたかな?」と誰かに聞かれると、たちまち思い浮かぶ無限の可能性に頭がショートしそうになるため、思考を停止させるべく膝に火をつけたくなる。それは狂気につながる道だ。この種の反事実的な歴史の愛好家は、これはきわめて学術的かつ真面目な思考実験であり、ある変数が存在しない場合を想定することによってその重要性を強調しているのだと主張する。経済史の専門家はたしかにこのアプローチが大好きだ。しかしその結果どうなるかを解明しようとしたとたん、とても退屈なSFの三文小説のようになってしまう。

それはともかくとして、**僕のお気に入りの「歴史のIF」は、正確には「こうならなくてホントによかった!」というものだ。**冷戦真っ只中の1983年9月のこと、モスクワ近郊のある軍事基地で、自動早期警戒システムがミサイル攻撃の兆候を感知した。アメリカが攻撃を開始したと、システムは100パーセント確信していた。サイレンが鳴り響き、画面には「発射」という不吉な言葉が光っていた。アメリカ人たちは冷戦を終結させるため、とうとう核戦争の地獄を現出させることにしたのか?

その日の当直将校はスタニスラフ・ペトロフ。彼に反撃する権限は与えられていなかった

――その机の上に大きな赤いボタンはなかったのだ。彼が命じられていたのは単にこの非常事態を上司に通報することだけで、その上司は――わずか数分の猶予しかなかったため――着弾に備え、しかるのちにアメリカに反撃ミサイルを発射するかどうか決定することになっていた。周囲にいたのは全員、同じ命令に従うよう訓練を受けた兵士たちばかりだった。しかしどこかおかしい、とペトロフの直感は告げていた。ミサイルは同時ではなく1個ずつ打ち上げられており、その数も多くはなかった。妙だ。ソ連側の不意をつく奇襲攻撃なら、大量のミサイルが同時に襲ってくるはずではないか？

ロシアの一流科学者達が開発した最先端コンピューターが狂ったように鳴り響くのを、ペトロフはじっと見つめた。彼らがいたのは、まさしくこんな場合に備えて建設されたバンカーのなかだった。つまりこうした事態が起きる可能性は十分予測されていたのだ。取るべき行動について、全員が訓練を受けていた。当時は冷戦の只中で、米ソ関係はこの上なく悪化していた――そのわずか3週間前、ソ連は大韓航空機を撃墜し、乗客乗員全員を死亡させていたのだ。憎むべきアメリカからの報復攻撃の可能性は十分あった。

それでも、破滅を宣告する恐ろしい警告音や点滅を前にしてなお、ペトロフはコンピューターを信じなかった。この事件はこのあたりから非常にドラマティックになり、ペトロフは世界の運命をその背に負わされた男となる。もし彼が電話を取り上げていたら、政治局局員は「母なるロシアは報復されなければならない！」と絶叫して、大混乱に陥ったかもしれない。しかしペトロフは同胞のロシア人の運命を賭けた大博打に出たわけではなく――核爆弾が本当にモスクワに向かっていたとしたら、どちらにしろすでに手遅れだった――、また彼の一報が自動的にアメリカ人に対するハルマゲドンを引き起こすわけでもなかった。彼の通報を受けた上司たちは、まずモスクワの破壊を確認してから、反撃命令を下したことだろう。

核兵器による敵の殲滅に関するソ連の公式政策がどんなものだったかは正直なところ、わかっていないが、それでもこんなシチュエーションに備えた計画は当然、存在したはずだ。もちろん僕は安全で居心地のいい自宅で、あれから何年も経った今、冷静にこの事件を振り返っている。だがペトロフはそのとき、まさに嵐の中心にいた。最悪のシナリオが目の前で展開しているると思われ、通報電話の反対側にいるのが、手続きを重んじる、冷静で合理的な哲学的思考の持ち主なのか、それとも憎むべき敵が最悪の行動に出たと反射的に考える、頭に血が上りやすくヤンキー嫌いの、怯えて悪意に満ちた反動主義者なのか、見当もつかなかった。警報の誤作動のせいで、逆上した1人のソ連の将校が錯乱して同僚たちの頭を撃ち抜き、バンカーに立てこもって反撃を命じることがないとは言い切れまい？

耳をつんざくサイレンは行動を促すかのように鳴りつづけた。しかしペトロフは待つことを決めた。

23分後、モスクワは無事だった。クレムリンも、何事もなく立っていた。空間を貫いて飛来し、人で賑わう都市を破壊するミサイルはなかった。ペトロフの判断は正しかったのだ。太陽光が雲に反射したのを、確実な相互破壊の兆候とコンピューターが誤認したのだった。ペトロフはこのときの行動に対して報奨も罰も受けず、また理解できることだが、世界の終わりの瀬戸際にいたことでのちに心的外傷後ストレス障害を経験している〔実際にはペトロフは規律違反を問われて尋問され、冷遇された〕。ほとんどの人にとって、それはありふれた1日だった。しかしペトロフと、同じバンカーにいた兵士たちにとっては、それはこの上なく恐ろしいロシアン・ルーレットだったのだ。

そんなわけで、もしどうしても知りたいなら、僕の究極の歴史のＩＦは次のようなものだ。悪くなったスープを飲んだスタニスラフ・ペトロフが腹を下してトイレに駆け込み、ずっとそこにこもっている間に、警告を目にした経験の浅い部下が電話で通報を行い、相手は逆上し……突如、ソ連の核ミサイルの発射準備が整い、誰も彼も叫びだし、アメリカの衛星が打ち上げ準備の兆候を察知し、北米航空宇宙防衛司令部が警戒度をマックスに引き上げ、ロシア人が先制攻撃を準備しているとレーガンに知らせが行く。二大核保有国は狂乱状態に陥り、両者は相手が果たして攻撃を仕掛けてくるのか必死で見極めようとする。そして……。ものすごく恐ろしい話だと思わないかい？　だから僕は『イエスタデイ』のあらすじを楽しむことにするよ。

第6章

動物と自然

22

悪魔はなぜヤギの姿をしているんですか？

オリヴィアより

聖書のサタンは『ヨハネの黙示録』で、この世の終わりに登場する野獣として表現されている。しかし古代の書物からは、その外見についてあまり知ることはできない。そのうえ文学や芸術の分野では、悪魔は非常に多種多様な姿をとっているのだ。カリフォルニア大学サンタバーバラ校教授のジェフリー・バートン・ラッセルは著書『ルシファー』〔教文館、1989年〕で、サタンは老人、若い娘、漁師、神父、聖人、天使、あるいはイエスその人の姿さえとって現れると考えられていたと述べている。要するに、サタンは友好的な顔で他人を惹きつける、騙し屋の親分みたいな存在だったのだ。また、ワニ、シカ、ヘビ、サル、コウモリ、ドラゴン、キツネ、カラス、ブタ、火トカゲ、雄鶏、そしてもちろんヤギなどの動物になりすますこともあった。

そんなわけで、よく知られている真っ赤な悪魔は、キリスト教美術の最初の1000年間に生み出されたのではない。むしろ中世盛期やルネサンス期になってから、おそらく気まぐれな罪人たちに罪を悔い改めさせるためにようやく登場したのだと思う。ただし芸術作品は取りあえず置いておいて、宗教文書に注目すると、有名な悪魔の角はずっと早く姿を現している。

447年に教会の高位聖職者たちがトレド公会議に集まり、プリスキリアヌス派〔司教プリスキリアヌスが広めた教えで、平信徒もあらゆる快楽を放棄すべきと説いた。本人は処刑されたが、その思想はその後も長く存続した〕の異端思想を非難した。さらにトレド滞在中に、聖職者たちは悪魔の姿かたちを次のように描写している——硫黄の臭いをプンプンさせた巨大な黒い獣で、ロバの耳、らんらんと光る眼、恐ろしげな歯、ひづめ、やたらに大きなペニス、それに角を持つ。ヤギっぽい？　うーん、少しは。だが、雄牛のような感じもする。あるいはロバか。おそらく悪魔は、毛に覆われた反芻動物というよりは恐ろしげな合成怪物《キメラ》だったのだろう。

中世初期の美術作品にもヤギは登場するが、どちらかといえば地味な存在だ。イタリアはラヴェンナのサンタポリナーレ・ヌオヴォ聖堂の6世紀の見事なモザイクに、最後の審判が表現されている。紫衣に身を包んだとても魅力的なイエスは、ひげのない2人の天使にはさまれて立っている。赤いほうはジェレミー・パックスマン〔イギリスのジャーナリスト、アナウンサー、作家〕の若い頃にちょっと似ている。青いほうは、1990年代半ばのボーイズバンドの一番カッコいいメンバーみたいだ。赤い天使の横には3頭の羊が、ゴージャスな青い天使の横には3頭のヤギがいる。これは、ちょうど羊飼いが群れのなかの羊とヤギを分けるように、救済される者と地獄行きの者をイエスが分けている『マタイの福音書』の一場面を表しているのだ。青い天使はルシファーなので、ヤギは地獄行きの者たちを表しているのではないか？　だとすれば、永遠に呪われたにしてはずいぶんうれしそうなヤギたちは、明らかにルシファーのことが好きなのだろう。

　ということは、ヤギと悪魔の結びつきはここから始まったのだろうか？　たぶん違う。強力なヤギ男はキリスト教よりずっと以前、おそらく古代ギリシアのパン神までさかのぼる。パンはヤギ脚、人間の胴、ひげ面、それに角を持ち、音楽や舞踊をなによりも楽しみとする自然界の精霊だった。しかしエジプト、クレタ島のミノア文明、メソポタミアのウル、インダス文明などの青銅器文明、さらには石器時代後期のトルコを専門とする考古学者たちは、それよりはるかに早い時代の有角神の表象を発見している。エジプトのアメン神〔もともとはテーベの守護神で、その後太陽神ラーと融合して最高神となった〕、古代インドのパシュパティ神〔シヴァ神の化身の１つで「獣主」を意味する〕、鉄器時代フランスにおけるケルトの宗教のケルヌンノス神〔野生動物と豊穣の神で冥府神〕などだ。

　これらの神は、動物界の王として崇敬されていたようだ。しかし一神教、とりわけキリスト教が隆盛に向かうと、こうした多神教の古い神々は迫害され、有角の表象は、より忌まわしく、悪魔的なものと結びつけられるようになった。１４３０年頃に描かれたフラ・アンジェリコの「最後の審判」では、地獄に追いやられた人間は角を持つ緑や黒色の悪霊たちに責めさいなまれ、その下のほうでは小さな白い角を生やした巨大な黒い悪魔自身が、罪人の四肢を引きちぎり、ガツガツと貪り食っている。しかしフラ・アンジェリコの悪魔を見ても、ヤギは連想しない。

ほかにどこを見るべきだろう？　ヨーロッパで魔女狩りの集団ヒステリーが最もさかんだった1540年代から1690年代にかけての、ヤギにまつわる異様かつおもしろい話が伝わっている。当時、魔女はいわゆる「恥辱のキス」の儀式で、ヤギや猫の尻の穴に口づけしていると非難されたのだ！　不吉なサバトを描いたハンス・バルドゥング・グリーンなどの画家のどぎつい絵にも、魔女が箒でなくヤギにまたがって空を飛んでいる様子が描かれている。これには性的な意味合いが込められていたのかもしれない。好色なヤギは以前から、攻撃的な男性性と結び付けられ、妻の不貞にあった男は、頭の後ろで人差し指と小指を立てた有名なコルナの手振りで辱められる。要するに、空飛ぶヤギにまたがった女性は、強力な性的引力を持つサタンの原始的な力の象徴で、魔女たちは一晩中またがりつづけ、文字どおりハイになっているというわけだ。

悪いけどここで強調しておきたいのは、この空飛ぶヤギはサタン自身ではないということだ。こいつらはサタンのために働く悪の手下で、ずっとよく知られている黒猫の同類だ。僕の思い込みを許してもらいたいが、オリヴィア、君が考えている悪魔的なヤギというのは、サタンとは無関係の、むしろタロットカードに描かれているオカルトチックなサバトのヤギ男のことではないかな。額に五芒星が刻まれたこの姿は、実は中世由来のものではない。19世紀半ばに、聖職界のキャリアを途中で放棄し、グノーシス主義の賢人として神秘思想にのめり込んだフランスの神秘学思想家エリファス・レヴィが考えついたものだ。彼はどこからこのアイデアを得たのか？　どうやら中世の陰謀論かららしい。

レヴィは自分が考案したヤギ頭の図像をバフォメットと呼んだが、この名はたぶんマホメット（預言者ムハンマドのこと）のもじりだろう。中世の十字軍文学では、イスラム教徒はしばしば、アラーではなくムハンマド自身を礼拝する偶像崇拝者と非難されていた。

これが1つ目の陰謀だ。だが別の陰謀論にも注目したい。中世の強大な騎士修道会であるテンプル騎士団にまつわるものだ。彼らは長年にわたり、広範かつ怪しげな伝説の主人公でありつづけた。『ダ・ヴィンチ・コード』〔角川文庫、2014年〕でテンプル騎士団について書かれていることの大半はまったくのでたらめ［ダン・ジョーンズの最近の著作『テンプル騎士団全史』〔河出書房新社、2021年〕は、現時点で知られている事実をわかりやすく要約しているのでおすすめだ］だが、彼らは確実に実在した。そして大金持ちになった挙げ句、1307年にフランス王によって異端審問にかけられた。お約束の陰謀論についていえば、騎士団の秘密の儀式において、ひげを生やした男（おそらくマホメット）の魔力を持つ頭蓋骨が崇拝されていたらしい。その名は……もちろん……バフォメットだ。

ただし、テンプル騎士団のいわゆるバフォメットにヤギ的なところはなかったので、エリファス・レヴィは「メンデスのヤギ」と呼ばれる古代エジプトの神を参考にして、この要素を付け加えた。レヴィ以前は、タロットカードの悪魔は人間の姿をしていた。ただし腹にはもう1

つの顔があり、膝に目がついており、足はライオンの足で、背中にコウモリの翼、そして頭にシカの角がついていた――かなり見ものだ！　さらに豊かな乳房と大きなペニスを兼ね備えていた。1850年にレヴィはこの悪魔をより現代的で筋肉質のヤギ男に変え、余分な付け足しのほとんどは放棄したものの、乳房とペニスはそのままにして、額の五芒星と大きな雄羊の角を付け加えている。

アメリカのサタン教会はレヴィの考案したバフォメットを自らのサタンの姿として採用し、なかなか魅力的な彫像をデトロイトに建立した。ただし震え上がった市民をなだめるため、性的な要素は強調しないことに決め、サタンの両性具有性の象徴として性器ではなく少年と少女をサタンの両側に配している。

そういうわけで、「悪魔はなぜヤギの姿をしているの？」というオリヴィアの質問はなかなか答えづらいものだった。**もともと悪魔はいろいろな姿をしており、本当にヤギらしくなったのはバフォメットになった時以来だからだ。**中世のロジックを信じるならば、サタンは君を誘惑しようとするとき、大きな角を生やした怪物や、メエと鳴く雄羊としてではなく、信頼する友人の姿で近づいてくるかもしれない。別に君を被害妄想にしようとしているわけじゃないけど……。

23

人はいつから、そしてなぜ、ハムスターをペットとして飼うようになったんですか？

ジュリエットより

1802年、イギリスの博物学者で聖職者のウィリアム・ビングリー牧師は『動物伝』という一般向けの野生動物の案内書を出版した。売れゆきは非常によかったようで、何度も版を重ねている。そのなかに、無意味なほど勇敢で凶暴な動物に関する記述がある。ちょっと挑発されただけで、相手が犬であろうが馬であろうが人間であろうが攻撃し、敗北を認めるくらいなら死ぬまで戦うことも辞さない。

……この動物は、激情以外の感情を持たないらしい。その結果、眼前に現れたあらゆる動物に、相手がどれほど強いかなど無視して攻撃を仕掛ける。逃げ出して身を守るということはけっしてせず、譲歩するくらいなら棒で叩きのめされることを選ぶ。人間の手に噛みついた場合は、殺されるまで絶対にはなさない。……仲間内で戦うことさえある。……2

匹が出会うと、必ずといっていいほど戦いが始まり、強いほうはいつも弱いほうを食べてしまう。

まるで地獄の化け物のようではないか？　実はジュリエット、君も驚くだろうが、この猛々しく恐ろしい獣は、みんなになじみ深い動物、そうハムスターなのだ。

僕も驚いたよ。小学生の頃、学校のクラスでハムスターを飼っていて、みんな順番に1週間ずつ、ハムスターを自宅に持ち帰ることができた。わが家の居間に連れて行った時のわくわく感、それから、うちで飼っている間にそれが突然死んでしまった時の恥ずかしさやパニックは、今でもよく覚えている。ＲＳＰＣＡ（王立動物虐待防止協会）に通報しないでくれ、僕は無実だ！　自然死だったんだよ。年を取っていたのかな――わからないけど、みんなで校庭にそのハムスターを埋めて、それからペットショップで別のハムスターを買ったことは覚えている。僕は新入りに「ジャジー」と名づけた――7歳児にはとてもイカした名前に思えたんだ――でも先生はそいつに、先代の名前をそのまま引き継がせることにした。クラスのペットの「ちっちゃなやつ《ギズモ》」なんて名では、個人的アイデンティティというよりは、組織内の歯車にしか聞こえない。

ではビングリーの本に登場する凶暴な獣はどうやって、僕の小学校にいたようなほっぺたの丸い愛らしいペットに変身したのだろうか？　実は、変身などしていないんだ。ビングリーが説明していたのはクロハラハムスターで、保護用手袋なしではどんな子も近づいてはならない野生種だ。クロハラハムスターをペットとして飼おうとしたヴィクトリア朝時代の博物学者ナサニエル・ローレンス・オースティンは次のように説明している。

……非常に気難しくて怒りっぽく、私以外の誰にも触らせたり抱き上げさせたりしようとしなかった。気を高ぶらせると――よくあることだ――、知らない人に見つめられているのに気づいたとたん、小型のイノシシのように怒り狂ってうなり、あおむけになって歯ぎしりし、何であろうと近くにあるものに噛みついた。

オースティンはハムスターを怖がらせようと、その顔面付近でピストルを発射してみたりもした。ハムスターは、まるで「それだけ？」とでも言うかのように、彼をただにらみつけたらしい。また彼が背中を向けたすきに、子猫を殺害している。だからクロハラハムスターの近くには絶対に寄らないほうがいい！　僕たちにとっては幸い、そして彼らにとっては不運なことに、これまでに毛皮を狙って大量に捕獲された結果、現在では絶滅危惧種に指定されている。だから暗い道でクロハラハムスターに襲撃される危険は低いだろう。

そうだとすれば、次の疑問は、ジュリエットが質問したような可愛らしい金色の毛を持つハムスターはどこから来たのか？　答えはシリアから。イギリスに最初に到着した個体を受け取ったのは、ロンドン動物学会の研究員ジョージ・ウォーターハウスで、１８３９年のことだった。またイギリスの外交官ジェームズ・ヘンリー・スケーンが１８８０年にシリアのハムスターを数匹、エジンバラに持ち帰り、友人に贈るために繁殖させたことがわかっている。スケーンは１８８６年に死去したが、ハムスターのコロニーは１９１０年まで存続した。

しかしハムスターがどんないきさつで家庭用ペットになったかを正しく理解するには、１９３１年まで先送りして、医学者のサウル・アドラー博士に会わなければならない。当時、彼はリーシュマニア症〔サシチョウバエに媒介されて発症する熱帯の寄生虫疾患〕の研究に実験動物を必要としていたが、手持ちのチャイニーズハムスターは繁殖しようとせず、またアジアから輸入するのも困難だった。そこでヘブライ大学で研究を行っていたアドラーは、近くの砂漠で、この問題を解決する小動物が穴を掘っているかもしれない、と考えた。そのためには動物学者の協力が欠かせなかった。

アドラーは動物学者の同僚イスラエル・アハロニに、よさそうな動物を見つけてきてほしい、と依頼した。シリアンハムスターのことを思い出したアハロニがシリア人ガイドのゲオルギウスに相談すると、ゲオルギウスは彼にシェイクを紹介し、親切なシェイクは労働者のチームを貸してくれた。彼らは野生ハムスターを求めて何時間も地面を掘る辛い作業に従事した。それは想像以上に困難な作業だったが、とうとう彼らは12匹のハムスター——雌１匹と11匹の子ども——のいる巣を発見した。人間の侵入者を見た雌は次の瞬間、一番近くにいた子どもの頭を噛み切ったので、ほかの子ども達を救うため、アハロニは急いで雌を殺さなければならなかった。

彼はそれから赤ん坊のハムスターたちをヘブライ大学動物学部の創立者ハイン・ベン＝メナヘンに贈った。その後災難が起きた。なんと半数が檻から逃げ出し、とうとう発見されなかったのだ。さらに雄のうちの1匹が1匹の雌を食べた。残りわずか4匹。見つけるのがどんなに困難だったかを考えると、これは災厄以外の何物でもなかった。しかし驚くべきことに、残った4匹は交配を繰り返してわずか1年で150匹のコロニーに成長したのだ。これらのハムスターは世界各地の研究所に送られた。これは科学にとっての大きな勝利だった。各地の研究所はそれ以後、実験用動物《モルモット》を独自に繁殖させられるようになったのだ。もちろん本物のモルモットではないが。

ヨーロッパや北米ではそれまでほとんど知られていなかったハムスターは、一躍人気のペットとなった。イギリスでは、戦時中の配給制が続いていたにもかかわらず、1945年に公的な「ハムスター・クラブ」が設立された。選抜育種の結果シリアンハムスターはさらに愛らしくなり、大きな丸い顔はその魅力をさらに際立たせた。アメリカの最初の大規模ブリーダーはアルバート・マーシュだ。奇妙なことに彼はギャンブルの借金のかたとして、最初の1匹のハムスターを手に入れたのだ。マーシュが出版したハムスターの飼い方の指南書は1948年から1951年の間に8万部も売れた。アメリカに新しいペットが誕生したのだ。

彼の本を購入し、またその雑誌広告に応募した1人が、14才の少年エヴェレット・エングルだった。エングルは父親から借金して自宅の裏庭に繁殖用小屋を設置したのだ。まだ学校に通っていたこの少年は、やがて中西部に手広くハムスターを供給するようになり、１９６１年までに、ジョン・Ｆ・ケネディ大統領という非常に高名な顧客を得た。ケネディは娘のキャロラインのために、デビーとビリーと名づけた2匹のハムスターを購入したのだ。ジャッキー・ケネディがファースト・レディになると、デビーとビリーもアメリカのファースト・ハムスターになった。先祖伝来の習わしに従って、この2匹もあっという間に檻から脱走し、ＪＦＫの浴室をうろついているところを発見された。ハムスターの典型的なドタバタ騒ぎだ！

可愛らしい物語だ。ただしホワイトハウスで大統領のペットを管理していたトラフェス・ブライアントはのちに次のように回想している。「ハムスターの一家は、まるでギリシア悲劇から抜け出してきたかのようだった。まず1匹が大統領のバスタブで溺死した。その後、何匹かが父親に食べられた。だがそれ以上にすごいのは、母親が父親を殺し、自分も死んだことだ。たぶん消化不良を起こしたのだろう」。ケネディ家の呪いというのは、ペットでさえ変死を遂げるほどすさまじいものらしい。

ハムスターは可愛いと思われているが、こんな激しい暴力事件はけっしてめずらしい話ではない。ジュリエットの質問への答えを書いている間、ビングリーによるハムスターの観察記録をツイッターでつぶやくと、多くの恐怖譚が寄せられた。曰く、ペットのハムスターに攻撃された、あるいはハムスターが同じ檻の仲間と共食いするなど（ロシアンハムスターの子10匹が、血まみれの顔で母親を貪り食っているのを発見した少年の恐怖物語もあった）。

そんなわけでジュリエット、君の質問に対する答えは、**ハムスターがペットとして人気が出たのはここわずか75年ほどのこと**に過ぎず、その愛らしい外見とは裏腹に、実は非常に気性が荒い。取り扱いにはくれぐれも慎重に！

24

ヘンリー8世時代のロンドンでは、馬の糞尿は1日あたりどれくらい発生して、どんなふうに処理されたんですか？

ドニー、トリル、キャスリンより

持って回った言い方はやめよう。うんちはおもしろいし、興味をそそられる。歴史学者として、僕は公衆衛生や清潔さの歴史に非常に関心があるし、そのうえ「とんでもない歴史」にもかかわった。だからこの質問を見たとき、本書に含めないわけにいかないとすぐに思った。ただ残念ながらこれは非常に答えづらい質問だ。ヘンリー8世時代のロンドンに正確に何頭の馬がいたか述べている資料は、残念ながら見つからなかった。そんなわけで、直接的な証拠ではなく比較に基づいて答えるのを許してほしい。

じゃあ始めよう。馬というのはかなり大きな動物で、したがって大量に排便する。健康な馬は普通、1日あたり8～12回排便する。排尿はさらに頻繁だ。24時間でだいたい10リットル――つまりプラスチック製バケツを満たすほどの量だ。便と尿を合わせれば、1日に1頭の馬が排出する総量は、驚くなかれ20キロにも達する。

言うまでもないことだが、多くの馬が行き交うような大都市は、あっという間に不潔になる。残念ながらこれ以上詳しい事実を述べることはできない。数々の事件に見舞われたヘンリー8世の治下の1530年頃には、ロンドンの人口は約6～8万人に達していたが、当時の馬の正確な総数は調べがつかなかった。

ただし、もし君が、多くの馬車が行き交うにぎやかな町の様子を想像しているなら、ただちにやめてほしい！　ヘンリー王の時代には、馬に引かれた乗り物はヨーロッパではまだ非常にめずらしかった。それはいまだ2本の車軸の上に固定された木の箱に過ぎず、サスペンションがまったくなかったため、非常に乗り心地の悪い移動手段だった。馬車が使用されていたとしても、利用したのは王族の女性だけだっただろう。体力のある男性は馬に乗るか、あるいは輿で運ばれたからだ。

大きな変化が起きたのは、ヘンリー8世が世を去った直後だった。娘のメアリー1世とエリザベス1世の時代、つまり1500年代半ば頃、ハンガリーから西方へ伝わってきた最新式の大型四輪馬車（コーチ）がヨーロッパ各地に広まった。「コーチ（coach）」という言葉はハンガリー語の「*kocsi*」に由来し、これ自体ハンガリーのコチ（Kocs）村から来ている。この村の車輪修理工が、バネをサスペンションに使った馬車を発明したのだ。コーチのおかげで、公共交通は以前より快適になり、利用者が増えた。牽引したのはもちろん馬だったが、それでもまだ長い間、多くの人は馬を手に入れる財力を持たなかった。

ヘンリー8世の治世初期の乗り物はたいていの場合、雄牛に牽引された重い無蓋貨車だったようだ。これを利用したのは人間の乗客ではなく、物品だった。もちろん道路には馬の姿もあっただろうが、馬がめずらしくなくなるのは、エリザベス1世の時代になってからだった。たとえばインフィールド〔グレーター・ロンドンの最北端に位置するロンドン自治区〕から北ロンドンに通じる街道では、1日あたり250頭の馬が見られたと伝わるが、そのほとんどはロンドンに麦芽を運び込むために使われていた。船では濡れてしまう危険があったため、織物の輸送にも馬が好んで使用された。無蓋貨車や荷車、あるいは洒落た馬車を牽引する以外に、1516年にヘンリー王が新たに設置した郵便システムでも馬は使用された。さらに購入資金を持たない者のために、馬を借りられる場所まであった。

16世紀になると馬の所有者の数は急激に増え、馬の専門家であるローハンプトン大学教授のピーター・エドワーズによると、リンカンシャー州の小さな農村ホーブリングでさえ、自作農の60パーセントが1～10頭の馬を飼っており、さらに14パーセントはそれよりはるかに多くの馬を飼っていたという。田舎のこんな小さな村にこれほど多くの馬がいたのも、けっして偶然ではない。

ヘンリー8世は、常に妻に不満をいだき、とっかえひっかえしていただけではない。彼は、自分の王国が深刻な馬不足に陥っていることにも激怒していた。なによりも戦に赴くのに必要な俊足の力強い軍馬、それに軍に物資を補給するため重い荷物を運べる荷役用の馬が足りなかったのだ。１５３０年代までに戦いの様相は一変し、疾駆するデストリアにまたがった重装備の騎士の時代は、火器の出現とともに終わりに近づいていたものの、ヘンリーは相変わらず、大型で敏速で強力な、より優れた軍馬を、少しでも多く獲得することにこだわっていた。４頭のオランダの馬が、７頭のイングランド馬よりも重い荷物を牽引できたと１５４０年に知ったあとはなおさらだろう。

この嘆かわしい状況を改善しようとヘンリーは、馬を国外に輸出するのを禁じた父王の法令をふたたび発布し、また国内での馬の売買に関する規制を強化した。王家の庭園や狩猟館は種馬の飼育場に変えられ、また彼はニンジンと棒を使って、国内の主要貴族や地主を馬の繁殖プログラムに参加させた。さらにヨーロッパ大陸と活発に交易を行い、アイリッシュ・ホビーという品種を輸出して、さまざまな荷役用・乗馬用の馬を輸入した。

君が馬の愛好家でないなら、馬の品種は３つしか存在しないと思っているかもしれない。つまり愛らしい小型馬のシェトランドポニー、迫力ある競走馬、それに頑丈なシャイアホース〔重い荷物を引かせるための大きくて力の強い馬〕しかないと。しかし馬の品種はこれよりはるかに多く存在し、裕福な地主は、厩舎であらゆる種類の馬を飼育していた。たとえば１５１２年にノーサンバランド公爵の厩舎で飼われていた馬のリストを見ると、10種類以上が、それぞれが異なる用途のために飼育されていた。エドワーズ教授が説明するように、「gentell hors」は高価なサラブレッドで、「ポールフリー（palfrey）」は小型で敏捷、乗り心地の滑らかな、女性の乗馬に適した馬だった。

「Hobby」と「nag」は、それほど力のない小型の軍馬、「chariott horse」と「gret trotting horsys」は荷車を牽引する筋肉質の馬、「trottynge gambaldyn」は、膝を高く上げる仕草で有名な、ドレサージュ用の優美な馬で、大衆に見せびらかすのに適していた。さらに「cloth sek」と「male hors」は、でこぼこの土地で荷物や甲冑を運搬するのに使われた。

そんなわけで、たとえ後の時代ほど頻繁に街道で馬を目撃することがなかったとしても、ヘンリー8世の時代になると、王の軍事的野心や経済全般にとっての馬の重要性が増し、結果的にその価格も上昇した。しかしここで、これらの馬がどれだけ糞尿を発生させたかという最初の難問に戻るとしよう。正直なところ、これにはあまり信頼性の高くない推測が必要になってくる。

ジョージ・ロバートソンという地元の農夫によれば、ヘンリー8世の死から約250年後の1795年に、エジンバラ（港町リースを含む）で1年あたり荷車4万台分の馬の糞尿が発生したという。当時のエジンバラの人口は、テューダー朝ロンドンとほぼ同じくらいだったと考えられている。したがってヘンリー8世の首都でも、年間に荷車4万台分の馬の糞尿が発生したと結論づけたい気がする。

しかし18世紀のエジンバラでは、テューダー朝のロンドンにはなかった、乗り心地のよい馬車という贅沢を普通に享受できたことを考えれば、この比率、そして馬の実際の使用状況をそのまま1530年代に当てはめることはできない。正直なところ、ここにはっきりした数値を記す気にはなれないんだ。がっかりさせてごめん！　とにかく、もし1頭の馬の1日あたりの排便量が約20キロで、エリザベス1世時代に1本の街道を行き来していた馬の数が1日あたり約2250頭だったとすれば、どの街道も、ひどく汚かったに違いない。

排泄物がどうなったかという質問に関しては幸い、ずっと多くのことが知られている。中世の人々はいつもバケツに入った糞尿を窓から投げ捨てていたとする近年のイメージがある。しかし実は、こんな下品な振る舞いをすると厳しい罰金を科せられたことがわかっており、同じことが公道で家畜に排便させた場合にも言えた。1541～2年にヘンリー8世が自らアイルランド王と宣言した〔それまでイングランド王は「アイルランド卿」の称号を名乗っていた〕ことを受けてイングランドの司法権の支配下に入ったダブリンでは、馬はあらゆる場所で排便する動物だと広く認識されていたが、1557年の布告で、街道や小道に便を投棄した者は罰金を科せられ、半額は国庫へ、残る半額は密告者の懐に入ると定められた。排泄物は、荷車に積んで市壁外の肥溜めに運んで捨てるように求められた。

一方、ヘンリー王の時代のロンドンでは、道路の舗装が開始され、また道路にたまった水を処理するための下水システムの建設が試みられた。水路が設置されて道路から汚水が排出され、川や蓋付きの汚水だめなどに流れ込んだ。とはいっても、道路はもちろん非常に不潔で、富裕層はきれいな靴やケープやスカートを汚さないように、おそらく木靴《パッテン》を履いていたことだろう。

しかし興味深いのは、下水の汚物はそのまま放置されていたわけではなかったということだ。都市住民は普通、自分の家の前の通りを週に一度は掃除して清めるように求められていた。たいていは土曜日と定められていたのは、聖なる日曜日《サバト》をきれいな状態で迎えるためだっただろう。ただしヨークでは1550年に規則が変更され、「週に二度清め、掃くこと」が求められるようになった。ヨークの記録からは、火曜日、木曜日、土曜日にゴミが収集されていたことがわかる。地元当局が定期的なゴミの収集を手配しない場合は、イングランド、スコットランド、ウェールズ、アイルランドの各地の都市で、地元の実業家や地主が逆に当局に費用を払い、直接糞尿を処理させた（あるいはむしろ、処理業者を雇わせた）。そして彼らはそれを地元の農民に、堆肥として売ったのだ。

実は人間や動物の糞尿には驚くほど価値があった。仰天させられることに、ときには医薬品として使用されることさえあったらしい。そんなわけで、排泄物を路上に無造作に捨てるよりも、多くの人はむしろ貴重な収入源として家の横に積み上げておくほうを選んだ。各地の規則はしばしば、1週間程度なら黙認していたようだが、歴史学者によれば、たいていはそれよりも長期間保管されていた。

また、家の表玄関の出入りを邪魔したり、隣人の土地にはみ出たりしてはならないと、厳しく定められることが多かった。堆積が大きくなりすぎた、あるいは所有者が規則を曲げていると見なされた場合は、糞尿税を払わなければならなかった。

そんなわけで、現代の我々が家庭用ごみを収集してもらうために税金を払っているのに対して、中世およびテューダー朝の人々は、あとで売ることのできる自らの排泄物を（kennel または laystall と呼ばれたものに）保管するために、しぶしぶ金を払っていたというわけだ。

1580年代のランカシャー州プレスコットでは、大きな糞の山をこしらえても、それが公道から離れた自宅の裏庭でさえあれば、金を払わずに済ませられた。そうだとすれば、シェイクスピア研究家のフロリダ州立大学教授ブルース・ベーラーも言っているとおり、近世の街は投棄されたゴミだらけというよりも、大切にされたゴミだらけだったと考えるべきではないか？　馬糞は道路から回収して、少なくとも1週間は保管するだけの価値があった。ベーラーの言葉を引用すると、「ウィリアム・シェイクスピアの父親でさえ、『ハンレイ・ストリートの自宅の前に糞の山をこしらえた咎で』1553年に罰金1シリングを科せられた」という。これは実際は1552年のことだった。動物の糞には革をやわらかくする作用があることを考えれば、皮手袋職人だったジョン・シェイクスピアにとっての必需品だった可能性もある。

そんなわけで、馬が道路中にまき散らす糞については、これを除去し、同時に収入を得るシステムが存在した。しかし地元当局にとってはるかに頭の痛い問題は、水路に流れ込む糞尿の量の多さだった。宮廷の記録によると、ヘンリー王が死去した約10年後の1556年、ロンドンのストランドで働く魚商人たちは、「公共水路」に荷馬が排便するのを放置してこれを詰まらせたとして、罰金の支払いを命じられた。ロンドンの市街地域が急速に拡大するにつれて、さらに多くの糞尿が川に投棄されて健康上・公衆衛生上の大問題を引き起こし、1865〜75年にジョセフ・バザルゲットが有名な交差する地下下水システムを建設した結果、ようやく解決した。

だとすると、道路が不潔だったのはもちろんだが、何より避けるべきは汚水だったというわけだ！

25

植物の種は、誰がいつ、どこで、初めて小袋に入れて売り出したのですか？

シャーロットより

なんと素敵な偶然だろう！　王立園芸協会が運営するサリー州のゴージャスなウィズレー王立園芸協会植物園で1日を過ごしたあとで、僕はこの原稿を書いている。僕は植物の名前にはてんで無知で、プロの園芸家である父と一緒に植物園を訪ねるたびに、名前当てクイズでこてんぱんにされてしまう。

しかし僕には非常に博学に思える父にとっても、ウィズレーの植物園の散歩は、驚き満載のマジカル・ミステリー・ツアーのようなものらしい。植物園には1万2000種の植物がある——父が知っているよりはるかに多い——が、それも、この地球上に存在するすべての植物種の総数である約39万1000種に比べれば何でもないのだ！　考えただけで気が遠くなるような数だが、そのうえ最近まで、必ずしもそのすべてが知られていたわけではなかった。しかし、ウィズレーの植物園はたしかに18、19世紀の植民地帝国、園芸学の発展、そして近年のグローバリズムの申し子であるが、めずらしい植物の輸入がつい最近の現象だと考えてはならない。事実はまったく異なるのだ。

はるか昔、1万2000年以上前の新石器時代には、人類はすでに穀物や果樹を栽培しようと試みていたことがわかっている。ただし植物の栽培化に伴って起きた遺伝的な変化の歴史は、科学者にとって解き明かすのが非常に困難な、複雑にもつれた謎である。なぜなら、新種に変異するまでに何世代もかかった品種もあれば、ずっと短期間で変異した品種もあったからだ。

たとえば、ごくありふれた果物であるリンゴを例にとってみよう。人類とリンゴのかかわりは、驚いたことに青銅器時代、せいぜい3000〜4000年くらい前までしかさかのぼらない。現代のリンゴの祖先とされているのは、カザフスタンに今も生えている*Malus sieversii*という美味な品種だ。1文字変えた*Malum*は、ラテン語で「リンゴ」と「悪」の両方を意味する。聖書をラテン語に翻訳した聖ヒエロニムスは、どうやらこの偶然を利用することにしたらしい。17世紀にジョン・ミルトンがその叙事詩『失楽園』〔研究社、1984年〕でさらに話を進めた結果、アダムとエバがリンゴを食べるという大失敗をしたということになったのだ（2人が食べたのはリンゴだったといわれるのはミルトンのせいであり、もともとの聖書には果物としか記されていない）。

とにかく、人類がたまたま*M. sieversii*を別の3つの品種と掛け合わせた結果、新しいリンゴが生まれた。この事件は東アジアとヨーロッパ・中東を結ぶシルクロード沿いのどこかで起きたと考えられている（詳しく知るには、ピーター・フランコパンの大著『シルクロード全史』〔河出書房新社、2

002年〕を参照)。貨幣の一種として、あるいは有望な食料生産戦略の一環として人類が意識的に種子を交換していた可能性はたしかにある。しかしそれより可能性が高いのは、人間や動物がリンゴを食べ、少し移動して糞とともに種子を排出し、こうして無意識のうちに各地に広げていったということだ。

ギリシア・ローマ時代になると農園経営術が非常に重視され、アリストテレス、大カトー、ヴェルギリウス、テレンティウス・ウァロ、コルメラといった古代の錚々たる著述家たちの多くがこのテーマで執筆している。特にローマ人は熱心な園芸家かつ農夫だったため、種子の保存は幅広く行われた。つまり最も丈夫な植物の最も優れた種子が次の年のために保存されたり、あるいは健全な種の多様性を維持するためにほかの地主と交換されたりしたのだ。これらの種子は小さな袋に入れて売られたのだろうか? たぶん違うと思うが、でも可能性は皆無ではない。

種子入りの小袋についてのシャーロットの質問はもちろん、楽しげなカフェが設置され、陶製の小人像が並べられた、地域の園芸センターを連想させる。このビジネスが登場したのは、1年中開店することを目指して種苗店が種子の卸売から小売へと販売形態を拡大した1960年代のことだった。ターゲット層は向上心あふれる郊外の自宅所有者で、彼らの多くは生まれてはじめて手に入れた庭を、ささやかなエデンの園にしようと意気込んでいた。ただし、園芸センターは新しい現象だったものの、種子入り小袋を買いに店に行くこと自体は、その4世紀前から普通に行われていた。実は僕もこのエデンの園の連想を、17世紀の執筆家から借用している。

イギリスの優れた物知り博士のフランシス・ベーコンは、科学的実践の最初の支持者の1人だった（1626年に死去した彼の死因は、冷凍食品を発明しようとした実験だったという。鶏に雪を詰め込んでいて風邪をひいたのだ）。随筆『庭園について』（未邦訳）で彼は「全能の神は最初に庭園をおつくりになった。それは最も純粋な人類の喜びである」と書いている。ベーコンが生きていた時代のイングランドでは、誰も彼も庭園に熱中していた。種子はそれまでも一部の商人によって売られていたが、それは彼らの手広い商いのごくわずかな一部でしかなかった。しかし1600年代になると、慢性的な種子不足に対処するため、種子を専門に扱う業者が次々に登場した。土地はしばしば庭園に転換され、流行に敏感な人々も娯楽として、また薬草栽培のために競って家庭菜園をつくった。

種子の人気があまりに高まった結果、多くの怪しげな商人が現れて王国各地を行商し、古いものや、かびの生えたもの、乾ききったもの、あるいは名前と一致しない種を騙されやすい客に売りつけた。野菜の栽培法についての初期の指南書を書いた聖職者リチャード・ガーディナーは1599年に、「庭に植える種の小売商人」を糾弾している。彼によればこれらの商人は多くの人を欺き、古い、あるいは発芽しない種を売りつけて顧客に無駄な散財をさせ、どうせ何も生えてこないのに、その後も堆肥の代金や借地料としてさらに金をむしり取っている。そして「毎年、はたして何千ポンドがこれら毛虫どもによって公共の利益から奪われているか考えよ」としめくくっている。

しかし17世紀末までにイングランドの主要都市では、種子の販売を専門とする、より信頼できる店が出現していた。1677年にウィリアム・ルーカスは、ロンドンのストランドの店で扱っている商品のカタログを出版しているが、そこには園芸用具やさまざまな苗に加えて「根菜の種、サラダ菜の種、香味野菜の種、甘味植物の種、薬用植物の種、花の種、常緑樹や花木の種、マメなど、土壌や花の根、好ましい樹木や植物を改良する種」が含まれている。1680年から1780年の間に、海外から植物のさまざまな品種が次々にもたらされるに従って、ロンドンの種苗業者の数はわずか3から35に増えている。

1600年代になると、イングランドの地主階級も庭園に夢中になった。なかでも日記作者のジョン・イーヴリンと軍司令官のジョン・ランバートの愛好家ぶりはよく知られている。庭園は、有用な薬用植物を栽培する場所というだけでなく、静かな瞑想や自己啓発の場でもあった。1688年にオランダ出身のプロテスタント、オラニエ公ウィレムがイングランド国王ウィリアム3世として即位すると、王族の間でも庭園設計が流行した。彼と、共同統治者となったイングランド人の妻メアリー2世はどちらも広大でフォーマルな庭園を好んだようだ。海外から君主が来たことに伴い、より多くの種類の輸入植物がもたらされたので、当時のイングランドの植物愛好熱はいやがうえにも盛り上がった。

ヘンリー8世の時代に普通に栽培されていた植物の種類はわずか200ほどだったと、庭園史家のマルコム・ティックは考えている。しかし大英帝国が南北アメリカ、インド、オーストラリア、中国そのほか遠方まで領土を拡大すると、選択肢はわくわくするほど広がった。18歳の女王ヴィクトリアが即位した1837年には、イギリス各地の庭園では1万8000種もの植物が栽培されていたのだ。レスター大学教授のコリンヌ・フォウラーが著書『緑の不快な地』（未邦訳）で指摘しているように、現在僕たちが祝日の週末に好んで訪ねるチャーミングな邸宅や庭園の多くは、大英帝国、そしてそれに付随するあらゆる暴力行為から生まれたものなのだ。

一方アメリカでは、農夫たちがさかんに種子保存を行っていた。その1人ジョージ・ワシントンの（奴隷状態に置かれた数百人の血と涙の結晶である）農作物は、優れた品質で知られていた。しかし店で種子を購入したい者は普通、社会の周縁部に存在するシェイカーという小さな宗教団体を訪ねた。シェイカーはイギリスのクェーカーの一派で、至福千年説を信奉していただけでなく、両性の完全な平等を唱え、そのうえ指導者の1人であるアン・リーは女性の姿をしたキリストの第二の受肉と考えられていた。**メイン州のジェームズとジョサイア・ホームズは、紙袋に種を入れて販売した最初のシェイカーだった**が、その後この慣行は教団内で広まっていった。ただし彼らは別にめずらしい果物や華やかな花の種を売買したわけではない。彼らが扱ったのは亜麻、玉ねぎ、きゅうりだった。

ということで、僕たちが近所の園芸センターやチェルシー・フラワー・ショー〔王立園芸協会が毎年5月にチェルシーで主催するガーデン・ショー〕のギフトショップで華やかな多年生植物の種を購入するのはとても現代的な行動だと思うかもしれない。しかし**1600年代のロンドンでも人々は同じことをしていたし、18世紀後半のアメリカでもそれはありふれた活動だったはずだ。**購入した種から植物が育たなかったりすると、もちろん人々はいかがわしい「毛虫」商人を非難した。しかしわが家で庭の植物が育たない場合、落胆した父のため息が風のなかに聞こえる気がする。失敗の原因はほぼ確実に僕にあるからだ。結局のところ僕は、乗用型芝刈り機でうっかり池に突っ込んでしまった息子なのだから。

26

歴史的に重要な意味を持つ、おもしろい話が伝わっている樹木はありますか？

ルビーより

『指輪物語』の著者J・R・R・トールキンが教えてくれるように、樹木ははるか昔から無言でどっしりたたずみ、人間の数々の営みを目撃しつづけてきたすばらしい存在だ。その頑健さ、大きさ、古さ、美しさ、さらには景観のなかでひときわ目立っていることを考えれば、人々が木に惹きつけられるのも無理はない。木々はさまざまな重要な出来事において大きな役割を果たし、その後は象徴的な役割を担うようにもなった。

当然、**アイザック・ニュートン卿が重力の法則を発見したきっかけとされる、有名なリンゴの木**から始める必要があるだろう。ポップ・カルチャーではあれこれ尾ひれのついたこの物語は、実は彼の友人によって記録された。ニュートンの高名な友人ウィリアム・ステュークリー〔1687～1765、イングランドの医師、好古家〕が1752年に出版した『アイザック・ニュートン卿回想録』にそのときの様子が次のように記されている。

夕食後、暖かい日だったので私たちは庭に出て、リンゴの木陰でお茶を飲んだ。……以前、同じようなときに重力について考えついたと、彼は教えてくれた。腰を下ろして物思いにふけっていると、リンゴが1個、地面に落ちたのだという。リンゴはなぜ、いつでも地面に向かって真っ直ぐ落ちるのだろう、と彼は自問した……。

ニュートンのリンゴの木は科学史におけるセレブ樹だ。しかし別の種類の重要な覚醒を促したことで知られる木は、ほかにも何本か存在する。なかでも宗教的に最も大きなインパクトがあったのが、インドのブッダガヤに生えているボーディーの木、つまりインドボダイジュだろう。約2500年前、その神々しい樹冠の下で、かの有名なガウタマ・シッダールタが悟りを得て仏陀《ブッダ》となった。この木は挿し木により各地に伝えられたため、ブッダガヤの大菩提寺を含むあちこちの聖地でその子孫が繁茂している。

宗教界の重要人物をもう少し追ってみよう。ただし悟りという象徴的な光ではなく、本物の光にまつわる話だ。火の灯ったろうそくをクリスマスツリーに初めて飾ったのはドイツの宗教改革者マルティン・ルターで、1500年頃のことだったという伝説がある。このドイツの風習はその後、国王ジョージ3世のドイツ人王妃シャルロットが1800年にウィンザー城でイチイのクリスマスツリーを飾ったときに、イギリスに伝わった。しかし室内に木を飾る風習がイギリスに広まったのは、ヴィクトリア女王とドイツ人の王配アルバートがモミの木の飾りを囲む様子が1848年に発表されたことがきっかけだった。

もちろん屋外のクリスマスツリーもある。1947年以来、毎年冬になると、ロンドンのトラファルガー広場には美しいノルウェー産のモミの木が飾られる。これは第二次世界大戦中にナチスに国土を占領され、亡命したノルウェー政府と国王ホーコン7世を受け入れたことへの感謝の印として、毎年ロンドンに贈られているものだ。しかしノルウェー国民の心をさらにゆさぶるのは、モルデの「王の白樺」だ。1940年4月、ホーコン7世と皇太子はこの白樺の下でドイツ空軍の爆撃を避けた。軍服姿の2人が堂々とした枝ぶりの白樺の下にたたずむ様子を撮影した写真は、レジスタンスの強力なシンボルとなった。その後、もとの木は狼藉者に破壊されたが、新たに植えられた白樺が今日も同じ場所に立っている〔2代目の白樺は1992年の嵐で倒れ、今は3代目となっている〕。

樹木はまた、共同体が一致団結して権力に挑戦したり一体感を強めたりする場所としても、しばしば利用された。たとえばアメリカでは1765年の印紙法に反対するために「自由の息子たち」がマサチューセッツ州ボストンの「自由の木」の下に集合したが、これはその後、アメリカ独立戦争につながる導火線となった〔印紙法は財政難に陥っていたイギリスがアメリカ植民地に課した法で、証書類や新聞などに印紙を貼ることを義務付けていた。反発が強かったため、翌年には撤廃された。「自由の息子たち」は13植民地の反英急進派の通称〕。1775年に戦闘が開始されたわずか数か月後、イギリス軍はこの木を切り倒して文字どおり焚き付けとしている。

その2世紀前の1549年、政府の29の政策に反対して、ロバート・ケット率いる反乱がイングランド東部のノーフォーク州で勃発した。ケットは「改革のオーク」として知られるオークの木の下で反乱軍を集めたとされるが、この木は遠い昔に姿を消してしまった。ロマンティックな伝説によれば、ケットはその後ウィモンドハム付近の別のオークの近くに反乱軍を集結させたという。この木は現在も立っており、「ケットのオーク」と呼ばれている。反乱は失敗し、ケットはノリッジ城で処刑されたが、ほかの数人の指導者は、国王エドワード6世への叛逆を企んだ場所であるこの「ケットのオーク」に吊るされたといわれている。

政治的な意味合いを持つ樹木はこれだけではない。オーストラリアの「知恵の木」〔クイーンズランド州にある。ユーカリの一種で、2006年に枯死した〕の下では、1892年にオーストラリア労働党が結成された。またパキスタンのベンガルボダイジュにまつわる奇妙な逸話も知られている。ヒンドゥー教では死者の霊や神々がこの木に宿ると考えられているため、南アジアでは遠い昔からベンガルボダイジュは聖なる木と崇められてきた。しかしこの木はもっと奇妙な経験をした。1898年に酔っ払ったイギリス人士官に逮捕され、鎖につながれたのだ。宗主国であるイギリスの支配に反抗的な地元民への見せしめだったのかもしれないが、泥酔した士官がその場にじっとつっ立っている木を反抗的な人間と取り違えたと考えたほうが、はるかにおもしろい。

酔っ払いと木のエピソードをもう1つ。有名な「テネレの木」は、1973年までサハラ砂漠の真ん中に1本だけぽつんと立つアカシアの木だった。ニジェール共和国に位置する、250マイル〔約400キロメートル〕四方の土地にただ1本だけ立つこの木は、地球上で最も孤立した木として知られ、近くで見上げた者は、なにかに挑むようなその姿に感銘を受けたものだった。何十年も砂漠に立ちつづけてきたこの木は残念ながら、酔っ払い運転手の前にはひとたまりもなかった。何もない広大な大地では、ほかにぶつかる物などないというのに、この男はトラックを木にぶつけたのだ。哀れな木の残骸は博物館に移され、元あった場所には現在、金属の彫刻が立っている。果たしてこれがトラックの襲撃に耐えられるかは、まだ明らかではない……。

ルビーの質問を見たときにすぐ連想したのは、なにもニュートンの重力の法則にまつわる果樹だけではない。イングランド中部のシュロップシャー州のボスコベル館で、若い王太子チャールズ2世がロイヤル・オークの木に隠れたという有名な逸話がある。この危険極まりないかくれんぼごっこが演じられたのは1651年のことだった。イギリスは清教徒革命後の動乱期で、チャールズはウスターの戦いで議会軍に決定的な敗北を喫したところだった。父王チャールズ1世はすでに公開処刑されていたため、若い息子には莫大な懸賞金がかかっていた。うまく逃げおおせなければきわめて深刻な事態になることは明らかだった。しかし困ったことに、チャールズは非常に目立つ人間だったのだ。

1650年頃なら国王の顔なんて知っている者はほとんどおらず、変装させるのも簡単だったのでは、と思うかもしれない。しかしチャールズ2世は、波打つとても濃い色の長い髪、濃茶色の目、ぽっちゃりした唇、そしておそらくイタリア人の母方の祖母マリー・ド・メディチから受け継いだ色黒の肌を持っていた。また父方の祖母であるアン・オブ・デンマークからはヴァイキングの背丈を受け継いでおり、つまりほかの男達よりはるかに背が高かったのだ。国中にばらまかれた指名手配のポスターに記されていた、「背が高い黒い男」――黒(black man)は髪と顔の両方を指している――という説明はまさにぴったりだった。そう、それにアクセントの問題もあった。チャールズの話す言葉はまったくシュロップシャー方言らしくなかったのだ……。

彼の姿を隠すために、支援者たちはできるかぎりのことをした。髪は切られ、顔とともに植物染料で染められた。また地元の人間らしいしゃべり方の速成コースが行われ、しばらく練習すると成果が上がったようだ。同じく地元民らしい歩き方の訓練も行われたらしいが、これについては正直見当もつかない――ある地方特有の歩き方というものが存在するのか？　残念ながらこの歩き方はまったく身につかなかったようだ。少し先走ってしまった。というのも、こうした変装のあれこれが始まったのは、捜索初日をやり過ごした後らしいからだ。そしてそれは、オークの木にまつわるかの有名なエピソードの後のことだった。

戦いに惨敗したあとでチャールズは逃亡を試みるが、逃走ルートは塞がれていた。そこで、巨大アナグマのように生け垣の辺りをうろうろした後、夜更けになって彼はウィリアム・ギフォードが所有するボスコベル館に逃げ込んだ。そこにはすでに先客がいた。ウィリアム・ケアレス《不注意》という残念な名を持つ忠実な王党派の軍人だ。クロムウェルの手下たちによる付近の捜索が開始され、家のなかは安全でなかったため、ギフォードの従僕のペンデレル兄弟によって連れ出された2人は大きなオークの木に登って隠れた。2人はここで何時間も過ごし、ケアレスがポケットに忍ばせてきたわずかなパンとビール、チーズで飢えと渇きをいやした。

疲労困憊したチャールズはそのうち、ケアレスの膝に頭を乗せて眠り込んでしまった。なかなかチャーミングな図だが、やがてケアレスの足がしびれて感覚を失うと、非常に危険なことになった。クロムウェルの手下たちが彼らの真下を歩き回るなかで、足のしびれやピリピリが始まったのは、これ以上ないほどタイミングが悪かった。幸いその名に似合わず思慮深かったケアレスは、2人揃って木から墜落する前に主君を起こした。さもなければ2人は衝撃で首の骨を折るか、でなければ捕らえられて断頭台へ送られたことだろう。

危機を脱出したチャールズは、それまでの訓練の成果を披露することになり、最終的に6週間の逃亡生活を送ったのち、無事に国外脱出に成功した。それまで彼を支援した者たちはその後褒美を与えられ、陛下に心を込めてお仕えしたウィリアム・ケアレスは、ウィリアム・カルロスと改名した。1660年に王政復古が実現すると、チャールズ2世は5月29日をオーク・アップル・デイとして祝うことを命じた。これは、かつて彼が例の木に巨大リスのようにとりついて難を逃れたことを記念するものだった。実際にオークの木に登ったのは9月だったことを考えると、奇妙な日付の選択だが、5月29日が選ばれたのは、彼の誕生日だったから、そして王政復古の記念日でもあったからだ。

そんなわけで、これがおそらく僕が思い出せるなかで最も有名な、かつそれなりに愉快な、木にまつわる逸話だ。だが僕のお気に入りナンバーワンの物語を紹介する前に、歴史上のおもしろい物語をフォロワーたちから教えてもらえるかと思い、ルビーの質問をツイッターに投稿してみた。得られた回答をここにいくつかご紹介したい。

・ネイサン・ホッグはフランスのノルマンディー地方のアルヴィル＝ベルフォスにあるチャーミングなオークの礼拝堂を提案してくれた。これは少なくとも樹齢800年はあるどっしりしたオークだ。1600年代後半に雷に直撃され、発生した火事によって空洞が生まれると、地元の神父は2つの礼拝堂と、幹を取り囲む階段を設置した。フランス革命時に過激派の攻撃を受けた際には危うく焼き払われるところだったが、機転の利く地元民が「理性の殿堂」と名づけて難を逃れた。現在も訪れることができる。

・レイチェル・リトルウッドは、ドイツのブランデンブルク州プラッテンブルクの常緑樹の森にナチスが植えた100本のカラマツが、（上空から見ると）鉤十字の形に見えることを教えてくれた。もちろんその後、これらの木を切り倒そうと何度も試みられたが、残念ながらそのたびにカラマツの木はふたたび成長し、鉤十字形を露わにしてしまう。

・エド・カーターは、シェイクスピアの桑の木を提案してくれた。この偉大な劇作家が、当時住んでいたストラトフォード・アポン・エイボンの家「ニュー・プレイス」に自身で植えたものだという〔シェイクスピアは1616年にこの家で亡くなった〕。当時、国王ジェームズ1世はイギリスで絹産業を興そうと考えていたため、桑の人気が高まっていた。1700年代中頃になって、とっくの昔に死去していたシェイクスピアが国民的偉人として称えられるようになると、押し寄せた観光客たちが庭園をのぞいてくるのに嫌気がさした家の所有者フランシス・ガストレル牧師は、木を切り倒してしまった。その木材を使って、地元の職人がシェイクスピア関連の土産物をつくった。ただし、その多くは怪しげな偽物で、1本の木からどれだけの木材が取れるものか見当もつかないお人好しに売りつけられたのだった……。

・数人が、ノッティンガムシャー州のシャーウッドの森にある樹齢1000年のメジャー・オークを提案してくれた。ロビン・フッドと彼の愉快な仲間たちはこの木を根城にしていたといわれる。しかし歴史学者のハンナ・ニコルソンは同じくシャーウッドの森にかつて存在した、グリーンデール・オークと呼ばれていた、とにかく巨大な木を提案してくれた。1734年にヘンリー・ベンティンクは、馬車と横並びになった3頭の馬がその巨大な幹をくぐれるかという賭けをした。そしてこれを証明するため、幹の真ん中に大きな穴をあけたのだ。後の報告には次のように記されている。「開口アーチの上部の幹の円周は35フイート3インチ〔約11・7メートル〕、アーチの高さは10フィート3インチ〔約4メートル〕、中央部の幅は6フィート3インチ〔約2メートル〕、一番上の枝の高さは54フィート〔約16・5メートル〕」。驚くべきことだ！

おもしろい木の例としては、以上のようなものがある。しかし僕の一番のお気に入りは、ローマの有名な政治家ガイウス・サルスティウス・パッシエヌス・クリスプスが、木とエロティックな関係を持ったというものだ。パッシエヌスは非常に興味深い人物だ。彼は大変富裕かつ賢明な人物として広く尊敬され、そして小アグリッピナの2番目の夫だった（したがってティーンエイジャーのネロの義理の父だった）。大プリニウスによると、パッシエヌスは女神ダイアナに捧げられた木立のなかの1本の神木を熱愛し、葡萄酒を捧げる（彼は仰向けに横たわって木の根に葡萄酒を注いだ）だけでなく、これを愛撫し、熱い口づけをしたという。馬鹿馬鹿しい冗談にすぎないかもしれない。だがこの逸話はこの男と木の両方を広くローマ世界中に知らしめた。

というわけでルビー、歴史上の有名な木の物語は、森がつくれそうなほどある。そして僕のツイートへの返事を見れば、まだまだ無数にありそうだ。

第7章

ファッションと美

27

これまでにあったなかで、一番奇妙な美人の条件は何ですか？

ミカより

ミカ、これはまた答えづらい質問だ。悪いけど僕がまず反射的にしたのは、この問題についてのインテリの見解を調べることだった。「美」という言葉はみんなよく使うけど、その上には哲学的な問題が、まるでクリスマスのヤドリギのように引っかかっている。美とは、果たして定義できるものなのか？　何かを目にしたとき、それが美であるとすぐに認識できるのか？　たとえば三角形のように、普遍的かつ客観的な真実として存在するのか、それとも、シェイクスピアの言葉を借りて言うなら、「見る者の目によって」決められる、純粋に主観的な経験なのか？

これは哲学史上最も長期にわたって議論されてきた問題だ。啓蒙思想家のデイヴィッド・ヒュームやイマヌエル・カントは、たいていは主観チームに属していたが、ときに混乱してもいたようだ。アリストテレスや、大きな影響力を持ったイギリスの哲学者で１７１３年に死去した第３代シャフツベリー伯爵アントニー・アシュリー＝クーパーは客観チームに属していた。

クーパーは、美とは宇宙論的に不変なものであり、人間が調和や秩序を評価するようにつくられているからこそ音楽や建築を好むのだと確信していた。彼はまた、美を賛美することは、誰かをセクシーだと思うこととは別物だと述べた。なぜなら後者の場合、相手の美しい姿を冷静かつ合理的に楽しむというよりも、汗だくになって熱に浮かされたように絡み合う行為によってどう個人的に得をするかという問題になるからだ。もちろん彼は「汗だくになって熱に浮かされたように絡み合う行為」とは言っていないが、そう言いたかったんじゃないかと思う。

この答えは妙な場所から出てきた。ただ、ミカのごくまっとうな質問は、概念上の落とし穴につながっているので、これを避ける必要がある。世界史上の（いや、いわゆる「西洋の」と言ったほうがいいか……）重要な思想家たちの何人かは、「最も奇妙な（strangest）」美の条件などありえないと考えていた。なぜなら美とは普遍的なものなので、異様などということはありえないからだ（「奇妙（strange）」はもともと「異様（foreign）」を意味していた）。ごく最近の歴史学者も、美とは基本的に数学的公式であり、たとえファッションが変化しても、美の原則が変化することはないという主張を受け継いでいる。

しかし美のとらえかたは属す文化に大いに依存しているという主張も根強く続いている。フランスの哲学者ヴォルテールは、ヒキガエルは人間には醜く感じられるが、ヒキガエルにとっての美とは、「その妻の姿、つまり小さな頭からとびだした2つの大きな丸い目、大きく平らな口、黄色い腹と黒い背」だとしている。ヴォルテールはそれからギニアの人々について非常に人種差別的なひどいことを述べ、さらに悪魔は角や爪を持つ仲間の悪魔しか好まないなどという妙な主張を続けている。残念ながら啓蒙思想家たちはしばしばがっかりするほど蒙昧だった……。

この人種差別的な発言はともかくとして、ヴォルテールの主張は大筋で正しい。君が美しいと思うものを、他人は醜いと感じるかもしれないし、逆も然り。そんなわけでここでは、驚くような歴史上の美的基準の例の紹介に進みたいが、これらは単に現在の基準とは異なるというだけのことなのだ。ああ、それから急いでつけ加えておきたいが、美とは必ずしも外見的なものに限られない。18世紀イギリスの上流社会（beau monde――「美しい世界」）では、貴族の女性たちは、その振る舞い、衣服、機知、行儀、嗜好、それに地位ゆえに美女であるとされたと、ヨーク大学のハンナ・グリーグ博士は書いている。実際の顔のつくりはともかくとして、特権のおかげで彼女たちは美女となったのだ（とはいえ、本物の美女ももちろん賛美された）。

セレブ文化の歴史学者である僕は、美的基準がどんどん変化しているという多くの証拠を、自分が生まれたあとでさえ何度も目のあたりにしている。十代の頃にBBCで放映されていたコメディ番組『ザ・ファースト・ショー』でアラベラ・ウェア演じるキャラクターが気にしていたのは、「これを着たら私のお尻は大きく見えるかしら？」ということだけで、彼女が期待していた反応は「そんなことないよ！」というものだった。しかしもしこの寸劇が今リメイクされたら、「もちろんさ！」という反応を求めるに違いない。この変化にはカーダシアン＝ジェンナー家〔アメリカのリアリティ番組『カーダシアン家のお騒がせセレブライフ』で人気者となったカーダシアン姉妹とその母のクリス・ジェンナーのこと〕のセレブ陣が大きな役割を果たしている。ヒップアップ手術を求める若い女性が最近になって急増しているという、美容整形外科医の報告もある。

　こうした急激な変化は別に初めて起きたことではない。１８９０年代の女性の理想像は大きな尻と豊かな胸、それにコルセットできつく締めたほっそりした腰だった。これに取って代わったのが、イヴリン・ネスビットなどの大きな影響力を持った有名人たちで、その痩せこけた姿は、ほっそりした少女らしさという新たな定義を美につけ加えた。もちろん１９５０年代になると、マリリン・モンローがグラマラスな体形の人気を復活させている。１９９０年代にはケイト・モスにならったヘロイン・シック〔血色の悪い痩せこけたモデルについて、ヘロイン中毒者に似ているとしてそう呼んだ〕が流行した。今はふたたびカーダシアン風グラマーに戻っている。流行は繰り返すのだ。

　この件についてはこれで十分。それでは現代の僕たちが驚くような、歴史上の美的基準の実例を見ていこう。まず古代地中海世界では１本につながった太い眉が好まれ、ギリシアの女性たちは、化粧で眉をつなげたり、当時の成長ホルモンであるロバの尿をこすりつけたりしていたらしい。フリーダ・カーロ〔１９０７～１９５４、メキシコの画家〕は古代アテネに行けばモテモテだったはずだ。顔のもう少し下に注目すると、19世紀ペルシアでは、シャーの娘のエスマット・アル＝ドウレーのようにうっすらとした産毛のような口ひげを生やすことが美しいと考えられていたと、優れた研究者であるハーバード大学教授のアフサナ・ナジマバーディが示している。

　これとは反対にルネサンス時代のイタリアでは、一番驚くべき流行の美容法は除毛で、美に関心の深い女性たちはとても高い額を好んだ。そのために髪の生え際を剃ることもあったが、さまざまな美容指南書からは、アルカリ性の除毛ペーストが広く利用されていたことが見て取れる。材料は豚の脂、ジュニパーベリー、マスタード、それに燕をゆでたあとの水だったが、１５３２年のレシピに含まれている最も驚くべき材料は、酢に混ぜた猫の糞だ。またサミュエル・ピープス〔１６３３〜１７０３、イギリスの政治家で、詳細な日記を残したことで有名〕の妻が１６００年代に保湿液として使っていたのは子犬の尿だった。頬に塗った犬の尿は、眉間に塗ったロバの尿よりひどい匂いがするものだろうか？　とても試す気にはならない。

　除毛クリームは体毛にも使われた。ルネサンス時代のイタリアでは、暗色の体毛を持つ女性は病気か、あるいは男性的な性質が強すぎると考えられていたため、これを除去する社会的圧力にさらされていた。また１５２８年に刊行されたエロティックな小説『ロザナの肖像』（未邦訳）では、主人公は最終的に娼館の女将になるのだが、ここでも衛生上の理由または娼館の顧客の好みに従って恥毛を除去するという記述がある。その正反対にあるのが、17、18世紀のイギリスのセックス・ワーカーたちが利用していた疑似陰毛だ。これは自然な外見を保証すると同時に、行為のあとで毛ジラミを取るのに役立った。

　実は体毛の除去は青銅器時代までさかのぼる。また女性の専売特許というわけでもなかった。

ギリシアの歴史家ヘロドトスによると、古代エジプトの神官は、体のあらゆる毛を、眉毛に至るまで除去していたという。一方おしゃれなエジプト人は髪を剃り、豪華なかつらをかぶって、ときには——特に宴会など社交の場では——香りつきの蝋《ろう》をその上に乗せていたらしい。神々はよい香りを漂わせているとされていたので、これも神々に近づくための1つの方法だったのかもしれない。

中央アメリカのマヤ文明では、体により永続的な改変を施すことが好まれていた。彼らは体にイレズミを施した——スペインのコンキスタドーレスにとっては驚くべき風習だったかもしれないが、今ではめずらしくもない——だけでなく、歯に溝を刻み、そこにヒスイを埋め込んで、一段と輝かしい笑顔をつくった。また赤ん坊の額に樹脂のかたまりをぶら下げて視線を鼻先に寄せ、一部の赤ん坊を斜視にしたのではないかともいわれているが、結論は出ていない。これは、斜視の姿で表現された太陽神を称えてのことだったのかもしれない。本当だとすれば、これもまたある種の美的基準と理解してもいいのでは？　腹立たしいことに、詳しいことは何もわかっていない。

ヴァイキング戦士たちも歯の美的加工を行っていた。彼らは歯を鋭く尖らせていたのだが、その目的はおそらく敵をふるえ上がらせることで、初デートで可愛く見せるためではなかっただろう。しかし東アジアの別のおもしろい習慣を紹介することでこの文を終わらせたい。ほんの1世紀ほど前に西洋文明を取り入れはじめるまで、地位の高い日本人女性の間には歯を真っ黒に染める習慣があった。このお歯黒という風習では、女性たちは酒、水、酢、香料、それに鉄の強烈な混合液を使って歯を染めた〔お歯黒の風習は奈良時代に宮廷で始まり、江戸時代に庶民にも広まっていた〕。

おそらく中世までさかのぼるこのお歯黒という風習は、芸者や高位の女性が、化粧した白い顔や、着色した眉、そして頬紅とのコントラストを強調するためのものだったのかもしれない。西洋人にとっては非常にショッキングなこの風習はやがて廃れたが、歯を異様なまでに黒く染めることは、本当にビング・クロスビーの歌う「ホワイト・クリスマス」よりもっと白い歯を求めて狂奔する現代の風潮以上におかしいと言えるだろうか？　僕たちには奇妙な習慣と思えるが、当時の日本人も、僕たちについて同じように思ったかもしれない。

そんなわけで、たぶんヴォルテールは正しかったのだろう。……もちろん、人種差別は別として。

28

ギリシア彫刻の男性像のペニスはなぜ小さいのですか?

匿名より

僕はツイッターにハマっていて、毎日何時間もこれに費やしている。言い訳をさせてもらえば、ツイッターは歴史学者にとってすばらしい集会所の役割を果たしていると思う。何千人もの博識な専門家が参加する #Twitterstorians というコミュニティがあり、ここではほかのどこからも得られない愉快で刺激的な会話が毎日交わされているのだ。特に気に入ったものの1つが、2013年にあった、古代ローマのペニスに関する討論だった。きっかけが何だったのか、詳しく覚えていないが、気の利いた笑いとして始まった会話は、4人の優秀な古典学者がその博識を分かち合ってくれた結果、本当に興味深いものとなった。

その日僕が学んだなかで一番気に入ったのは、オックスフォード大学の古代詩の専門家、ルウェリン・モーガン教授から学んだことだ。彼が何気なく教えてくれたところによると、古代の詩はさまざまな韻律《メートル》を使用しており、その1つであるプリアペイアは、ローマの豊穣の神プリアポス――まるで3本目の脚に見えるほど巨大な勃起したペニスを持つ――に関する卑猥な詩に特化していた。また別の韻律は*ithyphallic*と呼ばれているが、これはギリシア語で文字どおり「勃起した男根」を意味する。なんとあからさまな！　1700年代になるとこの言葉は、母親には絶対見られたくないようなあらゆる下品な詩を指す万能語となった。そして現代の医者にとって「*ithyphallic*（持続勃起症）」患者とはつまり、バイアグラを飲みすぎて常に勃起している人のことだ。

詩に関する高尚な会話の最中に、メートルの「長さ」についての男根ジョークを飛ばしたのが自分でないことには驚かされ、うれしくなった。自分の一物《いちもつ》がメートル単位だなんて厚かましくも言えるのは男だけだと皮肉っぽく発言したのは、考古学者のソフィー・ヘイ博士だったのだ！　そう、学者も生徒たちのように悪ふざけすることはある。そして同じことがローマ人についても言える。彼らも同じようなジョークを持っており、もし当時、セックスのことばかり考えている登場人物が活躍する『平民《プレブス》』などというシットコムが存在したら、大いに受けたに違いない。

プリアポスは愛の女神ヴィーナス／アフロディテの息子だった。ということは、美しい外見を持つロマンティックな青年だったと思うかもしれない。しかし古典時代の神話によると、彼は呪いのせいで醜く好色で、まるでギャグ漫画のように巨大なその一物は、ローマ美術では床に引きずらないように両手で抱えた姿で表現されることもある。豊穣と富の象徴であると同時に、プリアポスは庭園の守護神でもあり、裏口から忍び込んできた侵入者や泥棒は誰でも彼に貫かれた。ローマ人が、番犬であると同時に強姦魔でもある神を崇拝していたというのはずいぶん奇妙な話だ。文学や芸術作品ではしばしばコミカルな存在として描かれていることを知ると、なおさらだ。

ポンペイの有名なフレスコ画でプリアポスが身につけている服は、左下に真っ直ぐ伸びる巨大な男根を隠すことにまったく成功していない。これはまじまじと見つめずにいられない代物だ。プリアポスの男根は、さらに目立つようにしばしば赤く彩色された――つまり彼は真っ赤なお鼻のトナカイのペニス版だったわけだ。プリアポスの彫像や画像はローマ世界ではごくありふれたものだったが、現在では、多くの小学生が見学に訪れるような地元の美術館にはめったに展示されていない。理由は言うまでもないだろう。

その代わりに、美術館に行くと、あるいは幸運にも地中海でバカンスを楽しめる場合、まったく違う種類の古代彫刻にしばしば遭遇する。英雄に捧げられた美しい大理石の男性像で、波打つシックスパック、力強い太もも、太い腕、筋肉質の尻、たくましい胸、丸みを帯びた肩、そして……ええと……質問者の言葉のとおり、驚くほどつつましい男性の象徴を持つ。

最も単純な説明は、**古代の美的感覚によれば、小さいペニスのほうが美しいと考えられていた――プリアポスの巨根は彫像の優雅な均衡を崩してしまう――というものだ。小さな一物は**

また、優れた知性の象徴でもあった。動物や野蛮人や愚か者は、馬鹿げた情熱や劣情に支配されているため、巨根を持つと考えられていた。しかし文明化されたギリシア・ローマ人は、理性的で洗練された文化人ではないか。その偉大さの源は頭脳にあるのであって、下着のなかではない。

実際ギリシア人の考えによれば、美しい外見は神々からの贈り物で、その美は魂にも反映されていた。美しい青年は同様に優れた心ばえを持つとされ、この思想は、美と善良さの調和を意味する *kaloskagathos* という言葉に象徴される。現在、そう考える者はいない。なによりテレビのリアリティ番組で、一見ゴージャスな人が実はひどい人間だったり、愚かだったりするのをしばしば目のあたりにしているからだ。しかしその正反対の概念はシェイクスピア劇や現代映画でもしばしば認められ、悪の巨魁は多くの場合、まるで内面の堕落が表面に浮かび上がってきたかのように、醜かったり大きな傷跡を持っていたりする。

そんなわけで古代芸術では、小さな一物を持つ英雄は文化的スノッブ性を体現する存在だった。古代ギリシアの思想では、セックスとはすなわち生殖行為であり、サイズは僕たちが考えるのとは逆の意味で重視された。小さいペニスのほうが、卵子に達するまでに精子が冷えすぎないため受胎に適している、とアリストテレスは主張した。高名な古典学者ケネス・ドーヴァー卿は大きな反響があった１９７８年の著書で、生殖行為は人口維持のためにこそ重要だったものの、古代ギリシア人にとっての理想の性愛は、夫婦間ではなく、成熟した強い男と受け身の十代の少年の間に存在したと強く主張している〔『古代ギリシアの同性愛』青土社、2007年〕。僕たちにはショッキングなことだが、これはつまり、古代ギリシアの公共の場に飾られた彫刻作品は、しばしば芸術のパトロンとなった年長の権力者たちの趣味を反映していたということだ。そして彼らが好んだのは、まるで腰回りに巨大なヘビを抱えているかのようなプリアポスではなく、ほっそりしてしなやかな、体毛がなくペニスの小さな少年たちだった。

ここまで書いたところで古代ローマに戻ると、当時の壁には男根の絵の落書きが数多く見られた。現代の少年たちによるトイレの壁の落書きと同じようなものだ。そして、非常に下品な言葉に対する心の準備をしていただきたいが、ポンペイで発見された落書きのなかには次のようなものがあった。「フォルトゥナトゥスは君をとても深く貫く。アントゥサよ、来て見てごらん」。これはある女が女友達にあてた推薦文かもしれないし、フォルトゥナトゥス本人が書いた、古代版の深夜の卑猥メッセージかもしれない。ほかにも「愛しいフォルトゥナトゥス、性交の達人、経験者が書いた」というのもある。

これまた推薦文みたいだが、もしかしたらフォルトゥナトゥス本人が書いたのかもしれないと思うと、笑わずにはいられない。おもしろいか否かはともかくとして、こんな下品な自慢は、ペニスが単なる美的要素というだけではなかったことを示している。ここではローマ人は男根を、女に快楽を与える生殖器官としてとらえている。理想化された彫像について先に述べたこととは別として、この点をもう少し深く追う必要がありそうだ。なぜならときにはサイズは重要であり、それも僕たちがおもしろがるような、通常の意味でそうだったからだ。

古代ギリシア・ローマ時代に生きていた無数の人々は1人ひとりが異なる関心や性的嗜好を持っていた。全員がこじんまりしたサイズを求めていたわけではない。2013年のツイッターでは、歴史学者のトム・ホランドがローマ時代の詩人マルティアリスの詩を引用したが、これは次のように訳すことができる。「フラックス、公衆浴場で拍手が聞こえたら、それはマロと奴の男根がいるからだ」。ルウェリン・モーガン教授が補足したように、フラックスとはおもしろがってつけられたあだ名で、「垂れ下がった」という意味だ。つまりマルティアリスは、ある人間の立派なペニスを称えることを通じて、同時に別の人間のものを馬鹿にしているというわけだ。

ペトロニウスの好色小説『サテュリコン』〔岩波文庫、1991年〕にも似たようなジョークが登場する。この小説に登場するのは、勃起不全に悩む元剣闘士のエンコルピウス、巨根の仲間アスキュルトス、そして2人が取り合いをしている美少年ギトンだ。ある場面で老教師がエンコルピウスに、公衆浴場で目撃したことを語っているが、それは落胆したアスキュルトスが裸で嘆いていたのだった。

……まわりに大勢集まった者たちは、拍手し、感嘆して仰ぎ見た。なぜなら彼の生殖器官はとてつもなく大きく、まるで体のほうがペニスの付属物のように見えるほどだったからだ。……救いの手はすぐに現れた。ローマの騎士階級に属する評判の悪い1人の男が、彼を外套で包んで家に連れ帰ったのだ。おそらくこの幸運を自分で味わうためだろう……。

この明らかに同性愛的なフィクションのほかにも、実在のトランスジェンダーのティーンエイジャー、ヘリオガバルスに関する報告がある。このローマ皇帝は5人の女と結婚したものの、男とのセックスを好み、女装し、性転換手術を行える外科医に莫大な報酬を約束したという。伝説によると、彼は政治的任命を行う際、公衆浴場で全裸の姿を観察して、一番大きな男性器を持つ者を選んだ。

巨根の人間が公衆浴場から「持ち帰り」されたとするペトロニウスの作品が事実を反映しているなら、このことは、巨根が一部の男を性的に興奮させたこと、つまり誰もが若い少年を好んだわけではないことを示している。実際、（残念ながら、かかとを除けば）ほぼ不死身の半神だった伝説の勇者アキレウスは、神々にふさわしい立派な男根を持っていたとされる。

もちろん、言うまでもないことだがギリシア・ローマ時代の大人の半数は女性で、アキレウスの評判には彼女たちも関与していたかもしれない。古代の女性のセクシュアリティについては残念ながら男性ほどよく知られていない――皇妃メッサリナのスキャンダルと24時間続いた乱交（自分で調べてくれ！）を別にすれば――が、多くの女性が、巨根の男とのセックスを楽しんだと思われる。結局人間の体は千差万別で、好みも同様なのだ。

そうだとすれば、美術館で僕たちが目にするような古代の彫像から伝わってくるお上品な思想は、多くの一般人の持つ好色な考えを代表するものではなかったのかもしれない。古代のペニスの理想のサイズは、寝室、あるいは大理石の台座の上のどちらで愛でたいかによって異なったのだろう。

29

ハイヒールはいつから流行し、女性になぜ人気なんですか？

ハイヒールを見ると、何を連想する？　僕がたちまち思い浮かべるのは、2つのポップ・アイコンだ。1つは、店のショーウィンドーに飾られたクリスチャン・ルブタンのピンクの華やかな靴をじっと見つめて「ハロー、愛しい靴！」とささやくキャリー・ブラッドショー。これは当時の時代精神をうまくとらえて大ヒットした『セックス・アンド・ザ・シティ』〔1998年から2004年にかけて放映されたアメリカの連続テレビドラマ〕の場面だ。もう1つは映画『キンキーブーツ』〔2005年に公開された英米合作のコメディー映画〕で、ゴージャスなキウィテル・イジョフォー演じるドラァグ・クイーンのローラが、ヒールが壊れない、安心して履ける奇跡のような革製ブーツを求めている。キャリーはまるで一流芸術品のように靴を崇拝し、

マーガレットより

ローラはそれを、「ヒールをご覧、お兄さん。セックスはヒールに宿るのさ」というシグナルを発するメッセンジャーとしてとらえている。どちらの場合も、ヒールは実用的でなく、高価で、壊れやすく、そして女性的な姿を誇示したい人に熱愛されている。しかし実はハイヒールの歴史はこれとはまったく異なる。もともとヒールは男性のものだった。それもすべての男ではない、戦士のためのものだったのだ。

ヒールが最初に登場したのが正確にいつだったかは知られていないものの、1000年前の中世ペルシア騎兵はこれを履いていた。騎兵が弓をひくために手綱を離したとき、ヒールであぶみに足を固定させて体を安定させたのだ。カナダのトロントのバータ靴博物館で豊かなコレクションを管理するエリザベス・センメルハック博士によると、この特徴的なペルシアの靴がヨーロッパに伝わったのは16世紀末で、強力なオスマン・トルコ帝国に対抗するための同盟相手を求めたサファヴィー朝ペルシアのアッバース1世がヨーロッパ人外交官をもてなしたことがきっかけだったという。こうして新しい流行が生まれ、まもなく、ヨーロッパの多くの絵画にハイヒールが描かれるようになる。

ぶっきらぼうで喧嘩っ早く、体格のよい若い男たちが、男らしさを誇示するかのように乗馬と社交の両方の場でヒール靴を履いて歩き回るようになった。一般大衆が彼らの真似をしはじめると、貴族階級はさらに高い、いかにも実用的でないヒールを履くようになった。そんな馬鹿げた靴を履いて庶民がよろよろと肉体労働に従事するのは不可能だとわかり切っていたからだ。もちろんヨーロッパの冬は雨が多く湿度が高いことで知られている。そのため、この最新流行のハイヒールにはちょっとした問題があった。泥に沈んでしまうのだ。

この問題の解決法として考えられたのは、乗馬靴を平底ミュールに差し込むということだった。靴のための靴だ！　履いて歩くとビーチサンダルのようにピシャリと音をたてる（スラップ）ことから、これはスラップ・ソールと名づけられた。1600年代初めになると、富裕層の女性も男性のファッションを真似しはじめる。しかし馬に乗る必要がなかった彼女たちのスラップ・ソールでは、平らな靴底は高く持ち上がった部分に接着され、その結果土踏まずの下に三角形の空間が生まれた。

ただし、かかとが非常に高い靴はそれ以前にはまったく存在しなかったわけではない。ルネサンス期ヴェネツィアのファッショナブルな女性たちは、すでに数世紀前から厚底の靴を履いていた。チョピンと呼ばれたこの種の靴は馬鹿馬鹿しいほど厚底で、履いた者を他人よりも、比喩的にも文字どおりの意味でも持ち上げることができた。ときに50センチメートルという目もくらみそうな危険極まりない高さに達するチョピンを履いた彼女たちは、両脇を召使いに支えられて、通りを、あるいは出席した社交の集いで、よろめき歩いたのだった。その不便さは、実は意図されたものだった。チョピンが高いほど、これを履いた女性は、床まで達する長いドレスの豪華さを見せびらかすことができたからだ。要するにチョピンとは、所有する富を周囲に見せつけるための自己満足の道具だったわけだ。センメルハック博士が指摘するように、女性が富の動く広告塔を務めてくれることで最も得をしたのは、亭主やパトロンだったかもしれない。

一方、裕福な男性は18世紀初頭になってもヒール付き靴を履きつづけた。当時の最も有名なファッショニスタはフランスの名高い太陽王ルイ14世だろう。やわらかい革や布でできたその美しい靴には豪華な刺繍が施され、ヒールも色が塗られたり赤く染められたりしていた。

というわけで、ヒールはそもそも男性のために発明されたのだとすると、現在ヒール靴を履く男がほとんどいないのはなぜだ？　男性がヒール靴を履かなくなった理由は1つではないだろう。しかし18世紀半ばに合理性を重んじる啓蒙思想が興り、フレンチ・スタイルの人気が失われていくと、イギリスのファッショナブルな男たちは外国の女々しい靴の代わりに、合理的かつ実用的な人間のためにデザインされたストイックな靴を好むようになった。ヒールはこうして、哲学者たちが一般的に非合理で愚かであるとみなした女性だけのものとなったのだ。

しかしその後、女性もまたヒールを履かなくなっていく。アメリカ、ハイチ、フランスで革命の嵐が吹き荒れ、19世紀が始まると、ヒールの高い靴は人気がなくなった。おそらく、革命的な急進思想で胸を一杯にした者たちは、古代ギリシア・ローマ風の民主主義的な服装を好んだことだろうし、一方下層民を軽蔑する王党派は、ギロチンや銃剣が突然全土を席巻したことに気づき、処刑されたフランス国王や王妃を連想させるような靴は、たとえそれがすばらしいの一言に尽きるとしても、見せびらかすのはまずいと悟ったのだろう。

その後、驚くべき大転換が起きる。軍隊風の長ズボンが新たに流行したこともあって、多くの男性が戸棚から古いヒール靴をふたたび引っぱり出してきた。体にぴったり添う半ズボンに比べてゆったりしている長ズボンは、靴のヒールの下に引っ掛けてズボンを固定するためのひもが足首部分についていた。そして男性側の状況がそうだったのなら、次に何が起きたか想像がつくだろう……そう、1800年代半ばになると、女性用のヒールも大々的にカムバックを果たしたのだ。そのきっかけの1つとなったのが写真術の広がりで、上流階級は何を着ているのか、より多くの人が目にするようになった結果、高級ファッションがあっという間に社会の隅々まで広がっていった。

写真術が民衆の間に広まると、ヴィクトリア朝時代のポルノ写真もまた隆盛した。その多くでは、ハイヒール・ブーツ以外何も身につけていない女性がカメラの前でポーズを取っている。このエロティックな新流行は、もちろん現在まで続いている。とにかくこの時代になって、ヒールと女性が、社会の各層で決定的に結びつけられたのだ。とはいえ、ハイヒールを履いた女性が歩くと、前かがみでカンガルーみたいな醜いシルエットになると非難した熱心な批評家や風刺漫画家もいた。流行のアイテムになったハイヒールにも、反対者がいなかったわけではないのだ。

そして18世紀に、女性たちには合理的な思考ができないと嘲られたように、これら19世紀の女性たちもまた、参政権を与えるにはふさわしくないと宣言された。理由の1つとされたのが、あのように馬鹿馬鹿しい形の靴を履きたがる人間に、有権者としての責任を負う能力などあるはずはないというものだった。これは別に僕の個人的見解じゃないからね。本当だって！

それでもヒールが姿を消すことはなかった。20世紀初頭、ハリウッドのけばけばしい電飾とともに、大衆の目に映るハイヒールの評価はさらに上昇した。しかし最後の大きな飛躍が起きたのは1950年代のことで、これは単なるファッション革命というより、技術革命でもあったのだ。建築家たちが世界中の大都市で目もくらむような鉄筋の高層ビルを建てていたように、伸縮性を持ち強度のある鋼鉄は、かかとが尖ったスティレット・ヒール（ピンヒール）の登場に欠かせない役割を果たした。ルネサンス期イタリアの刀身の細い短剣から名づけられたこのヒールは、芯に鋼鉄が使われているため、高さを保ちつつきわめて細い。1960年代までに、この金属製の芯を包む素材は木材や革からプラスチックに変わり、それ以来デザイナーたちはひたすら靴の美しさを追求しつづけている。

ペルシア人戦士がハイヒールを最初に採用した時から長い時間を旅してきたが、そのデザインと象徴は時代とともに変化を続け、今に至るまで流行りすたりを続けている。やがて未来主義的な奴らのファッションのマストハブ・アイテムになったとしても驚かないが、ただしそれが、ヒールの持つ軍事的な機能性ゆえでないことを願いたい。軍事紛争のない未来を想像するほうが楽しいからね。とはいえ、もしいつの日かロボットたちが僕たちに反抗するようになったら、6インチ・ヒールで武装した人間の抵抗組織が戦いに赴くというのも素敵じゃないか？

ルイ14世ならきっと喜んだだろう。

30

非常に危険で生命にもかかわることが今ではわかっている美容術はどれですか？

ジェームズより

先週BBCのドキュメンタリー番組で、笑みを浮かべた若い女性が致死量の神経毒を体に注入されているのを見た。別に死刑囚監房で国家による処刑が執行されたわけではない。この女性はわざわざ金を払ってこの特別処置を受けていて、その結果に満足した様子だった。ボツリヌス毒素がつくり出すタンパク質は、怪しげなバーベキュー・ソーセージから摂取すると、ボツリヌス中毒症を発症し、筋肉が麻痺して呼吸困難に陥り、命にかかわる事態となる。しかしこの危険なタンパク質は一方で、大人気のコスメ製品のボトックスでもあるのだ。

毒性を持つとはいえ、訓練を積んだ専門家が扱うかぎりボトックスは比較的安全で、いくつかの医学的症状の治療に重要な役割を果たしている。とはいえ、あらゆる美容整形術には危険がつきものであり、イギリスでは十分な規制が存在しないため、神経損傷、傷跡、感染、腫れ、最悪の場合には命にかかわる塞栓症の事例が数多く報告されている。そんなわけで、別にがっかりさせたいわけではないが、ジェームズの質問に対して、一部の安全活動家なら、最も危険な美容術は過去ではなく現在行われているものだと答えるかもしれない。とはいえ、本書は楽しく読んでもらうことを目指しているので、僕たちを取り巻く危険のことは取りあえず忘れて、歴史上のホラー話に身震いすることにしよう。

ジェームズが危険な美容術について尋ねたときにすぐに思い出したのは、18世紀の社交界の花、コベントリー伯爵夫人マリア・ガニングだ。彼女の伝説的な美しさは、その最大の魅力であると同時に、早死にの原因ともなった。アイルランドで生まれた彼女と妹の美人姉妹は、当時結婚相手として最も望まれた独身女性で、それぞれ伯爵と公爵と結婚してたちまち社交界の頂点に上り詰めた。しかし残念ながらマリアが愛用していた、当時ファッショナブルだった**「ヴェネツィアの鉛白」**として知られるおしろいは、醜い吹き出物を引き起こすもので、美貌の評判を失わないためには、さらに多くのおしろいでこれを覆い隠すしかなかった。つまり悪循環となってしまったのだ。その間に毒は彼女の血流に入り込み、鉛中毒になった彼女は、わずか27歳で命を落としている。

色白が美人の条件になったのは1700年代とされることが多いが、白い化粧はけっして目新しい現象ではない。古代ギリシアの女性たちも、**酢酸と合わせて腐食させた鉛**を加熱して粉にした鉛白白粉を使用していた。1600年代に使用されていた、同じくらい危険な別の化粧法では、**水銀にレモン汁、卵殻、白ワインを混ぜてつくった水銀白粉**が使われている。梅毒患者の男は治療法として恐ろしく太い注射器を使ってペニスに水銀を注射されたが、その結果彼らはさらに苦しんだだけだった。

僕もまた、最近になってギョッとするほどたるんでシワシワになってきた目元について、どうにかすべきかと思い悩んでいる。とはいえ、いくら大金を積まれても猛毒のベラドンナを摂取する気はない。19世紀には、瞳孔を拡大させて潤んだような目にしたければ、ベラドンナを点眼すればよいといわれていた。デッドリー《致死的な》ナイトシェードという物騒な名を持つベラドンナの副作用は非常に多岐にわたる。次に紹介するのは、1856年の医学書の1節だ。

……口と口峡の乾燥、喉の狭窄、嚥下困難、渇き、失明に至る視界の暗さ、瞳孔散大、……頭痛、顔面紅潮、聴覚過敏、不規則な筋肉収縮、幻覚や精神錯乱と、ときにこれに続く強い眠気、……場合によっては皮膚の発疹や尿路の炎症。下痢を伴う吐き気や鋭い痛みが起きることもある……〔ジョージ・ゴードン・ウッド博士の『治療学及び薬理学の論文あるいはマテリア・メディカ』第1巻、1856年より〕。

これほど危険ではないものの、間違いなくさらに恐ろしげな美容術は、**毛髪をまぶたに縫いつけた「つけまつげ」**だ。手術中の痛みを軽減する最良の方法は、目にコカインを塗りつけることだった。

19世紀の美容術に戻ると、当時の女性は顔色をよくするためにアンモニアを使うことが一般的だった。当時の美容ジャーナリストたちはこうした危険な製品の使用法や貯蔵法について、詳細かつそっけないアドバイスを残しているが、適切な下剤を使って体内から排出しなければ、「腐敗した毒物の山」のように体内に蓄積されるだろうと強調している。1870年の『ハーパーズ・バザー』誌が勧める理想的な溶液は、フランス産木炭と蜂蜜、それにお好みの下剤だ。このアドバイスが記された、とても役に立つ記事のタイトルは？「醜い女性のために」というものだ。ご親切にどうも！

ヒ素もヴィクトリア朝時代に人気があった。これまた生き生きした顔色、輝く目、それに豊かな胸をもたらしてくれると考えられていたのだ。多くの報告によれば、これはオーストリアのシュタイアーマルク地方で特に人気の美容術で、3世紀にわたり農民たちの間で利用されていたという。女性は頬を薔薇色に染めるのに使い、男性は消化促進とアルプス登山のために利用した。健康によさそう？　うーん、あまりそうでもないね。

ワシントン大学のジェームズ・ウォートン博士など現代の歴史学者によれば、ヒ素は緑色の壁紙をはじめとする非常に多くの製品に使用されたため、人々は気づかないまま家などの周辺環境からこれを吸収していたという。また1840年代以降、無味無色のヒ素を使った、妻による夫の殺害件数が増大したことを受けて、メディアがヒステリックに反応している。それでも人々は危険を顧みず、美容のためにヒ素を使いつづけたのだ。

人気が沸騰すると、雑誌『チェンバーズ・ジャーナル』〔産業革命の結果登場した、大衆をターゲットとした大部数の娯楽誌〕の1857年のある記事に、インマン教授という人物の言葉が掲載されたが、彼は次のように、できるだけ中立的でいようと慎重な発言をしている。

> 人間はごくわずかな分量のヒ素なら、特に深刻な副作用なしに摂取することができる。大人の場合、1日あたり10分の1グレーン〔1グレーンは約0・0648グラム〕を限度とする。10日か2週間、摂取を続けると……体に取り込める量は限界に達し、一定の症状が現れるが、そのなかには「顔の腫れと目の軽度の炎症」が含まれる。……この症状が現れたら、注意深い内科医なら必ず投与を中止する。なぜなら摂取を続けた場合、危険が伴うからだ。

これではヒ素の使用を支持しているように聞こえかねないと、インマン博士は危惧したのだろう。彼は次のような厳しい警告をつけ加えている。「最後に、シュタイアーマルクの療法を試みる者は誰でも、その旨を書面に残しておくことを強くおすすめする。万が一事故が起きた場合に、友人知人の誰かが誤って絞首刑にならないためである」。もちろんこの善良な医師はただ、新聞で目にした悪名高い一連の殺人事件に言及しただけだった。

ジェームズの質問に関して、**最後に有名な奇跡の薬品**、**ラジウム**を紹介したい。1898年にマリーとピエールのキュリー夫妻が発見した放射性物質のことだ。青く発光するラジウムを見て、人々はこれには奇跡的な治癒力があると考えたらしい。こうしてこれは奇跡の消費者製品となったのだ。

このラジウム・フィーバーは、「その頃はいい考えと思われていた」1例だが、その顛末は次の新聞の見出しに要約することができる。「ラジウム水に効果はあった、彼のあごが崩壊するまでは」。この衝撃的な見出しは、1932年に起きた、有名な実業家でゴルファーのエベン・バイヤーズの死去に関するものだ。バイヤーズは5年にわたってラディトールという奇跡の製品を飲みつづけた。蒸留水とラジウムからつくられたラディトールの危険極まりない効果が広く知られるまでに、40万本も売れている。

哀れなバイヤーズの骨は癌でぼろぼろになり、顎骨は外科医によって切除された。彼の死はすぐに訪れ、「陽光液」という楽しげな名で呼ばれたラディトールはこうして姿を消した。しかし奇妙なことに、1933年に発売されたトラディアという美容クリームの場合、ラジウム臭化物が含まれているとさかんに宣伝されていたにもかかわらず、その後も売れつづけた。要するに1915年から1935年まで、ラジウムはあらゆる病気に効果を発揮する万能薬と喧伝されていたのだ。ほかにも体に装着できる怪しげな装置がいろいろ登場した。たとえばラディオールという、1915年に登場したあごに装着するシワ取りストラップは、「皮膚に電力を送り込み、すぐにシワを消します」と謳っていた。

実はラジウムは非常に話題になったため、騙されやすい消費者の購買欲をかき立てようとさまざまな製品にその名がつけられたのだ。ラジウムの名を冠した口紅、アイクリーム、石鹸、チョコレート、ベビーパウダー、コンドーム、朝食用シリアル、シルクストッキング、それに香水が登場したが、実際にラジウムを含んでいたのはそのうちごくわずかだったはずだ。つまり厚かましい詐欺行為は、結局のところひそかに公衆衛生に大いに役立ったのだ。ようやく1925年になって初めて、ラジウムの危険が広く認識された。このときの被害者は、時計や文字盤にラジウム入りの蛍光塗料を塗装していた工場の女性たちだった。仕事の一環として、彼女たちは筆に湿り気を与えるためにこれを舐めていたので、口腔癌との因果関係は誰の目にも明らかだったのだ。奇跡的な万能薬であるはずのラジウムを摂取したことで寿命を縮めた被害者はまだまだ数多くいたはずだが、彼らがその原因を知ることはなかった。

というわけで、たしかに高価で危険な美容術は現在もたくさん存在するが、少なくともヒ素をがぶ飲みしたり、放射性物質や鉛白粉を体に塗りたくったりということはなくなった。ある意味、進歩したということじゃないか？

第8章

思想と技術

31

数学を発明したのは誰ですか？

アレックスより

なんてこった、困ったぞ！　これは実は数学界最大の問題の1つで、単に古代のどのオタクが最初に数学に取り組んだかという単純なことではない。数学は果たして人類が発明したものなのか、それとも重力のように人類によって発見された普遍的な法則なのかという、根本的に哲学的な問題なんだ。つまり、人間が自然界に押しつけた人工物なのか、それとも人間が発見した宇宙の基本構造なのか。どっちだと思う？

僕には自信を持って意見を言えるほどの数学的才能はない。幸いというか、これは最も才能豊かな数学的頭脳でさえ悩ませる難問だ。たとえば、僕とは逆にきわめて優秀な数学者であるロジャー・ペンローズ〔イギリスの数理物理学者、２０２０年ノーベル物理学賞受賞〕は、ブラックホールや時間の抽象的概念に関する、脳みそが溶けそうな数学理論についてスティーヴン・ホーキング〔１９４２〜２０１８、イギリスの理論物理学者〕と共同研究を行ったが、彼は明らかに、古代の大学者プラトンまでさかのぼるリアリズム哲学の長い伝統に従った「発見チーム」のメンバーだ。しかし反リアリズム陣営にも多くの優れた思想家がおり、彼らは、さまざまな自然界の法則を証明するには、人間が発明した数学的な証明を利用するよりほかなく、したがって数学は人為的な発明品だと主張する。

こんなわけで答えがわかっていないため、アレックスの質問に答えることはできない。そこで、代わりに数学的思考の初期の歴史について、簡単に紹介することで許してほしい。本書で何度も行ったように、ここでも石器時代から始めることにしよう。**なぜなら刻み目のついた先史時代の骨が数例発見されており、一部は3万5000年前までさかのぼるこれらの骨は、計算に使われていたかもしれないんだ。**

実際、1960年に（当時のベルギー領コンゴの）イシャンゴ遺跡で発見された、非常に興味深い2万年前の骨角器がある。その表面には刻み目が3列つけられているが、これは単に数を数える補助具以上の意味を持っていた可能性があるんだ。太陰暦のカレンダーだったとする研究者もいるが、より大胆な仮説によれば、これは当時の人々が掛け算を知っていた証拠だという。右列と左列の刻み目の合計はどちらも60になる。さらに興味深いのは、右列に示されている9＋19＋21＋11で、これは10を特別視した十進法が存在した証拠かもしれない（すべての数が、10プラスマイナス1だ）。左列は19＋17＋13＋11、つまり10と20の間の素数が降順に並んでいる。最後に中列は、ある数とその倍数から構成されている（5、5、10）、（8、4）、（6、3）。誰が、なぜこの骨角器をつくったのかは不明だが、この洞窟に住んでいた人々は、紛れもない数学的処理を行っていたのかもしれない。

僕たちの祖先が都市に定住しはじめると、誰が何を所有しているか計測し、記録する必要があることに彼らはすぐ気づいた。その目的は在庫調査や売り買い、課税、そして――おそらく――隣人に見せびらかすためだっただろう。一方、長さは多くの場合、人間の体にもとづいて計測された。これなら読み書きのできない庶民でも使いこなせたからだ。古代エジプトの長さの単位にはディジット（指幅）、パーム（掌幅）、ハンド（指を含めた手の長さ）、キュービット（肘から中指先端までの腕尺）があった。1パームは4ディジット、1ハンドは5ディジット、小スパンは12ディジット、大スパンは14ディジット、小キュービットは24ディジット、そしてロイヤル・キュービットは28ディジットだった（スパンは手を広げたときの親指と小指の先の距離。ロイヤル・キュービットは王の腕の長さにもとづいて定められた）。

エジプト人は本当に数学を楽しんだようだ。十進法を採用していた彼らは10、100、1000、1万、10万、100万に相当するヒエログリフを持ち、征服した敵から奪った戦利品の合計を計算したり、または単に戦いで殺した敵の数を数えたい場合にこれを使用した（効果が立証済みの方法は、死体からペニスか手を切り取り、これを積み上げて数えることだった）。

残念ながら僕の知るかぎり、数学に関する古代パピルス文書はこれまでにエジプト学者によってごくわずかしか発見されていない。しかし紀元前1550年頃に書かれたとされる「リンド・パピルス」には、新米書記が解くべき数学の問題84問が記されている。そのうちの1つは、GCSE（中等教育修了一般資格）（イギリスの国家試験で、義務教育を修了する16歳頃に受験する）に出題されてもおかしくなさそうだ。

「7軒の家に7匹の猫がいる。猫はそれぞれ7匹のネズミを捕る。ネズミはそれぞれ麦の穂を

７本かじる。それぞれの穂は、小麦７ヘカトを産出する。合計を求めよ」。このパピルスはまた、現在円周率（π）と呼ぶものの一種を扱っている最古の文書だ。

直径９ケトのまるい畑の例。その面積を求めよ。直径の９分の１、つまり１をひく。残りは８である。８を８倍する。64になる。したがって面積は64セタトである〔ここで円の面積は、直径の９分の８の二乗として計算されている。円周率を用いた現在の方法で計算すると、63・585となる。なお１セタトは１平方ケトのこと〕。

円周率は、少なくとも３６００年前のバビロニアの円盤文書にも登場するようだ。そこに刻まれているのは円、それに楔形文字で３、９、45という数字だ。45は面積で、円周は３、３の二乗は９――ということは、ここに表現されているのは円周率なのだろうか？　近代的な数学的思考を示していると考えられる古代メソポタミアの粘土板は、これまでに数千点発見されている。「プリンプトン３２２」として知られる粘土板は、性格を見極めるのがむずかしく、研究者の間でも解釈がわかれているが、どうやら青銅器時代の三角法〔直角三角形の辺の比によって決まる三角比を用いて、図形に関する計算をする方法〕と、ピタゴラス数〔$x^2+y^2=z^2$を満たす３つの整数x、y、zの組のこと〕と一般によばれるものが記述されているようだ。

古代メソポタミア人と古代エジプト人は明らかにどちらも洗練された人々だったが、それでも彼らはすべての事柄に関して意見の一致を見ていたわけではなかった。エジプト人と違い、青銅器時代の（現在のイラクに居住していた）シュメール人は、十二進法を好んでいた。１、２、

3、4、6、12で割り切れる12は、10よりも扱いやすい。約4000年前にシュメール・アッカド帝国が崩壊すると、バビロニアが勃興した。彼らが開発したエレガントな計算システムである位取り記数法〔位が変わるごとに別の数字を使うのではなく、数字の並ぶ位置によって位を示す記数法〕は、六十進法を基本としつつ、十進法の要素も取り入れていた。

ひどくわかりづらいと思われるかもしれないので、少し説明しよう。たとえば3724のような大きな数字を書くとき、位取りが大きな意味を持つ。つまり3は1000の位、7は100の位、2は10の位、4は1の位にある。左右に広がるうちのどの位に数字があるかに注意すれば、このシステムを解読することができる。バビロニア人も似たようなシステムを使っていた。

もちろん、記号を10個、覚える必要があった――1から9までの数字と、なにかと役に立つ0を。しかしバビロニア・システムのよいところは、60まで数える場合、1と10を示す記号だけ覚えておけばよかったということだ。1を表す記号は、棒の上の上下逆さまの三角形をしていた。10は、左に倒れた大文字のAみたいな形をしていた。34という数字を書くのは簡単だった。10の記号が3つ並び、その横には、1を表す記号が4つ固まっている。のちのローマ数字の原理とあまり変わらない。この原則が定着すると、まだゼロの原理が知られていなかったにもかかわらず、バビロニア人はこれを利用して複雑な計算を行い、また掛け算で大きな数字を出すこともできた。

複雑な数学理論の大きな進歩には、古代ギリシア人の貢献が大きかったと考えられることが多い。もちろんギリシアには優秀なアルキメデス、三角を操る有名人ピタゴラス、幾何学の魔術師エウクレイデス、思索するプラトン、矛盾の王ゼノン、原子オタクのデモクリトス、さらにはそれほど有名ではないキオスのヒポクラテス、エウドクソス、キュレネのテオドルス、テアイテトス、アルキタスがいた。英語で数学を意味するmathematicsでさえ、おおよそ「学んだもの」を意味するギリシア語からきている。僕はとりわけ、竪琴に張った弦の強さを比較することを通して、音楽的な調和についての数学的説明を行ったピタゴラスに感謝している。彼がいなかったら、現代の音楽シーンはずいぶん貧しいものになっていただろう。

しかしギリシアの文化的な優越性ははっきりしていたものの、ほかの場所でも多くの重要な研究が行われた。約1500年前、ゼロの概念がインドから世界へ広まった。この概念は不在を示すのに必要だが、位取り記数法にも欠かせなかった。ゼロがなければ、「18、19、2……えっと、どうしよう！」となってしまう。バビロニアにゼロの原型のようなものが存在し、またメキシコのマヤ文明も別個にこれを発明した形跡がある。しかしこの概念が世界に広まるきっかけとなったのは、インドだった。インドはまた紀元600年に、優秀な数学者ブラフマグプタも生み出している。彼は二次方程式、平方根のアルゴリズム、そして負の値の概念にも分け入っている。ゼロ割るゼロはゼロと考えたのは誤っていた（実際には数学的に定義されていない）が、少なくともこの問題に挑戦する勇気は持っていた。偉いぞ！

南アジアの智恵は、700年代半ばに黄金時代を迎えたイスラム世界という知的フィルターを通して西側世界へ伝わった。その結果、1200年代初頭にインド数字〔算用数字のこと〕がようやくヨーロッパ南部に伝わり、そしてイタリアの偉大な数学者フィボナッチをはじめとする当時の重要な思想家たちがこれを広めると、これはイスラム世界で発明されたものだと、多くのヨーロッパ人が信じた。「アラビア数字」という名称はここからきている。もちろん、アラブ世界の知識人たちもすばらしい数学的思索を行っている。最も名高いのはおそらくアル＝フワーリズミー（9世紀前半）だろう。彼のペルシア語名は「アルゴリズム」の語源となり、また大きな影響力を持ったその著作『約分と消約の書（アルジャブル）』から「algebra（幾何学）」という語が生まれたのだ。彼はブラフマグプタの著作や複数のギリシア語文献をアラビア語に翻訳した。その著作でインドの学者の功績を認めているにもかかわらず、このことは忘れ去られ、インド数字は彼の考案したものとされたのだ。

そんなわけで数学の物語は、壮大な哲学論争のどちらに肩入れするかによって、絶え間ない発見とも絶え間ない発明ともいうことができる。それにしても、人類が石器時代からこのかたずっと数学にかかわってきたというのは、なんだかカッコいい。つまり、**この宇宙そのもののほど古くはないとしても、数学がとても古いものだということは間違いない……僕はそれで満足だ。**

32

鏡はいつ発明されたんですか？　それ以前の人は、自分がどんな顔かたちをしているか知っていましたか？

ジュリエットより

ジュリエット、君はナルキッソスの物語を聞いたことがあるかもしれない。この自意識過剰の若者は非常に美しい容姿を持っていたため、泉の水面《みなも》に映った自分の顔をいつまでも見つめつづけないではいられなかった。ナルキッソスに言及する者は多くの場合、彼は非常にうぬぼれが強く、その自己愛は自ら招いたことだと言う。実は古代の物語にはさまざまなバージョンがあり、そのどれも、彼を直接非難してはいない。最も有名な物語では、彼は森の精霊エコーの愛を拒んだため、女神ネメシスに呪われる。ネメシスは彼を静かな泉におびき寄せ、自らの姿に恋に落ちるように仕向けたため、ナルキッソスはやせ衰えて（餓死したんじゃないか？）、水仙（ナルシス）に姿を変えるのだ。

別の説によれば、彼は絶望のあまり自殺したという。あるいは水面に映った自分の姿に口づけしようとして泉に落ち、溺死したとも。またパウサニアスという古代の地理学者によると、ナルキッソスは双子の妹の死を悲しみ、水面に映った自らの顔を見た時だけ、彼女の顔を思い出すことができたという。とにかくここで重要なのは、鏡が発明される以前、ナルキッソスの神話からわかるように人々は水たまりや泉を利用していた。つまり**人類の誕生以来、僕たちは自らの外見を確認しつづけてきた**ということだ。

それだけじゃない。古代の人々はたぶん水面以外にも、いくつかの物を反射面として使用していたと考えられている。高名な考古学者であるスタンフォード大学教授のイアン・ホッダーは、約9000年前に建設された、トルコの石器時代の遺跡チャタル・ヒュユクで30年にわたり発掘調査を行ってきた。彼のチームが発見した墓の副葬品には、火山性の黒曜石を磨いてつくられた鏡が数点含まれていた。鏡の片面は光沢が出るまで磨かれ、反対側には白石灰が塗られていた。これらの鏡は約8000年前までさかのぼる――町で暮らすとはすなわち、身だしなみに気をつけなければならないということだったのかもしれない。これと同時に重要なのは、主に女性の墓から発見されているということだ。石器時代後期の社会では、鏡は主に女性と結びついていたのかもしれない。

ほかにも考古学者たちはエジプトと中国の両方で、5000年前、つまり人類が金属を使用しはじめた青銅器時代初期の磨かれた銅鏡を発見した。そして3400年ほど前の盛期青銅器時代になると、ほかでもないツタンカーメン王の墓から、華麗に装飾された鏡箱が発見されている。残念ながら鏡のほうはあまりに見事な出来ばえだったため、ハワード・カーターが王墓を発見する数千年前に墓泥棒たちに奪われてしまった。

これらはすべて、数千年前に鏡が存在したことの考古学的証拠といえるが、これとは別に、その使い方に関する美術史的な証拠もある。悪名高いトリノのエロティック・パピルス――3200年ほど前に制作された、非常に性的な内容のパピルス――のワンシーンでは、女性が鏡を持ち、長いブラシを使って化粧している。君のまわりを幼い子がウロウロしているかもしれないので、この目をむくような画像のほかの部分で何が起きているのか、ここでは説明しないでおく。興味があるなら、子どもたちを寝かしつけたあとでググってみてほしい。くれぐれも職場で開かないように。

金属製の鏡は、古代地中海世界のエトルリア人（イタリア）とミケーネ人（クレタ）がその後も使いつづけた。それぞれその後、ローマ人とギリシア人に取って代わられている。こうした鏡の多くは銅、青銅、金、鉄鉱石、銀などでつくられ、多くは長さわずか数インチで持ち手がついていた。鏡面は平らではなく、現代のひげ剃り用の鏡のように曲面になっていた。顔全体を小さく映し出す凸面のものもあれば、近くからアップで見るための凹面のものもあり、こちらは化粧するときに拡大された細部を見ることができた。

びっくりハウスで見られるような、僕たちの体をヘンな形にねじ曲げて見せる愉快な鏡が当時存在した証拠は、残念ながら、ない。それでも小さなものが異様に大きく映るように細工された鏡を好んだローマ人は、たしかに存在した。ローマの哲学者セネカは『自然研究』〔東海大学出版会、1993年〕でホスティウス・クアドラという男について述べているが、この男の愛用する金属鏡に映すと、指は腕よりも太く見えたという。そしてこれは別に夕食会の愉快ないたずら用ではなく、気色悪い性的おもちゃだったのだ。あ、ごめん、ここも子どもたちを寝かしつけたあとのほうがよさそうだ! そう、ホスティウスは明らかにセックスマニアだったらしく、この金属鏡で自身の性器のサイズを大きく映したり、快楽を貪る自身の様子を眺めたりするのを好んだ。セネカも皇帝アウグストゥスも、彼を嫌悪していたらしい。ホスティウスがあまりに好色な嫌な奴だとして所有する奴隷たちに殺されたとき、当然の報いだと考えたアウグストゥスは殺害者たちを罰しなかった。

磨かれた鏡はもちろん高価なものだったが、古代世界では割に広く使われていたらしい。また安全対策にも利用したようだ。被害妄想狂だったローマ皇帝ドミティアヌスは、宮殿の壁を *phengite*(おそらく白雲母のこと)と呼ばれた輝く反射鏡で覆わせ、誰かが短剣を手に忍び込んできてもすぐに気づけるようにした。実際に暗殺者を捕らえる機会があったのかは知らないが。

質問にはもう答えたかもしれないけど、ジュリエット、たぶん君は今、ガラスの鏡がいつ登場したのだろうと考えているんじゃないかな? 英語のミラー(mirror)の語源であるラテン語の *mirari* は「見つめる」「鑑賞する」を意味する。したがって厳密にいえば、鏡はガラス製である必要はなく、表面に何らかの像が見えさえすればいいのだ。とはいえ、僕たちは普通、鏡はガラス製だと考えており、またガラスが割れる音とその劇的効果、そしてその結果凶事が起きるという言い伝えには、どこかわくわくさせられるものがある。

ここでちょっと寄り道をして、ベルギーの発明家にして音楽家のジョン＝ジョセフ・マーリンを紹介したい。独創性に富んだ彼はさまざまな機械じかけの装置、時計、楽器、そして――この物語にとって最も重要な――ローラースケートを発明した。彼はまた、カリスマ的な興行師でもあった。1760年代か1770年代のいつか（この物語の原典は1805年に印刷されたので、正確にいつの出来事だったのか、はっきりしない）、有名なオペラ歌手テレサ・コーンリスの住むロンドンのカーライル・ハウスで彼は娯楽を提供することになった。こうした催しはいつでも、高名な客を多く集めた華やかな場であり、マーリンは社交界の人々の注目を集めようと、発明したばかりのローラースケートを履いて滑りながらバイオリンを演奏することにした。しかし不幸なことに、彼はブレーキを発明するのを忘れていた。その結果マーリンは当然ながらコントロールを失い、ホール背後の大きく高価な鏡に激突して鏡を粉々に割り、バイオリンを破壊して、自身も重傷を負った。

鏡が割れるとこうなるわけだが、そもそもどうやってガラスは像を反射する鏡になったのかにここで注目してみよう。人類は少なくとも5400年前からガラスを使用しているが、これが鏡に利用されるようになったのは1世紀からだった。現在のレバノンのガラス職人が鏡を制作していたと、有名な博物学者の大プリニウスが書き残している。実は初期のガラスはざらざらして不透明で、そのうえ青みがかっていた。そのため長い間、磨いた金属のほうが鏡として好まれていた。しかし1400年代に大きな技術革新が起きた。ヨーロッパの職人が、光を反射する、平らでひび割れのないガラス板を生産する方法を編み出し、これに錫と水銀の合金（錫アマルガム）を付着させたのだ。

最も名高いガラスは、ヴェネツィアのムラノ島で生産されたものだった。ヴェネツィア当局は、その生産技術が外国に漏洩しないように細心の注意を払った。ガラス職人には減税、報奨金、貴族の娘と結婚するチャンス、そして終身雇用が約束された。しかしもし彼らが逃亡しようとしたら、家族とともに逮捕されて反逆罪に問われるか、あるいは脱出に成功した場合はどこまでも追われて殺害されたという。

もちろんガラス製造技術の最も華やかな実例は、ルイ14世のヴェルサイユ宮殿、そして1678年から1684年にかけて建設された、長さ73メートルの豪華な鏡の間だろう。王はフランス人の職人団を雇用する意志を固めていたが、明らかに彼の建築家は、最高の仕上がりを実現するためにヴェネツィア職人をこっそり連れてきたらしい。君がヴェルサイユ宮殿を見学したことがあるなら、なぜこれが非常に賢明な判断だったのか理解できるだろう。幸いなことに、誰もジョン＝ジョセフ・マーリンを招いてパフォーマンスをやらせようとはしなかった。さもなければ大惨事になったに違いない！

33

月やほかの惑星に実際に行こうと最初に考えたのは誰ですか？

ダンより

人類の進化以来ずっと、月は毎晩僕たちと「いないいないばあ」を繰り返してきた。月はまた青銅器時代初期にはすでに、各地の文明が世界観を構築し、時間を管理するうえで重要な役割を果たしている。エジプト人、バビロニア人、中国人は皆、夜は月を見つめ、昼は目を細めて太陽を観測した。しかしダンのとてもおもしろい質問に対する僕の答えは微妙にずれているかもしれない。というのも、月旅行について（僕たちが知っているかぎり）初めて考えた人間は、これを真剣な科学的仮説としてではなく、風刺的な空想文学としてとらえていたからだ。

紀元2世紀のローマ帝国の、現在トルコとして知られる地域に、人を食ったユーモアが得意な、優れた作家・弁論家がいた。サモサタのルキアノスというこの男は風刺作家で、代表作ではほかの古典作品に登場するさまざまな冒険物語をおちょくり倒している。皮肉なことに『本当の話』〔ちくま文庫、1989年〕という題名のこの最も有名な作品のあらすじは荒唐無稽だ。主人公はアトランティスを目指して海に乗り出したはずが、強いつむじ風で月に巻き上げられてしまうのだ。

月世界に到着してみると、月の王はエンディミオンという人間で、明けの明星の支配を巡って太陽の王と激しい戦いを繰り広げている。巨大蟻、犬頭軍団、それに野菜を振り回す奇怪な兵士たちを率いる太陽王が戦いに勝利し、平和が宣言される。それからルキアノスは地球に戻るが、そこでとてつもなく大きなクジラに呑み込まれてしまう（そんなの絶対に嫌だと思わない？）。クジラの腹のなかには好戦的な魚人集団が住みついていて、ルキアノスは戦いで彼らに勝利する。

彼はクジラの腹から脱出し、ミルクの島、チーズの島、そしてギリシアの神話や歴史に登場する英雄たちのひしめく島に到着する。この最後の島では、何人か――ヘロドトスなど――が、歴史書に偽りを書いたために永遠に罰を受けている。ルキアノスと仲間たちはさらなる冒険を目指して漕ぎ出していく。最後には、さらに馬鹿馬鹿しいほら話満載の、さらに荒唐無稽な物語が続くことが約束されている。

チーズの島だの巨大クジラの腹のなかに住む魚人集団だのに気を取られたかもしれないが、話を月旅行に戻そう。完全な空想小説とはいえ、ルキアノスは月がどんな場所か、そしてそこには誰が住んでいるか（セレナイトと呼ばれる禿頭《とくとう》でひげを伸ばした人間そっくりの生物で、その主食は――当然！――カエルのローストだ）、ある程度の描写を行っている。ルキアノスの奇想天外な物語は最初のＳＦ小説と呼ばれることが多い。とはいえ『本当の話』は、月に関する仮説構築などではまったくなかった。彼が目指したのは、ほかの作家の空想力を風刺することだったのだ。ルキアノスは、月には本当に頭を３つ持つ巨大鷲を乗り回す戦士たちがいると考えていたわけではない。

したがってダン、君の質問への回答として、ルキアノスは失格かもしれない。また『月の球面に見られる表面について』を書いたギリシア人の文筆家で歴史家のプルタルコスについても、同じことが言えるだろう。この文書は、月に生命が存在するかどうかについての活発な対話で、月への行き方を知っていると主張する住民の住む島を訪ねた１人の英雄にも言及している。ただし実際に月に行く方法は書かれていない。

次に有名な天文学者ヨハネス・ケプラーを取り上げたい。地球の公転軌道が楕円であることをつきとめたケプラーは、１６０８年に『ケプラーの夢』〔講談社学術文庫、１９８５年〕という小説を執筆した。そのなかで、アイスランド人の少年とその魔女の母親が、精霊の助けを得て月に行けることを発見する。精霊は極寒のエーテル（空間に浮かぶ空気よりも軽い粒子とされていた）から彼らを保護し、呼吸できるように鼻に海綿を詰めさせ、そしてわずか４時間で２人を月に連れて行くのだ。

不気味な宇宙旅行を題材とした『ケプラーの夢』には、月面から見える地球の姿、そして日食や月食がどう見えるかについての非常に興味深い仮説が登場する。まだ空想的なところはあるものの、これを執筆したのは、コペルニクスの地動説の影響を受けた優秀な天文学者だった。

ケプラーはさらに、宇宙旅行は非常に危険であり、軽量の人間だけに可能で、有害な太陽光線にさらされないように発射のタイミングを見極めなければならないとしている。さらに人間を月に送り込むために加速する際には、肉体にかかる物理的な負荷に耐えられるように、大量のアヘンを投与する必要があるという。400年も前に執筆されたにしては入念な確認リストだ。月着陸は可能だと宣言したのは、おそらくケプラーが初めてだった。

しかし、しつこいようだが、精霊の助けを得るというケプラーの案は、宇宙旅行をどう実現するかという問題の答えにはならない。同じことがイギリスの司教フランシス・ゴドウィンについても言える。彼の死後、1638年に刊行された作品『月の男』〔岩波書店、1998年〕には、白鳥に引かれた橇《そり》を利用した、12日間の月旅行について述べられている。

そんなわけで、月旅行に関して、神話や怪物満載の詩ではなくノンフィクションを初めて執筆した人間を探すと、17世紀の自然哲学者ジョン・ウィルキンズが浮かび上がってくる。

オックスフォード大学で教育を受けた聖職者のウィルキンズは1638年に『月世界の発見、または月には別の居住可能な世界が存在する（かもしれない）ことの論証』というかっこいいタイトルの著作を発表している。彼は月にも地球のように陸と海と季節が存在し、月の住民（ルキアノスと同じく彼もセレナイトと名づけた）がいるに違いないと考えた。これは異端思想とみなされる危険があったため、彼はセレナイトが果たしてアダムとエバの子孫なのか、また神が彼らをどうやって創造したのかわからないが、いつの日か人類が実際に解明することを願っている、という愉快なただし書きをつけている。さらに彼は、人類がどうやって月に行けるかは見当もつかないが、未来の世代が何らかの方法を見つけ、やがて月にコロニーを建設するだろうとも述べている。それもそうだ。

2年後に発表された著作で、ウィルキンズはさらに構想をふくらませた。この時点ではアイザック・ニュートンはまだ重力の法則を発見していなかったので、ウィルキンズはウィリアム・ギルバートの磁気論を参照している。1600年に刊行されたギルバートの著作『磁石論』では、地球は磁力を持つため、地面を離れようとするものは何であれ引き戻されると述べられている。ウィルキンズは三角法で計算を行った結果、雲は地上から約20マイル〔約32キロメートル〕の高さに浮いていて、それより上まで達した乗り物なら、引き戻されることなく浮いていられると結論づけた。公平を期して言えば、現代のロケットは、高度62マイル〔約100キロメートル〕にあるいわゆるカーマン・ラインを通過すると宇宙空間に達するとされている。したがってウィルキンズは大きく外れていたわけではない。わずか42マイル〔約67キロメートル〕の差だった。

しかし次の部分はあまりうまくなかったようだ。彼は、太陽に近い宇宙空間は温暖なはずで、地球の山々が寒いのは、太陽より以前につくられたと聖書の『創世記』に記されている雲に覆われているからだと主張した。つまり天地創造において寒さは熱に先行したが、宇宙は快適な温度に保たれているとしたのだ。また、「天使たちが呼吸している」宇宙の清浄な空気は、人類にとてもよいと考えた。さらに宇宙旅行中には食事は必要ないとした。地上で感じる空腹感は、僕たちの胃袋を引っ張るわずらわしい磁力によるものなので、宇宙空間にいる者は誰でも、腹がゴロゴロ鳴るようなことはないと主張したのだ。そして月には住民がいるのだから、そこに食べ物が存在するはずだとした。

発射装置に関してだが、ウィルキンズは火薬の時代に生きていた。彼の著作が発表される5年前には、オスマン・トルコ帝国の発明家ラガリ・ハサン・チェレビが、スルタンの娘の誕生祝いの一環としてロケットに乗って空に放たれたという。奇跡的に彼はボスフォラス海峡に無事に着水した。しかしウィルキンズは宇宙への「乗り物」の動力として、別に爆発性の燃料を考えていたわけではなかった。彼は巨大な人工翼に取り付けられたぜんまいじかけのバネと歯車の機械装置を提案している。これに失敗すると、訓練された白鳥の一群に切り替えた――17世紀の著作家たちは、なぜみんな水鳥にこだわっているんだ？

月旅行に関する著作を残したのは、ウィルキンズが最初ではなかった。しかし彼は宇宙飛行に伴う物理学上の問題に正面から取り組んでいる。なにより驚くべきは、彼が生きていたのは信仰と科学が対立した時代だったとよく言われるにもかかわらず（ローマ教皇によるガリレオの迫害は有名な話だ）、ウィルキンズがそうした文化的衝突をまったく経験していないことだ。同時代の多くの人と同じく、彼はイギリス国教会の信心深い聖職者［彼は清教徒革命期の護国卿オリバー・クロムウェルの妹ロビナと結婚し、護国卿の義弟となった］であると同時に、実験を重んじる理性の人でもあった。実際、1660年代の初めにウィルキンズは、数学の天才アイザック・ニュートンの拠点となる有名な王立協会の初会合の議長を務め、その10年後には司教に就任している。科学と宗教は彼の場合、手を取り合って歩んでいたのだ。ニール・アームストロングが白鳥の群れによって月に運ばれるには神の奇跡が必要だっただろうから、たぶんこれでよかったのだろう……。

34

最も初期の石器時代の道具は人間がつくったもので、ただの自然石ではないと、どうやってわかるんですか？

ダニエルより

この本でうれしいのは、かつて僕自身も疑問に思った点について、時々質問を受けることだ。僕が歴史と考古学の学生だった遠い昔、フリントの小片を見つめながら、それが先史時代のハンドアックスなのか、それとも自然石なのかまったく判断できなかったことを、今でもはっきり覚えている。白状すると、それは自然石だった。ちゃんと判断できなかった自分がまったくの愚か者に思えたものだ。

もちろん意見が割れる例はいつだってあるだろう。それでも考古学者たちは何年もかけて、どれが石器時代の道具か判断するための役に立つ方法を編み出してきた。とはいえ、こ

こで早速注意しておきたいことがある。道具を使いこなすのは人類だけで、それこそが人類が特別な存在である証だと、かつては考えられてきた。しかしよくよく観察すると、チンパンジー、類人猿、鳥、タコを含む多くの動物種も、実は道具を使っていることが明らかになってきた。チンパンジーなどの類人猿が岩で木の実を何度も叩いて潰す様子が観察されている。ということは、初期の人類の祖先もまた「大きな石で叩き潰す」アプローチを取っていた可能性が高い。したがって「石器と自然石の違いはどうやってわかるの？」というダニエルの質問に対して、見分けられない場合もある、両者は同じものだから、と認めなければならない。

ここで考古学者がフリントナッピングと呼ぶ、道具制作の1つの特殊な方法を取り上げたい。1964年にタンザニアで、メアリーとルイスのリーキー夫妻がとても興味深い発見をした（彼らの息子リチャード、その妻のミーヴと2人の娘のルイーズも皆、国際的に名高い石器時代のアフリカの専門家だ。つまりリーキー家は科学界の名門王朝なのだ）。発見されたのは230万年以上前の新種の人間の骨で、（文字どおり「器用な人」を意味する）「ホモ・ハビリス」と名づけられた。人工的に制作された道具や、狩りで捕らえた動物の残骸が同じ堆積層から発見されたからだ。その後、道具の使用は330万年前までさかのぼることが明らかになったが、しかしこれらの遺物が果たして、進取の気性に富む人間が拾った自然石なのか、それとも特定の作業に使うために人工的につくられた道具なのか、議論が続いている。

石器時代の道具制作は、（タンザニアのオルドヴァイ峡谷から名づけられた）オルドワン石器から始まる。これはフリントの石核に強い打撃を加えるための比較的単純な石槌や、その結果はぎ取られた鋭利な剥片だ。今から175万年前（プラスマイナス数十万年）までに、初期人類の石器のラインナップにはアシュール文化のハンドアックスが加わっていた。こちらは卵形または梨形の多目的道具で、動物の皮を剥いだり、木を切ったり、土を掘ったり、いろいろなものを打ったりするのに使われた。それぞれの実例を見せれば、どんなふうに注意深く打ち砕いて特徴的な形に整えられたのか、理解できると思う。

アップル社のiPhoneシリーズと同じように、石器自体は大きく変化しなかったものの、そのデザインは時とともに洗練されていった。次に技術的飛躍が起きたのは中期旧石器時代で、約35万年前までに新しい石器は初期のホモ・サピエンスとネアンデルタール人に使用されていた。これはそれ以前の石器と比べてはるかに制作の手間がかかるもので、人類の頭脳が順調に発達していたことを示している。以前のように、単に使えそうなフリント片を打ち欠いて鋭利にする代わりに、ラグビーボールほどもある大きな石や動物の頭蓋骨を用い、その端や上面を石槌で注意深く整形して石核をつくった。次に正しい角度をつけて一方の端に石槌を強く打ちおろすと、上面から期待どおりの形の大きな剥片が取れる。重要なのは、石核から取れた剥片はすぐに使用可能であり、また石核は持ち運びができ、いつでも簡単に鋭利な剥片が取れたことだった。

どうやってこんなことがわかったんだろう、と思うだろうね？　実は1600年代以前は、地中から発見された加工済みのフリントは、超自然的な物体と考えられてエルフストーンと呼ばれていた。また、これも重要なことだが、当時、世界の歴史は６０００年しかさかのぼらないと考えられていた。しかし１８００年代の初めになると、地質学、恐竜・古生物学、進化論の各分野における重要な発見や、１８５６年のネアンデルタール人の骨の発見のおかげで、研究者たちはようやく、石器時代の存在を意識するようになったんだ。それ以降、研究は急速に進展した。またフリントナッピングに関しては、実験考古学の長い伝統が存在する。

石器づくりに挑戦したければ、やり方を紹介するユーチューブ動画がいくつかある。ただし、制作した石刃を武器として使わないでほしい。当局とトラブルになりたくないからね。それから野原の真ん中には絶対に放置しないように。どこかの哀れな考古学者がこれを石器時代の遺物だと勘違いしたら、そこはあっという間にシャベルを振り回す熱心な専門家だらけになってしまうだろう。19世紀半ばには、ハンドアックスの偽物が大問題になっていた。当時、新たに発見された古代遺物への関心が高まり、エドワード・シンプソンという詐欺師が何年もかけて遺物を偽造して博物館やコレクターに売りつけたんだ。おもしろいことにシンプソンはいろいろな名前で知られている。フリント・ジャック、化石《フォッシル》のウィリー、古物蒐集家《オールド・アンティクアリアン》、コックニー・ビル、ボーンズ、それにシャツなし《シャートレス》。どれもうまいネーミングだ。ただ、おそらく現在でもどこかにシンプソンの偽造品が展示されているというのは、笑いごとではない。

これはまた、石器の制作年代を決定するうえでも大きな問題である。石そのものが地質学的にきわめて古いため、フリントナッピングがいつ行われたか明らかにするのは困難な場合が多い。そこで考古学者は石器の年代を決定するために、層位学的研究（相対的にどれくらい深い場所で発見されたか）を行ったり、ときには石器の鋭利な端に付着した血液、骨、毛皮、食物、鉱物染料などの痕跡を分析したりする。母なる自然が、まるで人の手が加わったように見えるフリントをつくり出すこともある。たとえば激流が石を砕いた場合のように。それでも専門家の目が欺かれることはめったにない。人によって加工された石器には、当時の技術が忍耐強く几帳面に行使された証拠である、規則的な打撃痕が認められるからだ。

これから野原に散歩に出かけようと思い立った君のために、大昔の石器を見つけてもあわてないように、ここに注意点を書き留めておく。

1. 打面：これは剥片の上面で、ハンマーの打撃によってフリントの石核から剥がれた部分だ。ときにはごく小さな円がはっきり見える場合もあり、打点と呼ばれる。
2. 打瘤痕（バルブ）：剥片の内側（腹面という）に、奇妙な盛り上がりが見える場合がある。打撃の運動エネルギーがフリントに伝わった地点で、目に見える爆発のようになっている。
3. リング（貝殻状裂痕）とフィッシャー（放射状裂痕）：リングは打撃で引き起こされた目に見える波紋のようなもので、打面から放射状に広がっている。触れてみると指先に感じるだろう。フィッシャーは、同じく腹面にある細かい線で、打面から発している。

4. バルバースカー：打瘤痕の横、これまた腹面に、小さな剥離面のようなものが見える場合がある。打撃の衝撃で、打瘤痕に加えてこのバルバースカーも形成される。バルバースカーがあれば、この石器は確実に人工物である。
5. セレーション（波刃）：剥片の端に細かい調整を加えて、ステーキナイフのようなギザギザの刃にしている場合がある。
6. フレイクスカー（剥離痕）：剥片の外側（背面という）は、自然な凹凸を残したままか、あるいは以前の剥離の痕跡が残っている場合がある。

剥片石器だけでなく、そのもとになった石核も見つかるかもしれない。これを見分けるのはそれほど簡単ではないが、上記に挙げた特徴のネガというべき剥離痕がいくつも残っているのがわかるかもしれない。ただし混乱させられることに古代人は時々、石核を道具に加工することもあったので、それも覚えておこう。

ダン、これで君の質問の答えになっただろうか？ 僕がその昔、質問をして、そして今は回答しているように、君もこの伝統を受け継いで考古学の教科書を書くというのはどうだろう？

第9章

国家と帝国

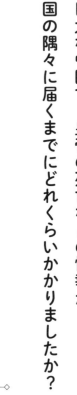

35

巨大な中国で、皇帝の死亡などの情報が国の隅々に届くまでにどれくらいかかりましたか？

匿名より

おお、やっと古代のロジスティクスというセクシーな歴史談義ができる。やった！　この分野にはとても関心があるんだ。たぶんこれは、ツイッターや、即日配送を約束するアマゾン・プライムの時代に生きていて、希望すればすぐに欲しい物が配送されたりするのに慣れてしまっているからだろう。だが電信技術が発明される前の通信術は、工夫に富んでいたと同時に単純で、いくら規模が大きくなろうとそれは変わらなかった。

ここでただし書きをつけるべきかもしれない。中国以上に大きな場所はあまりない。中国史のどの時代に注目するかで、状況は変わってくるからだ。初代皇帝の始皇帝が紀元前230年から221年にかけて容赦なく統一戦争を進めた古代の秦王朝は、約90万平方マイル〔約233万平方キロメートル〕を支配していた。だがこれも、

150万平方マイル〔約388万平方キロメートル〕を支配していたローマ帝国や、中国の倍の広さを誇っていたペルシアに比べたらささやかなものだった。それでも中国が巨大であることに変わりはないので、古代の人々がこの距離をどう支配していたのか、見ていこう。

青銅器時代までさかのぼる、初期の通信技術は、狼煙《のろし》を上げるというものだった。ある場所で狼煙が上げられると、これに気づいた、遠く離れた場所にある次の「通信局」の番人が狼煙を上げ、次々に伝えていくリレー方式で情報を伝達したのだ。なかなかうまくできている。問題は、「救援求む！」「敵襲確認！」、「皇帝崩御！」「テスト中、本日は晴天なり」のどれであれ、伝えるべき情報の内容をあらかじめ決めておかなければならなかったことだ。狼煙は細かい情報の伝達にはまったく適していない。これは実際に火を利用した火災警報にほかならず、それが意味するのはわずか1つの事実でしかない。

また、いたずらや事故に対する脆弱性の問題があった。紀元前8世紀の中国で起きたという、次のような真偽不明の事件が伝えられている。幽王が、集まった大軍を寵姫にみせびらかすためだけに、敵襲を意味する狼煙を上げさせて、諸侯に兵を率いて馳せ参じさせたというのだ。不幸なことにその後、敵の襲撃は本当に起きた。しかしいくら幽王が必死で狼煙を上げさせても、「オオカミ少年だ」と呆れた軍勢が、防衛のために集まることはなかった。当然の報いだね。

匿名の質問者は、特に皇帝の死について訊いているが、これはたしかに重大事件だった。国民は速やかに喪に服さなければならず、その方法や服喪期間について、帝国全域に知らせる必要があった。それだけでなく、早急に情報を伝達することによって、反乱やクーデタを阻止したのだ。地方によって情報の伝わる速度がまちまちだと、一部の軍事指導者や地方行政官が、迎え撃つ態勢が整う前に反乱を起こしたり権力奪取に動いたりしかねなかった。

そうはいっても、おそらく同じような理由から厳重に秘された死にまつわる有名な物語がある。始皇帝は永遠に生きつづけると決意していた。しかし彼は残念ながら国内の視察旅行中に死んでしまった。混乱を避け、帝位継承を思いどおりにするために、側近たちはそのまま視察旅行を続けることにした。暗殺を恐れていた始皇帝は、どちらにしろ民衆の前に顔をさらすことはなかったので、笑顔で手を振る影武者を雇う必要はなかったのだ。いまや霊柩車となった玉車のなかで、皇帝の肉体はひっそりと腐敗していった。起きたことの文字どおりの決定的証拠である死臭に人々が気づきはじめると、側近たちはこれをごまかすため、地元の役人たちに命じて腐った魚を満載した車を伴走させた。

始皇帝が永遠の命を求めていたことを僕たちが知っているのは、帝国全域の行政官に対して、不老不死の霊薬を見つけるように命じる布告を発しているからだ。何人かは、霊薬が見つかっていないという残念な返信を送っている。これらの返信がどのように伝達されたか、というところで登場するのが、狼煙に頼らない通信手段で、伝令が騎馬や荷車で、あるいは徒歩で旅するというものだった。始皇帝より数世紀前にはすでに、（その後彼が強制的に統一した）ライバルの諸王国に駅伝制度が設置されており、これは時とともに効率を上げていった。

その秘密は、一定の間隔をおいて常駐の駅を数多く設置することで、伝令が1日に数回馬を替えたり、あるいは疲労困憊した伝令自身が交代したりすることが可能になったことにある。中国がこのシステムを独自に開発した可能性はあるが、しかし隣接するアケメネス朝ペルシアではすでに紀元前6世紀にこのシステムが設置されていたので、中国が図々しくもこれをわが物にしたということも考えられる。ヘロドトスによれば、アンガレイオンと呼ばれたペルシアの駅伝制度は、わずか7日で１７００マイル〔約２７３５キロメートル〕の距離を踏破できたという。一般の旅人が同じ距離を移動するには、３か月かかった。

初期の秦・漢王朝時代以降、中国の駅伝制度は道路建設と連携して発展していった。大いに栄えた唐王朝時代（６１８〜９０７）の７００年代中頃には、すでに全土に１６３９の宿場が設置されていた。９６０年から１２７９年まで存続した宋王朝時代には、７マイル〔約11キロメートル〕ごとに駅が、また18マイル〔約29キロメートル〕ごとに宿場が設けられて、入来した、あるいはここから発する通信を扱っていた。モンゴル軍の侵略後に樹立された14世紀の元（モンゴル）王朝（１２７１〜１３６８）時代にはさらに多くのインフラが整備され、そのなかには主要都市を結ぶ4本の幹線道路が含まれている。これらの街道はけっして無人の荒野を走っていたわけではなく、街道沿いには次々に大きな集落が出現していった。定期的に通信業務を処理するなかで、次第に商業・行政活動の効率化が実現していったこともその理由の１つだっただろう。

　モンゴル帝国についてここで述べたが、広大な帝国を治めるためには、彼らも駅伝制度の達人となる必要があった。モンゴル人は食事のための休息を取ることなく10日間騎乗を続けられると、ヨーロッパからはるばる旅してきたマルコ・ポーロ（１２５４～１３２４）が真偽不明の話を伝えている。ひどい股擦れになりそうだ！　恐るべきチンギス＝ハン（在位１２０６～１２２７）は、40マイル〔約64キロメートル〕ごとに設置された、いわゆる「矢の伝令」を活用していた。またマルコ・ポーロによると、各地で１戸あたり４００頭の馬が飼育され、２００頭が野原でのんびり草をはんでいる一方で、残り２００頭は、接近する伝令が角笛を吹き鳴らしたらすぐに出発できるように準備を整えていたという。

　別のヨーロッパ人の旅行者ポルデノーネのオドリコは、３マイル〔約５キロメートル〕ごとに狼煙台が設けられていたと述べている。それぞれに４人の伝令と駅長が常駐していて、彼らには「紙ばさみ、鈴、房飾りのついた槍、油をひいた長さ３フィートの絹、運搬品を包むやわらかい絹、雨に備えて帽子と外套、秘密の赤い棒、割符」が与えられていた。伝令たちの服には鈴がついていたため、彼から引き継ぐ次の伝令はチリンチリンという音を耳にするや、短距離リレーのバトンパスさながら、差し伸ばされた手から通信文をひったくって飛び出していったのだ。なぜそんなに急いだのか？　45分遅れた伝令はみな、罰として竹の棒で20回打たれたからだ。封印文書を開封したりなくしたりした者は、究極の罰である死を命じられることもあった。

マルコ・ポーロは最も信頼できる情報源とはいえない（そもそも彼が本当に中国に旅したのかという基本的な点についてさえ、研究者の意見はわかれている）が、モンゴル人の騎手は1日あたり250マイル〔約400キロメートル〕移動できたと彼は述べており、本当だとすれば信じられないほど高速だ。しかしより遅く安価なサービスも存在した。現代の消印と同じように中国の通信文にも印字が押され、発送日、移動速度、そして予想される到着日が記されていた。速度については、遅い、普通、速い、高速（これには黄金の印字が押されていた）の4種類が存在したらしい。重大な遅延が発生すると、関係者は多額の罰金を科せられ、1年分の給料の減俸となることもあったらしい！

モンゴルの「矢の伝令」は非常に高速で移動したが、中世の騎馬伝令の多くはそれよりも遅く、1日に300里〔160キロメートル近く〕進むものとされていた。もちろん踏破しなければならない土地はまちまちで、これが山道だったら困難な道行きになっただろう。しかし帝国のどの都市であれ、14日分の行程以上に離れている場所はなかったと、オーストラリア国立大学教授のマーク・エルヴィンは述べている。実際、国境地帯の都市でさえ、わずか8日で到達できる場合もあった。1700年代までに、道路整備が進んだおかげで移動速度は倍増し、1842年までに、なんと1日あたり800里も移動できるようになっていた。徒歩の伝令の場合、おそらく12時間かけて30マイル〔約48キロメートル〕踏破してから宿泊地で休息したことだろう。一方緊急通信は昼夜を問わず運搬された。非常に優れたシステムだったが、次第に縮小された結果、19世紀にヨーロッパ人は、自分たちのものと比べて中国の駅伝制度は遅れていると断じている。

　しかし最後に楽しい逸話を紹介したい。７００年代半ば、唐の玄宗皇帝の寵姫である伝説の美女楊貴妃はライチが大好物だった。しかしその産地は７５０マイル〔約１２００キロメートル〕も離れていた。ロマンチックな玄宗皇帝は、昼夜を問わず早馬でライチを運ばせ、おそらくわずか3日で寵姫のもとに届けさせたのだ。果物籠のために大騒ぎをしたわけだが、楊貴妃は喜んだ。それに、少なくとも彼は幽王のように、楊貴妃をベッドに連れ込むためだけに緊急の狼煙を上げて全軍を招集したわけではなかった……。まったく、男って奴は！

36

チンギス＝ハンは、行く先々でいつも木を植えていたんですか？

ケイティより

　どうやら、東アジアの君主についての話はまだ続くようだ。とはいえ、2011年に発表されて世界を駆け巡ったニュース――チンギス＝ハンは地球温暖化の防止に部分的に貢献しており、したがって無意識的なエコ戦士（比重は「戦士」のほうにある）だった――がなければ、ケイティの質問はかなりマニアックといえただろう。ひょっとしてこの軍事指導者は林業を好む、園芸の才に恵まれた人物で、ペルシアの血なまぐさい戦場を駆け回るときも、若木がすくすくと伸びているのを目にするたびに喜びの声をあげていたのだろうか？　残念ながらそうではなかった。チンギス＝ハンは別に木を植えていたわけではない。むしろ、あまりに多くの人間を殺戮したため、母なる自然が一時的に勢いを取り戻し、森林が再生して大気中の二酸化炭素を減少させたのだ。

　ケイティがおそらく目にしたであろう記事のもととなったのは、2011年にカーネギー研究所とマックス・プランク研究所の環境学の研究者たちが雑誌『完新世』に発表した論文だった。彼らは全世界の土地被覆モデルを制作し、グリーンランドや南極で採集された氷床コアのサンプルが明らかにした気候データをこれに重ねた。そして世界史上4回発生した破滅的な人口の大激減の際に二酸化炭素の量が変化したかを調べたのだ。この4回とは、アジアでのモンゴル帝国の勃興（1206〜1368）、ヨーロッパの黒死病（1347）、スペイン帝国による南北アメリカ大陸の征服（16世紀）、そして中国の明王朝の滅亡（1644）だ。

大規模農業が環境に及ぼした影響に注目したこの論文によれば、上記の4つの事件のうち環境に最も大きな影響を与えたのは、チンギス＝ハンによる中国とペルシア世界の襲撃だった。ヨーロッパの総人口の3分の1――2500万人から5000万人の間――を消し去った黒死病でさえ、南極の氷床コア的にはどうということはなかった。一方研究によれば、チンギス＝ハン率いるモンゴル軍の略奪の際にあまりに多くの人が殺されたため、大気中の二酸化炭素の量がなんと7億トンも減少したという。

ただし注意する必要がある。研究が公平を期して認めたように、この驚くべき結果には、ほかの要素も関与していた可能性があるからだ。また疑い深い歴史研究者である僕は、チンギス＝ハンが引き起こしたとされる死者数はかなり誇張されているのではないかとも考えている。敵のヒステリックな糾弾や、心酔する部下たちの称揚から距離を置いてみれば、チンギス＝ハンに帰せられる死者の数（約4000万人）は、黒死病による死者数よりも少なかったはずだということだ。それでも、「なぜチンギス＝ハンは地球に善行を行ったのか」という記事が『ガーディアン』紙に掲載されることになったのは、研究によればモンゴル軍だけが、二酸化炭素の減少に寄与したと考えられているからなのだ。

ということは？

この奇妙な結果を説明するため、長期間続いた災害と比べて、短期的な厄災が及ぼす影響は限定的だったのかもしれない、と研究者たちは主張した。黒死病は、いってみれば奇襲攻撃だった。突然現れて無慈悲に殺戮し、また風のように去っていったからだ。恐ろしい悲劇であり、経済面での影響も無視できなかったが、環境に及ぼした影響はそれほど大きくなかったのかもしれない。森林が再生するには1世紀かかるが、厄災はそれほど長く続いたわけではなかったからだ。

というのも、人口の多い市街地でこそ猛威をふるう伝染病は、農村地帯よりも都市部に大きな打撃を与える。それに、もともと都市部にはほとんど木がない。伝染病が農村を襲っても、その結果放置されて腐るままになった植物は二酸化炭素を放出しつづける。したがって中世の農民が何百万人と死のうと、彼らのカーボン・フットプリントは大して変化しなかったのだ。やがて徐々に人口が回復して農村が復興した。つまり死亡率の高さとは裏腹に、二酸化炭素の量はそれほど変動しなかったということだ。

論文は、1500年代初頭にヨーロッパ人征服者たちが到着した後の両アメリカ大陸で起きたことにも言及している。そこでも征服者による激しい暴力行為があったが、何よりも人口減少をもたらしたのは、恐るべき天然痘の流行だった。その結果先住民の人口は激減した（90パーセントの減少率だったかもしれない）。何千万もの人が死に、彼らの集落が復興することはなかった。ということは、やがて木々がふたたび育った結果、南北アメリカでは森林に吸収された炭素の貯蔵量が増え、大気中の二酸化炭素量が減ったはずだ。ただ、同じ時代に地球の別の場所では大量の木が切り倒され、農耕がさかんに行われていた。つまり南米の木の数が増える一方で、別の場所では減っていたということで、２つの効果が相殺され、二酸化炭素量は変化しなかった。

これに対してチンギス＝ハン率いるモンゴル軍は、広大な土地の征服を進めるなかで暴力行為を繰り広げ、先に見たように４０００万人が殺されたといわれている。黒死病と違って征服地に居座ったモンゴル人はその後の約１７５年間、アジアの大部分の土地を支配しつづけた。歴史学者たちが「パックス・モンゴリカ（モンゴルの平和）」と呼ぶ政治的な安定がもたらされた結果、貿易がさかんに行われ、帝国は繁栄した。実際、チンギス＝ハンの名誉のために言っておくと、彼が引き起こしたとされる４０００万人の死は、彼の建設した帝国の繁栄ぶりをみても、誇張された数字というしかない。大規模かつ効率的な租税徴収システムが存在したことからも、経済活動に従事する人がまだまだたくさんいたことは明らかだ。そんなわけで、僕は大いに疑っている。

もし本当に数千万人が死んだのだとすれば、モンゴル軍の刃や弓矢にかかったという以外の原因は考えられるだろうか？　別の疫病や飢饉の発生とか？　カーネギー研究所の研究者たちは、どの事件で最も多くの人間が命を落としたのかという単純な問いへの答えはこれだけとは限らないと、正直に認めている。そして彼らが取り上げた4つの厄災における二酸化炭素量の変動は、太陽の輻射《ふくしゃ》変動、異常気象、あるいはいまだ知られていない火山爆発の影響によるものだった可能性もあるとしている。さらにモンゴル軍の事例は、4度にわたる人口の大減少のうち最初に起きた事件である。ほかの3つの事件が環境に及ぼした影響が比較的小さいのは、それらがより新しい時代、つまり農耕や土地の開墾、森林の伐採が世界中でさらにさかんになった時代の出来事だったからという可能性もある。

もしかしたらチンギス＝ハンは本当にものすごい数の人間を殺し、その結果森林が再生したのかもしれない。しかしここで心に留めておくべきは、ほかの出来事も同じ結果をもたらした可能性はあるが、これとは無関係のさらに別の要素が、氷床サンプルには反映されているのかもしれないということだ。過去の理解の一助として、あるいはこれに対する反証として科学データを援用できるのは、いつでもわくわくさせられる。しかし、つまらない真実といわれようと、ただ1つの要素だけをすべての原因にしてしまうことについては、いつでも慎重でなければならない。

チンギス＝ハンは明らかに征服の過程で非常に多くの殺戮を行った。彼の恐ろしさときたら、モンゴル軍を怒らせた場合の見せしめとして、１７５万人分の頭蓋骨を積み上げてピラミッドをつくったと、ニシャプール〔イラン北東部の都市。モンゴル軍によって住民が皆殺しにされたといわれる〕についてのある大げさな報告に記されているほどだ。どう考えてもこんな人間に近くをうろつきまわってほしくない。それでも彼が気候変動の唯一の対策だったとはいえないし、たとえそうだったとしても、彼が採用した方法は、地球を救う最も望ましい方法ではけっしてない。

37

イタリアはなぜイタリアというんですか？

匿名より

現代の多くの国や地域が、かつてそこに住んでいた民族にちなんで名づけられている。アングル族からイングランド、フランク族からフランス、ルーシ族からロシア、ベルガエ族からベルギー、スコット族からスコットランドという具合だ。それなら古代ローマ人が住んでいた土地も当然、彼らにちなんで名づけられたに違いないと思うだろう。あんなに巨大な帝国を建設し、繁栄した彼らには、当然それだけの価値はあるはずだと？

しかし奇妙なことに、「ローマ」の名がついた地は、ルーマニアだった。ルーマニアは紀元100年頃にローマ帝国の一員となり、その後もこの名を持ちつづけたのだ。一方パスタ、ピッツア、それにピサの町のふるさとは、今ではイタリアと呼ばれている。いったいなぜ？

まずは鉄器時代まで戻ろう。伝説によれば、ローマは紀元前

753年に、ロムルスとレムスによって建設されたが、当初はまだ地味な存在だった。一方イタリア半島は、多くの地域や民族にわかれていた。そのなかで最もよく知られているのは、イタリア西部と北西部の大部分を支配していたエトルスキ（エトルリア）族だろう（彼らはその後トスカーナに名を残している）。エトルリアの北にはリグリア族、ウェネティ族、ラエティア族、東にはウンブロ族とピケヌム族、南東にはサビーニ族とサムニウム族、南にはラテン族がいた。ラテン族のさらに南にはブルッティイ族が居住していた。ほかにもより小規模な民族が多数存在したが、すべて列挙するのは時間がかかりすぎるので、やめておく！

そのうえイタリア南部の主要都市の多くは、実は紀元前8世紀から6世紀にかけて建設されたギリシア植民地だった。たとえば（当時はパルテノペとして知られていた）ナポリや、「エウレカ！」と叫んで風呂から飛び出したアルキメデスの故郷、シチリアのシラクサなどだ。ローマ人はその後イタリア南部を「マグナ・グラエキア（大ギリシア）」とさえ呼んでいる。僕たちは「イタリア」という言葉の起源を探しているのだが、このあたりではなにも見つかっていない。ではどこを探すべきだろうか？

アリストテレスやトゥキディデスを含む古代の歴史家たちは、「葡萄酒の土地」を意味するエノトリアを支配していたというイタルス王に好んで言及している。葡萄酒の国エノトリアは、イタリア南部の広大な土地、と先述のギリシア人植民者たちが述べた場所だったようで、たぶん葡萄栽培に適した肥沃な土地だったのだろう。アリストテレスによれば、伝説の王イタルスの名がイタリアの南端につけられたのだという。

しかしながら、ほかにも考慮すべき説はある。最近唱えられたのは、イタリアという言葉が、仔牛を意味するヴィトゥルス（*vitulus*）からきているという説だ。仔牛のいる土地はヴィテリア（*vitelia*）として知られただろうから、これが省略されて*Itelia*になったというわけだ。その証拠というべきか、どうやら酒好きの伝説的なイタルス王に支配されていたらしい南イタリアから、古代のオッシ語で*Víteliú*という言葉が刻まれたコインがいくつも発見されているという。このコインは数か所で発見されているので、南部一帯で同じ文化アイデンティティが共有されていたのかもしれない。

紀元前220年頃までに、ラテン語話者のローマ人は、南部を除くイタリア半島の大部分の征服を終えていた。ローマに属さない南部人が「イタリック」と呼ばれていたという、この頃の証拠が知られている。その好例が、ギリシアのデロス島で発見された碑文だ。それによると、どうやら島の公共市場（アゴラ）は「アポロン神とイタリック（イタリックたち）」に捧げられていたらしい。

その頃、イタリックたちはまだローマ人と見なされていなかった。ローマはイタリア半島で最も強力だったものの、彼らはほかの民族のことを、正統なローマ市民ではなく異民族の同盟者（*socii*として知られる）として扱っていたのだ。何度も市民権を申請し、その都度拒絶されることを繰り返した挙げ句、業を煮やした同盟者たちはとうとう紀元前91年に武力に訴えることを決意した。同盟者戦争として知られる、4年間におよぶこの戦役で、10万人が命を失ったといわれている。ローマ側が勝利したものの、同盟都市による新たな蜂起に対処する力は残されていなかったため、とうとうイタリック、エトルスク族、サムネウム族その他の要求はいれられた。

突然、誰もかれもローマ市民になった。

その次の半世紀間に、ふたたび大きな変化があったらしい。イタリックという言葉は、南部人だけでなく、敵対的なガリア人との境界線である北東のルビコン川までの地域の住民も含むようになったのだ。征服者ユリウス・カエサルがルビコン川を越えたあと、「イタリア」はアルプス山脈まで延長された。紀元前27年に初代皇帝が即位すると、この自信満々のアウグストゥス帝はイタリア半島を11の州に分割したが、そのすべてを指して「トータ・イタリア（イタリアのすべて）」と呼んでいる。ローマ帝国はこの先も拡大するが、その住民の多くは「イタリア人」と呼ばれるようになったんだ。

これでおしまい？　だったらいいんだが！　問題はこの先だ。「イタリア」はこの頃には便利な政治用語となっていたが、非常に曖昧でもあることが次第に明らかになった。紀元４７０年代にゴート族が西ローマ帝国を滅ぼすと、征服者たち——オドアケルと東ゴート王テオドリックを含む——は「イタリア王」を自称した〔異民族出身のローマ将軍オドアケルが４７６年に西ローマ帝国皇帝を廃位した。その後テオドリックが４９３年にオドアケルを破り東ゴート王国を建設した〕。しかしフランク族のカール大帝が７７３年に神聖ローマ帝国にイタリアを加えたときには、彼はローマ皇帝と呼ばれることを望み、イタリア王国は帝国の付属品として扱われたのだ。

これ以降の状況はあまりに錯綜しているため、簡単な回答にまとめるのは不可能だ。イタリアの中世史は非常に複雑で、僕にはここで説明する時間も忍耐力もない。ここで取りあえず知っておくべきことは、イタリア半島が真ん中あたりで２つにわかれたということだ。南半分は１２８０年頃にナポリ王国となった〔それ以前は、中世シチリア王国がイタリア半島南部とシチリア島を支配していた。１２８２年に発生した住民反乱とその後の戦争の結果、王国はシチリア島側と半島側に二分され、後者がナポリ王国となった〕。一方北側では、フィレンツェ、ミラノ、ヴェネツィアなど多くの都市国家が割拠し、彼らは皆、独立を求めつつも、神聖ローマ帝国の干渉を受けずにはいられなかった。

１４９４年にイタリア戦争が勃発し、半島全域がフランス王国と神聖ローマ帝国という２つの王朝間の殴り合いの舞台となった。この遺恨試合は何十年も続き、多くの人命が失われた。とりわけ１５１９年に神聖ローマ帝国皇帝に選出されたカルロス５世は強大なスペインの君主でもあったため、さらに多くの軍勢と資源がイタリア戦役に注ぎ込まれたのだ。しかし注目すべきことに、これらの戦争が、ルネサンスとして知られる文化活動を窒息させることはなかった。むしろこれを後押ししたのだ。また、党派政治にいそしむ一方で、ローマ教皇も詩人もみな、イタリアという言葉にこだわっていたというのも興味深い。つまり砲撃を交わしつつも、共通のアイデンティティのようなものはいまだ健在だったのだ。

時計の針を１７９０年代に進めよう。このときに神聖ローマ帝国に立ち向かったのは常勝将軍ナポレオン・ボナパルトだった。フランスの革命共和国をオーストリア軍から守るため、友好的なイタリアを緩衝地帯にすることにしたボナパルトは、まずイタリア半島から神聖ローマ帝国を追い出し、北部に一連の小さな共和国を設立し、その後、これを王国にまとめるほうがいいと考え直した——そう、イタリア王国に。

古代の「イタリア」は半島南部に限定されていたが、反対にナポレオンのイタリア王国は半島北部に限られていた。南部は当時も相変わらずナポリ王国と名乗っており、ナポレオンはまず自分の兄ジョゼフを、その後部下の将軍ジョアシャン・ミュラ〔ナポレオンの妹と結婚した〕をその王位につけた。しかし１８１５年のワーテルローの戦いでナポレオンが破滅した結果、その翌年、イタリアの運命はリセットされた。そこでイタリアを要求したのが、いまやオーストリア皇帝を名乗るようになった元神聖ローマ帝国皇帝だった。

しかしナポレオン時代に導入された共和制の理念は多くのイタリア人の心をとらえ、リソルジメント（イタリア統一運動）として結晶化した。ジュゼッペ・マッツィーニに率いられたこの文学・革命運動は、ジュゼッペ・ガリバルディの世に知られた軍事的な偉業の後押しを受けた。１８５９年にはカヴール率いるサルディーニャ王国（ピエモンテ）軍がオーストリア軍を破った。さらに１８６６年にはヴェネツィアを併合し、１８７０年にはローマに進軍している。こうしてようやく半島は１つの国に再統一され、国民は国名を高らかに叫ぶことができたのだ——「イタリア！」と。しかしこの新興国は１５００年の歴史を持ち、したがって数多くの言語と地域ごとの伝統を１つのアイデンティティにまとめる必要があった。実際、当時の状況を、マッシモ・ダゼーリョ〔１７９８～１８６６、イタリア統一運動時代の政治家、作家、画家。サルデーニャ王国首相も務めた〕が次のように巧みにまとめている——

「われわれはイタリアを建設した。今後必要なのは、イタリア人をつくることだ」と。現代イタリア経済に見られる南北格差、そしてイタリア政治がしばしば激震に見舞われている状況を見ると、まだまだ道は遠そうだ。

38

アフリカの国境線は、どうやって決められたのですか？

ドナルドより

おやおや！　これはまたスケールの大きな問題だ。アフリカ大陸は、地球上で2番目に面積の広い大陸で、2番目に人口の多い大陸でもある。12億5000万人が暮らすこの大陸は、54の主権国家、一部の国だけが承認する2つの国家、そして外国に統治管理されている10の地域にわかれている。

まずは現代アフリカの国境線がどうやってひかれたかについての最も有名な逸話を紹介しよう。そのあとで、僕がなぜ、この説は物事をあまりに単純化しすぎていると考えているか、説明することにする。というわけで、話は次のようなものだ……。

1884年にヨーロッパの大国（それにアメリカ）の代表団がベルリン会議に集合した。アフリカ大陸を、まるで美味しいバースデーケーキのように切り分けるためだ。それまでの20年間、列強諸国は「アフリカ分割」にしのぎを削っていた。「アフリカ分割」とは、互いに衝突を回避しつつ自国の影響圏を拡大し、アフリカ支配を正当化しようという試みだった。ベルリン会議を主催したのは、ドイツの抜け目ない宰相オットー・フォン・ビスマルクだ。口ひげを生やしたお偉方たちが青鉛筆を片手に大きな地図に何本もの直線をひいた結果、ヨーロッパ諸国が支配するアフリカの土地は、それまでの10パーセントから、けしからんことに90パーセントまで急増した。これらの人工的、恣意的、そして馬鹿馬鹿しいほど真っ直ぐな国境線は非常に強い力を持っていたため、１９６０年代に活発化したアフリカ諸国の独立運動も、これを維持するよりほかなかった。そして今日に至る。

おしまい。

残念ながら歴史はこれほど単純ではない。また現代の研究者も、ヨーロッパ諸国の植民地政策が破壊的な影響を及ぼしたことは認めつつ、上記の推測に多くの疑問を投げかけている。そういうわけで、最初からふたたび見てみよう。

アフリカ大陸へのヨーロッパ人の介入の歴史は長い。そもそも「アフリカ」と言う名前も古代ローマ人がつけたものだ。ただし、なぜ彼らがそう呼んだかはわかっていない。ローマ人はアフリカ北部にしか関心を持っていなかったが、僕たちは彼らの過ちを繰り返してはならない。アフリカ大陸は非常に豊かで多様な歴史を持っているのだから。西部には、１３００年代のマンサ・ムーサのイスラム系のマリ帝国、そして１４６０年代から１５８０年代にはその後継のソンガイ王国が存在した。どちらも驚くほど裕福な国だったといわれている〔質問３でも取り上げられたマンサ・ムーサは、マリ帝国の最盛期の王だった〕。それより少し前にはナイジェリアに、美しいベニン・ブロンズで有名なベニン王国があった〔12世紀～１８９７年にベニン王国で制作されたブロンズ像の多くは植民地帝国によって略奪され、現在ではイギリスやフランスに所有されている〕。次の質問で扱う予定のアシャンティ王国は、精緻な黄金細工、豊かな音楽的伝統、そして床几《しょうぎ》を重んじたことで知られている。さらに南部では中世のグレート・ジンバブエ王国が巨大な城壁に囲まれた都市を建設し、強力な交易ネットワークの中心として繁栄した〔グレート・ジンバブエ王国とは、ジンバブエ共和国で発見されたグレート・ジンバブエ遺跡を建設したショナ族の国家に与えられた通り名で、9世紀頃から繁栄したとされている〕。

一方アラブ人、ペルシア人、それにオスマン帝国の影響が強かった東アフリカは、とりわけ文化的に多様で、「スワヒリ海岸」というアラビア語の名称を持っている〔「スワヒリ」とはアラビア語で「海岸に住む人々」を意味する〕。この地域はまた、インドや東南アジア地域と活発な交流の歴史を持ち、アフリカのバントゥー族の子孫であるシッディー族は現在のパキスタンとインドの主要民族の１つである。もちろん東アフリカには、アフリカ大陸におけるキリスト教の長年にわたる拠点と言うべきエチオピアもある。この地は4世紀にキリスト教を受け入れ、その後有名なラリベラの岩窟教会群を建設している。

ベルリン会議よりずっと以前からヨーロッパ人による植民地化計画が始まっていたという僕の主張を展開するうえで、アフリカ大陸の状況は以上のようなものだったことを、心に留めておいてほしい。１４８８年にバルトロメウ・ディアスが、ヨーロッパ人として初めてアフリカ大陸最南端の喜望峰を越え、アフリカ大陸の広大さを目のあたりにした。このことはやがて１

600年代にヨーロッパの列強諸国が、莫大な利益をあげていた新大陸の砂糖とタバコのプランテーションで働かせるため、大西洋を舞台とした奴隷貿易という言語道断の残酷な政策を採用することにつながった。その後2世紀で、1250万の人間が（しばしばほかのアフリカ人に捕らえられ、売られて）強制的に奴隷にされ、オンボロの船に乗せられて、航海中に死ぬか、生き延びたとしても暴力に満ちた非人間的な生涯を送ることになったのだ。

西海岸に奴隷貿易の中心地を設けたヨーロッパ人は、ほかの経済活動のための拠点も手に入れはじめた。ポルトガル人は、ブラジルの植民地から持参したとうもろこし、コーヒー、タバコ、サトウキビの栽培をアンゴラで開始し、またはこれらの農作物を象牙、織物、黄金と交換した。オランダ系のボーア人は南アフリカで、先住民のコイコイ人と戦ってケープ地方の農地を奪ったが、その後1806年にケープ植民地をイギリスに征服されたため、さらに内陸に進出して、トランスバール共和国とオレンジ自由国を設立した（これはその後イギリスに対するボーア戦争の原因となった〔ボーア戦争は1880～1881、1899～1902の2度にわたって戦われた。第2次ボーア戦争でボーア人は敗北し、両国はイギリスに併合されて消滅した〕）。

一方フランスはすでに長年セネガルを支配していたが、その後ナポレオン軍がエジプト遠征を行い、1830年には破滅的なほど長期に及んだアルジェリア遠征が開始された。彼らの最大のライバルであるイギリスは南アフリカには初期から、またシエラレオネには1821年から関与していた。アシャンティ王国とは3度にわたって戦い、三度目の正直で1874年にようやく勝利したが、念のためにさらに2度戦っている。しかし1870年代までは、ヨーロッパ諸国の関与は北部と西部の海岸地域に限定され、東アフリカはアラブ系のオマーン帝国とはるかに密接につながっていた。

そこへ突然現れたのが、悪名高い「アフリカ分割」だ。なぜか？　よくいわれるのは、アフリカが、列強諸国が駆け引きを繰り広げる政治ゲームの新たな舞台、いわば第2のチェス盤になったということだ。統一を達成したばかりのドイツがフランスとの国境を脅かし、また経済的な優位を保ちたいイギリスの政治家たちが、自由貿易と保護主義という相容れない政策の間を右往左往していることで、ヨーロッパ諸国の安定したパワーバランスが崩れてしまったからだ。ああ、それからベルギーもいた……。

1870年代以降、ベルギー国王レオポルド2世は、あまりに小さな国の王であることに我慢できなくなっていた。当時、イギリスの宣教師デイヴィッド・リヴィングストンは東アフリカとインド洋での奴隷貿易に反対を唱えたことから、その死後に名声が高まっていた。フィリピンの獲得に失敗したのち、リヴィングストンの業績に対する大衆の反応にチャンスを見出した王は、ロンドン駐在のベルギー大使に「このアフリカという見事なケーキからひと切れ獲得する好機をふいにしたくはない」と書き送っている〔植民地を獲得して大国となることを夢見ていたレオポルド2世は、スペインの女王イザベラ2世と交渉してフィリピンを譲り受けようとした〕。

レオポルドの意図は明らかだったが、ほかのヨーロッパ列強諸国は意外なほどかかわり合いを避けようとしたと、オックスフォード大学教授のリチャード・リードなどの歴史学者は主張している。現在ではウィリアム・グラッドストンは、イギリスのアフリカへの軍事介入をスケールアップさせた首相として記憶されている。しかし実は奇妙なことに彼と彼の率いる自由党は、アフリカ分割に参加するまいとしていた。「アフリカ分割」という表現は、利を求める強欲さを連想させるが、その背後にあったのはむしろ、自国が突然劣勢になったらどうしよう、という恐怖感だった。ライバルがアフリカを征服してしまったら？　その結果、世界的な勢力均衡が破れたら？　これこそが、「われわれに手に入れる力はない、だが彼らがわれわれの代わりに手に入れることを許すわけにはいかない」という、現実政治《レアルポリティーク》のロジックだったのだ。

リチャード・リードはまた、文化的優越感と人種差別主義の強化も重要な役割を担っていたと強調している。1800年代には哲学者ゲオルグ・ヴィルヘルム・フリードリヒ・ヘーゲルが、アフリカとは（ギリシア・ローマ文明に属していると彼が認めたエジプトを除けば）歴史も文明も哲学的な意義も持たない大陸だと断言していた。まったくのたわごとだ！　だが西側の知識人にとってアフリカは白紙のようなものだったのだ。そこに人種差別が加わる……。

アフリカの黒人を人間的に扱わない奴隷制度は、これを擁護するイデオロギーを必要とした。その結果編み出されたのが科学的人種差別主義であり、その主張は大きく2種類にわかれる。「単一起源説」は、神はすべての人間を同時につくられたと主張する。「野蛮な」環境に置かれたアフリカ人は「原始的」だが、「優れた」人種の思想や習慣に触れさせることによって彼らを「文明化」することは可能である。もう1つの「多地域進化説」は、異なる人種は――神によって、あるいはダーウィンの進化論に従って——異なる時期につくられたと主張する。したがってアフリカ人は劣等な「野蛮人」であり、これを埋め合わせるのは好戦的で勇敢な本能だけだ。彼らを真に「文明化」するのは不可能で、むしろ強制的に従属させる必要があるのだという。

重要なのは、未開発のアフリカが持つ経済的な可能性については両者が一致していたことだ。アフリカの丘には黄金が眠っている！　植民地獲得を促すもう1つの重要な推進力は、「筋肉的キリスト教」〔19世紀半ばにイギリスで始まったキリスト教運動。愛国的責任感、男らしさ、規律、自己犠牲などを重んじた〕の道徳的な正義感だった。１８８４年までに「西側」では奴隷制度はおおむね廃止されていたが、アフリカの一部ではいまだ存続していた。たとえばアラブ・オマーン帝国の影響下にある東海岸の拠点でも、イギリスとザンジバル・スルタン国の間に交わされた複数の条約にもかかわらず、奴隷貿易が続いていた。これまで奴隷貿易でさんざん儲けてきたヨーロッパの列強諸国は、今度は奴隷制度に反対するスーパーヒーローとなって優越感に浸ることができたのだ。

これが、ベルギー国王レオポルド2世のよって立つ大義名分だった。彼はイギリスの探検家ヘンリー・モートン・スタンリーを表看板とする「中央アフリカの探検と文明のための国際協会」という人道組織を設立した。しかしその影で植民地の残酷な搾取者となったレオポルドは、私的に所有するゴム産業で働かせるためにコンゴの人々の手足を切断し、拉致し、飢えさせて、おそらく１０００万人の死をもたらしたのだ〔コンゴはもともとレオポルドの私領だったが、残虐行為が新聞にすっぱ抜かれてスキャンダルになったのち、ベルギー国家への譲渡を余儀なくされた)。

これが、1884年から翌年にかけて開催されたベルリン会議の背景だったわけだが、この会議とアフリカ諸国の現在の国境線との関係はどうなっているのだろうか?

この分野に関する著名な専門家と話をするまで僕自身も信じていた有名な話によると、ベルリンの会議では、現地に行ったこともなく、自分たちがどんな地形や民族を無造作に分けているかにも気づいていない人々によって、アフリカの地図に線がひかれたという。1890年にイギリスの首相ソールズベリー卿は次のように皮肉っている。「われわれは、これまでに白人が足を踏みいれたことのない土地の地図にせっせと線をひいた。そして山や川や湖を互いに与えあったが、これに関しては、これらの山や川や湖が正確にはどこにあるのかわからないというささやかな問題があった」。たぶん彼はジョークのつもりだったのだろう。なぜなら現代の研究者の多くが、これに異議を唱えているからだ。

興味深いことにベルリン会議起源説は、左派ポストコロニアル主義の歴史学者やアフリカ人革命家らが言い出したものではなかった。歴史学者のカミーユ・ルフェーブル博士が示したように、言い出したのは社会科学の新しい理論を身につけた、1920年代のフランスの植民地官僚だったのだ。彼らは、国家とは共通の言語や民族意識を基盤とする領域であるべきで、先任者たちは恣意的な国境線をひくことによって、そうした結合力を持つアイデンティティを認めたりこれを強化したりすることに失敗したと主張した。最も有名な反植民地主義的な神話は、皮肉なことにヨーロッパの植民地主義者たち自身が生み出したというわけだ。
実際には国境線はベルリン会議で定められたわけではない。国境線が確定するまでには非常に長い時間がかかったのだ。フランス国立高等師範学校教授で地理学者のミシェル・フーシェによると、アフリカの国境線の半分は、15年後にひきなおされたという。とはいえ、これは現在では明らかに意味をなさないと思われる国境線が存在しないということではない。たとえば奇妙に細長いガンビアは、蛇行する川の両岸ほどの幅しか持たず、まるでセネガルのなかを這う毛虫のようだ。
アフリカのすべての国境線に関して、フーシェは次のように述べている。

34パーセントは湖や川に沿っている。11パーセントは……物理的な地形の境界線に沿っている。（世界平均の23パーセントと比較して）42パーセントの場合、（天文学あるいは数学における）幾何学的な線に沿っている。ほかの要素（民族、既存の境界線）が考慮されているのは、全体の11パーセントでしかない。

事実、ほかのヨーロッパ諸国を別としても、英仏両国だけでアフリカ諸国の国境線画定の60パーセントに関与していた。しかし、多くの植民地の境界線は人工的でも恣意的でもなかったことを、エディンバラ大学教授のポール・ニュージェントをはじめとする多数の歴史学者が示している。それはヨーロッパの官僚たちが遠方から画定作業を開始したのちに、現地の代理人や兵士に任せた結果だったのだ。

代理人のなかにはいかがわしい人物もいた。スタンフォード大学教授のスティーブン・プレスはその著書『ならずもの帝国：ヨーロッパによるアフリカ分割における契約と詐欺師たち』(未邦訳)で、正統性に疑問符のつく私的帝国を建設することを夢見た私企業や個人が、武器の代わりに契約書を持って地元コミュニティに襲いかかったと述べている。アフリカ人は、しばしば彼らには理解できない取り決めをさせられ、代わりにつまらぬものを与えられたと、プレスは主張する。彼らは自分のしたことを理解しないまま、同じ土地を別の買い手と何度も交換したり、存在しない山を売却したりして、ライバル関係にある代理人たちの間に意図せず混乱を引き起こすこともあった。

しかし「アフリカ境界地域調査ネットワーク(ABORNE)」の名のもとに活動している研究者たちが唱えているのは、これよりはるかに複雑な説だ。それによると、境界線を画定する協議には、ときにはアフリカ側も仲介や抵抗、協力や解釈のし直しといったかたちで積極的に関与できたという。たとえ地元の指導者がのちに、法的解釈に足をすくわれたり裏切られたりすることがあったとしても、彼らは最初の合意を、自身の地元の敵を陥れるために利用することもできた。さらに、新しい植民地の境界線はしばしば、空間と領域についてのすでに存在する考え方を反映していた。ヨーロッパ人がひいた多数の直線は、これまで慣習的に存在したものを単に正式に認めただけだったのだ。まったく新しい線がひかれた場合でも、一部のアフリカ人はこれを巧みに解釈し直すか、あるいは単純に無視した。

というわけで、アフリカ諸国の国境線は植民地時代の遺産だというのは、単なる神話にすぎないのだろうか？　誰に聞くかによって、答えは変わってくる！　ミシェル・フーシェは次のような主張をして物議を醸した。

アフリカが直面するあらゆる問題は植民地時代の傷跡から派生しているとする、根強く存続する神話からそろそろ決別すべきである。アフリカ諸国の国境線が彼らに不利益をもたらしたというのは、このように外部から与えられた数ある主張の1つにすぎない。ほかの主張としては、植民地時代以前には政治的境界線は存在しなかった、あるいはヨーロッパ人は既存の地政学的現実をまったく考慮しなかったというものがある。

この修正主義に、すべての研究者が同意しているわけではない。ラゴス大学教授のアンソニー・アシワジュはフーシェの主張にただちに反論した。ただし、解釈はそれぞれ異なるとはいえ、上述の歴史学者たちは誰1人として、植民地主義によって引き起こされた痛みや苦悩から植民地帝国を免責しているわけではないことを、ここで強調すべきだろう。できるだけ多くの土地を獲得しようとする政策に人種差別主義が加わった結果、たちまち弁解の余地のない残酷さが発揮されたのだ。

また多くのコミュニティが、新たにひかれた境界線によって無慈悲に分断された。遊牧民のマサイ族はケニアとタンガニーカ〔現在のタンザニア〕の居住地に分けられ、またソマリ族は牛の放牧地を取り上げられ、英領ケニア植民地で「地元外来民（native aliens）」として暮らす羽目に陥った。このことは、のちに独立に向けた協議の場で激しい論争を引き起こした。ソマリ族は以前のように遊牧民として、境界線を無視した生活に戻ることを望んだのに対して、新生ケニアは厳密に国境を定めようとしたからだ。

かの有名な「すべてはベルリンで起きた！」とする物語に関して、そのほかの主張を見てみると、たしかにヨーロッパによる支配領域は、１８７０年の10パーセントから、１９１３年までに90パーセントに激増した。現在アフリカ大陸に存在する54の国々のうち、リベリアとエチオピアは植民地にならなかったといわれる。しかしエチオピアは実は3度、イタリアに攻め込まれている――１８８７年、１８９５年、そして１９３５年にはムッソリーニの軍に征服されたし、また１８４７年に独立したリベリアはもともと、解放された奴隷が「帰還」すべきアメリカの植民地として１８２０年代に建設されたのだった。一方、アフリカ大陸のほぼ全域が植民地となった結果、2度にわたる世界大戦中、この地はヨーロッパの帝国主義のぶつかり合いの舞台となり、遠く離れた宗主国のために多くのアフリカ人の血が流されたのである。

しかしこうした無残な紛争のなかから独立に向けた動きが生まれたのも事実である。何十年も外国の支配を受けていたアフリカ諸国は１９５０年代以降、次々に独立を果たした。その先頭を切ったのが、カリスマ的な首相クワメ・エンクルマトップに据えるガーナで、１９５７年のことだった。汎アフリカ主義者の彼は、西側諸国の影響力を排除する力を持つ、国境のない社会主義的なアフリカ合州国の建設を望んでいた。しかしエンクルマの計画は実現しなかった。傲慢になった彼は、強大な権力を持つ終身大統領に就任した挙げ句の果てに、１９６６年にクーデタで失脚したからだ。それでも１９６３年に設立されたアフリカ統一機構〔２００２年アフリカ連合に発展改組した〕は、その後も汎アフリカ主義の継続を図った。

　地域の統合が実現したこともあった。第一次世界大戦後、敗戦国ドイツから没収されたカメルーンは、フランスとイギリスの間で分割された。１９６１年に実施された住民投票で、南部の英領カメルーンはカメルーンとの統合を望み、カメルーン連邦共和国となった〔１９６０年にフランス領カメルーンが独立した。英領カメルーンでは北部と南部で住民投票が別々に実施され、その結果イスラム教徒の多い北部はナイジェリアと合併し、キリスト教徒の多い南部は、旧フランス領カメルーンとの連邦制となった〕。それからほどなくして１９６４年には、タンガニーカとザンジバルが連合して、タンザニアが成立した。「バルカン化」した西アフリカがバラバラで脆弱であることに、セネガルの政治指導者レオポール・セダール・サンゴール〔セネガル共和国の初代大統領〕が長らく反対してきたことから、マリとセネガルも１９６０年に一時的に合併してマリ連邦となった。しかし残念ながらこの政治連合はすぐに崩壊している〔同年にセネガルが連邦から離脱し、マリ連邦の国名はマリ共和国と改められた〕。

　東アフリカで同様に政治連合を模索する１９６０年代初めの動きは失敗したが、地域の協力体制という理想が姿を消すことはなかった。２０００年には「東アフリカ共同体」という組織が灰のなかから復活している〔東アフリカ共同体はもともと１９６７年に結成されたものの、１９７７年に崩壊している〕。すべてがうまくいけば、君の持っている世界地図は近いうちに、大幅な改訂が必要になるかもしれない。ブルンディ、ケニア、ルワンダ、南スーダン、タンザニア、ウガンダが、東アフリカ連邦を結成するかもしれないからだ〔アフリカ連合加盟54か国・地域が参加するアフリカ大陸自由貿易圏は２０２１年から運用が開始された。人や資本の域内移動の自由化、単一通貨の導入などを目指している〕。

こういうわけで、独立が地図を一変させたことは間違いない。とはいえ、植民地時代の境界線の多くはそのまま残された。この現状維持を正当化する理由としてしばしば持ち出されるのは、さまざまな民族の現状を引っかき回したら政治的暴力が勃発し、難民危機が発生するのではないかという恐怖心だ——１９４７年にイギリスがインドを分割した際の悲劇的状況のように〔第二次世界大戦後、イギリスはインドの独立を認める決断を下したが、インドでは多数派のヒンドゥー教徒と少数派のイスラム教徒の対立が激しさを増し、最終的にインドとパキスタンに分割された〕。しかし現実主義だけが唯一の理由ではなかった。多くの国境線は、独立までの数十年間に重要な意味合いを獲得していたし、なかにはその重要性がヨーロッパ人の侵入より以前から意識されていた場合もあった。独立を強く求めていたアフリカ人も、地図を書き換えることまでは求めていなかったのだ。

独立を求める者がみんな成功したわけではない。１９６０年代以降、ナイジェリア、アンゴラ、東ガーナ、ケニアで、分離独立を求める血なまぐさい紛争が起きている。これが、現在まで及ぶベルリン会議の余波であることは間違いない。そうだとすれば、アフリカ諸国の国境線の多くは、たしかに植民地時代の遺産だということができる——たとえそれが新たにひかれたものでも、今後変化する可能性があるとしても。しかし、そもそもこれらの線がなぜひかれたのか、そして帝国主義時代以降もなぜ変更されなかったのかを説明するのは、ベルリン会議、そしてそこにあった磨かれたテーブルと青鉛筆という、単純化された有名な物語よりもはるかに困難なことなのだ。アフリカの歴史はただ1つの物語からなるのではなく、いくつもの物語が編み込まれたタペストリーであり、だからこそそれは、限りない興味をかきたてるのだ。

第10章

戦争と戦闘

39

アサンテ王国の人々はなぜ「黄金の床几」を持っていたのですか？

ナナ・ポクより

背景の説明から始めることにしよう。西アフリカのギニア湾に面した国ガーナは約３０００万人の人口を持つ、驚くほど豊かな野生生物や植物の宝庫である。美しい国で、金鉱に恵まれ――植民地時代のイギリスの役人たちが「ゴールド・コースト」と呼んだわけだ――、豊かな鉱物資源とカカオ産業のおかげで、１９５７年にイギリスに別れを告げて、植民地帝国からの独立を果たした最初のアフリカの黒人国家となった。

彼らが新たに名乗った「ガーナ」という誇り高い国名は中世に栄えた王国からとられたものだったが、なんとも混乱させられることに、マリの場合と同様、中世ガーナ王国は現在のガーナからは遠く離れている。

これが現在の状況だ。だが黄金の床几について述べるには、もう少し前の時代にさかのぼらなければならない。１６００年代には、現在のガーナで最も軍事的に強大だったのはデンキーラ族だった。しかしこの地域には、アサンテ（アシャンティとしても知られる）族に支配された小さな部族国家が数多く存在していた。アサンテ族自体、アカン語族というはるかに大きな民族・言語集団に属していたのだ。1701年に、オセイ・トゥトゥという1人の王がヨーロッパの商人から銃を購入し、軍事的征服と外交交渉を通じて、この緩やかなアサンテ族連合を1つにまとめ上げることに成功した。首都に定められたのは、彼の本拠地であるクマシだった。さらに力をつけ、またカリスマ的な祭祀長アコムフォ・アノキーの助けを得て、オセイ・トゥトゥの兵士たちは憎むべきデンキーラ族を破り、以前とは逆に彼らを支配下に置くことに成功した。そして王は「アサンテヘネ（アサンテ帝国の支配者）」という称号を名乗ったのだ。

オセイ・トゥトゥ王には頭の痛い問題があった。もともと無関係の集団が共有できる文化的アイデンティティを構築するには、優れた行政手腕以上のものがしばしば求められる。共通の敵というのは便利なものだが、彼らを破ったあとはどうするべきか？　新たに必要になるのは、共通のシンボルや思想だ。彼の場合、結束の象徴としたのは、その権力基盤、つまり（アサンテ・トウィ語で *Sika Dwa Kofi* として知られる）黄金の床几だった。チャーミングなことに、アカン文化では誕生日をもとに人に名前をつける習慣がある。王家の家具も同様に扱われた。というわけで、「*Sika Dwa Kofi*」は実は「金曜日に生まれた黄金の床几」を意味している。

何世紀にもわたり、床几は権力の象徴とされてきた。地域の首長たちも、木製のマイ床几に腰掛けていたかもしれない。その後、アサンテ王朝の年長の王族たちは皆、それぞれ先祖伝来の床几を所有するようになり、彼らが死去するとそれは卵黄、煤、蜘蛛の巣を混ぜたもので黒く塗られ、それに追加の奉納品として羊の血、動物の脂、死者から切り取った爪や髪の毛が塗りつけられた。この黒く塗られた床几はその後、*nkonnwafieso* という聖なる床几館に奉納された。

しかし黄金の床几は別だった。広く宣伝されているとおり、それは完全に黄金でつくられた床几だったが、酒場や西部劇の映画のシーンに登場するような三本足のスツールとはまったく別物だった。高さ18インチ〔約46センチメートル〕で、背もたれのない湾曲した細い座面と太い柱、それに長方形の細い台で構成され、さらにいくつも鐘がついていた。新王が即位するたびにその治世、あるいは重要な軍事的勝利を記念して新しい鐘を取りつけたからだ。さらに色鮮やかな厚いウール製の、床几専用の正式な天蓋もあり、「*Katamanso*（国民の覆い）」と呼ばれていた。黄金の床几は特別の目的のために製作された家具だった。

地域の首長なら、木製の床几に腰を下ろして一息つくことができたかもしれない。しかし黄金の床几は、新王が威厳を示すために腰掛けるような玉座ではなかった。実は誰もこれに手を触れることさえできず、黄金の床几を床に置くことも許されなかった。ラクダの革製のカーペット、または、背中から倒れて地面に転がったりしていない、顔から倒れて死んだ象の革の上に置かれたのだ。公式行事の際には、国王の玉座の横に置かれた専用の玉座の上に黄金の床几が安置されることさえあった。またこの床几は、熟練の職人によって「製作された」のではなく、招来されたものだった。伝説によると、忠実な祭祀長アコムフォ・アノキーがまじないで床几を天から取り寄せて、これをオセイ・トゥトゥ王に献上したのだという。

黄金の床几は新たなアサンテ族の国家の象徴となった。黄金製であることは王の正統性と軍事力、そして豊かな鉱物資源を支配していることの証明にもなった。そこに無生物的な感応力を認めて、戦いや政治的決断の前に黄金の床几に伺いを立てることさえあったという。腐敗せず、人間との接触により汚されることがないという事実は、新たなアサンテ帝国の終わりなき栄光のメタファーと見なされ、この新しい国家が、死すべき王よりもはるかに永《なが》らえることを示していたのだ。

アコムフォ・アノキーはさらに、聖なる剣を川岸に横たえて、これにけっして触れないように人々を戒めたとされている。岩から引き抜かれたエクスカリバーがやがて湖の乙女に返却されたというアーサー王伝説によく似ているではないか。

当然ながら、やがてオセイ・トゥトゥ王は死んだ。それでも黄金の床几は国民の揺るぎない結束の象徴でありつづけ、特に19世紀にイギリス人が登場し、その結果5度にわたるイギリス・アサンテ戦争が戦われたときには確実にその役目を果たしている。第1次戦争が勃発したのは、拡大するアサンテ帝国が、たまたまイギリスの保護下にあったファンテ地方を征服しようとした1823年のことだった。これは1831年にイギリスの敗北で終結している。18

63年から翌年にかけて戦われた第2次戦争は引き分けとなった。

1873年から翌年にかけて戦われた第3次戦争はきわめて血なまぐさいものとなった。有能かつ冷酷な指揮官ガーネット・ウォルスレー卿に率いられたイギリス軍は、この3度目の挑戦でアサンテに勝利したのだ。勝利者たちは権力移譲の象徴として、アサンテへネの王宮を焼き払った。1895年から翌年にかけて戦われた第4次戦争では、戦局は、いまや破壊力の大きなマキシム機関銃〔1884年に開発された、世界初の全自動式機関銃〕を持つヨーロッパの強大国側に大きく傾いた。イギリス軍は首都クマシを占領し、アサンテへネのプレンペ王をセーシェルへの亡命に追い込んだ。また蜂起の鎮圧にかかった戦費の賠償を命じ、アサンテ王の多くの財宝を取り上げてロンドンに送った。しかし彼らの手に届かない財宝がまだ1つあった……。

そう、第5次の、そして最後のイギリス・アサンテ戦争は、ナナ・ポクの質問に一番関係がある。というのも、これには黄金の床几そのものが深く関与しているからだ。1900年9月に、すでに敗北していたアサンテの人々がふたたび蜂起した。蜂起を指導した60歳の女性ヤー・アサンテワーは現在、ガーナ史の偉大なるヒロインとして敬愛されている。イギリスによるそれまでの賠償金の要求も大問題ではあったが、最終的なきっかけとなったのは、ゴールド・コーストの大馬鹿者の行政官、フレデリック・ミッチェル・ホジソン総督が、それまでイギリス軍の略奪を逃れて隠されていた聖なる黄金の床几を要求したことだった。当時、一般的に考えられていたことによれば、ホジソン、そしてその後ヴィクトリア女王が、自らの優越性を証明するためにその上に腰掛けたがったのだという。これは挑発以外の何物でもなかった。戦争では、イギリス側の犠牲者も1000人を下らなかったが、アサンテ側はその倍にのぼった。数年前のプレンペ王を追うように、ヤー・アサンテワーもセーシェルに追放され、彼女はここで1921年に亡くなった。勝利したイギリスはアサンテ帝国を正式に英領植民地に併合したが、隠し場所を見つけようという幾多の秘密作戦もむなしく、フレデリック卿がその手を――むしろその尻を――聖なる黄金の床几に乗せることはなかった。

最終的に黄金の床几は盗賊に盗まれたのちに埋められたが、そのあとで偶然、再発見されて、アサンテ王国が部分的に再興された1935年にふたたび政治的に利用された〔セーシェルに亡命したプレンペ王が1931年に死去したのち、後継者のプレンペ2世は1935年に即位することが許された〕。現在のガーナでもアサンテ族が使用している公式の旗には、黄色と黒と緑のストライプが描かれ、その間に細い白線が2本はさまっている。旗の中央に描かれているのは黄金の床几で、オセイ・トゥトゥ王が望んだように、国家の永遠のシンボルとして機能しつづけている。

40

バイユーのタペストリーにはなぜ あんなにたくさんのペニスが登場するんですか? ほとんどが馬のものだけど。

パットより

こんなユニークな質問をしてくれたパット、ありがとう! では順に見ていこう。バイユーのタペストリーをググって、美術様式を確認してほしい。これは実は織物《タペストリー》なんかじゃない(長さ70メートルの刺繍布だ)という学問的な事実に加えて、1066年に起きた事件を迫真的に再現していることに気づくだろう。ノルマンディー公ウィリアムは、この年のヘイスティングスの戦いでハロルド王を破って「征服王ウィリアム」というあだ名を獲得したのだ。

ただし君の言葉のとおり、このタペストリーは、ぶらぶらペニスの花盛りという感じだ。たしかにその数は馬鹿にならない。なにしろ全部で93もの男根が刺繍されているのだ。ただし人間にくっついているのはわずか4つで、残り89は馬のものだけどね。また斧の持ち手で巧みに隠されているものもある。さらに鎖帷子《チェインメイル》を奪われている死体があって、そのペニスは暗示され

てはいるものの、完全にさらされてはいない。

性器は別にしても、バイユーのタペストリーは男だらけだ。人間が626人表現されているなかで、女性は3人しかいない。さらに困ったことに、これらの女性のうち66パーセント（つまり2人）はなぜか全裸なのだ。そしてこの女性3人組のなかで唯一服を着ている、謎めいたエルフギヴァにしても、美徳の権化とはとても言えない。彼女はなぜか、しゃがんだ全裸の男の近くに立っていて、この男の巨大なペニスと差し伸ばした腕はあからさますぎる。その意味するところを、僕たちは理解すべきなのだろうか？　これは何らかのセックス・スキャンダルにまつわる時事的なジョークなのか？　おそらく1066年には、エルフギヴァが誰か、みんなが知っていたのだろうが、僕たちは知らない。ウィリアム征服王の軍事征服の記録に彼女が描かれていることには困惑させられる。

パットの最初の質問に戻ろう。繰り返すが、ここで述べていることは推測の域を出ない。このタペストリーはたしかに美術上の傑作かもしれないが、それでもあらゆる空白にペニスを描き込まずにいられないいたずら者がかかわっていた可能性は、皆無とはいえない。オックスフォード大学教授で歴史学者のジョージ・ガーネットも、タペストリーの図案を考案したのはプリアポス的執着心〔プリアポスについては質問28を参照〕を持つ人間だったのではないかと考えている。ただし犬のペニスはここでは表現されておらず、この特権にあずかっているのは人間と馬だけだ。タペストリーで最大のペニスの持ち主が、征服王ウィリアム自身の乗馬だというのは、何やら象徴的だ。これは彼こそが物語のボス的存在だと示しているのかもしれないし、もしかしたら強力な馬を乗りこなしているウィリアム自身が巨根の持ち主だったと考えるべきなのかもしれない。

裸体で表されているのはイングランド人だけだと主張する研究者もいる。そうだとすれば、タペストリーは敵が下品で不道徳な倒錯者だと主張したいノルマン人の宣伝用ツールだったのかもしれない。もしかしたらペニスは剣や槍に等しく、貫通する武器としての好戦的な男性性を象徴しているのではないかと、名高い美術史家であるタフツ大学教授のマデリン・カヴィネスは考えている。あるいは、これは率直な自然主義的作品で、製作者は垂れ下がる局部を臆面もなく写実的に表現したにすぎないのかもしれない。わかるものか！

この図案を注文したのは誰だったのか、そして誰が実際に刺繍したのかについて、これまで長年にわたってさかんに議論されてきた。19世紀にタペストリーの注文主としておおむね認められていたのは、征服王の妻のマティルダだった。事実、フランスの一部の地方では今でも「マティルダ王妃のタペストリー」と呼ばれている。もちろん、ヴィクトリア朝時代の研究者はタペストリーに表現されているペニスの数の多さにショックを受けていたはずで、こんなに下品な作品の制作にかの優れた女性がゴーサインを出したとは信じられずにいた。彼女は出さなかったのではないか、と僕は個人的に思っている。

むしろ注文主はウィリアムの異父弟のバイユー司教オドンだったのではないかと思う。彼は重要な戦いの場面で、不自然なほど目立つ場所に登場しているのだ。だとすれば、タペストリーが制作されたのは、彼の故郷のノルマンディではなくカンタベリーで、イングランド人の修道女たちが刺繍を担当したのかもしれない。僕もこの説を支持しているのは、当時カンタベリー大聖堂の付属図書館に保管されていた装飾写本からコピーされたと思われるデザインが数か所、タペストリーに登場するからだ。ネタ切れになった修道女たちは、現在でいえば雑誌をパラパラめくるようなことをして、アイデアを求めたのだろう。

カンタベリー説に反対する者たちは、純潔な修道女たちはペニスの外見など知らなかったはずで、それを93も刺繍したはずはない、と主張する。そうかもしれない。しかしすべての修道女が修道院で一生を過ごしたわけではない。修道院は、老母や寡婦が知的な刺激を求めて引退する共同体でもあり、男との性交渉の経験者も多かった。それに彼女たちが雄馬や雄牛を近くで何度も目にしたことは間違いない。小さなペニスを描くのも、別にむずかしいことではない。

そんなわけで、バイユーのタペストリーに大量のペニスが登場するというのは本当だが、なぜそうなのかについて、確実な説明をすることはできない。それでは不満だというなら、リーク刺繍協会のエリザベス・ワードルとその友人たちが19世紀に制作し、現在ではレディング博物館に展示されている復刻版を鑑賞するのはいかがだろうか。これは高名なオリジナルの正確な複製だ。ただし重要な部分にはさりげなく下着が加えられ、また馬たちも発情していない。

41

最も無意味だったのに、最も深く人々の印象に残った戦いはどれですか？

イアンより

質問というものがしばしばそうであるように、この質問にも罠が仕掛けられている。どう答えようと、導火線に火がついて僕の目の前で爆発することは間違いない。なぜなら戦いの重要性について議論することほど、軍事史オタクの好きなことはないからだ。それでも……発表しよう。

最も有名かつ最も無意味な戦いは、１４１５年のアジャンクールの戦いだ。

言ってしまった！　僕の頭は今、ライオンの口に向かって差し出されている。急いで言っておくけど、僕は別に、これこそが君が絶対に信じるべき鉄壁の真実だと言いたいわけじゃない。この質問に対する唯一の正解など存在しないのだ。多くの歴史学者が反対するだろう、この非常に議論の余地のある戦いを僕が選んだのは、単に僕が半分フランス人で、昔からこれについて議論するのが大好きだったからにすぎない。

説明させてもらうと、僕は、アジャンクールとワーテルローが単に有名な戦いの名というだけでなく、愉快なジョークのオチでもある家庭で育った。怒れる十代の頃、僕はことあるごとに自分のなかのフランス的な部分に抵抗を試み、パリ出身の母親をいらだたせていた。母は軍事史にはまったく関心がなかったが、それでも夕食の席で僕がヘンリー5世（在位1413〜1422）やウェリントン公爵を称賛するたびに不機嫌になることに、僕は気づいた。愉快なことに、僕の得意満面のあてこすりは、当然ながら不機嫌な表情と、「それでも戦争には私達が勝ったのよ。それにあんたたち馬鹿なイギリス人は、スペルだって間違っているじゃない。Agincourt（アジンコート）じゃなくて、zのAzincourt（アジャンクール）なのよ！」という鋭い返答であっという間にこてんぱんにされたものだ。

頭にくることに、どちらの点でも母は正しい。1415年10月25日の聖クリスピンの日〔10月25日〕に、同名の村の近くで戦われた（アジンコートじゃなくて）アジャンクールの戦いは、中世史を代表する戦いの1つだ。その高い知名度は間違いなく、ウィリアム・シェイクスピアが1599年に書いた勇壮な戯曲『ヘンリー5世』に多くを負っている。これは政治劇の傑作であり、心を強く揺さぶる力を持つことから、イギリスが国難を迎えるたびに幾度も登場した。1756年から1763年にかけて戦われた七年戦争〔シュレージェン地方の領有を巡ってプロイセンとオーストリアの間で戦われた戦争。イギリスはプロイセン、フランスはオーストリア側についた〕、それからナポレオン戦争――いつだって敵はフランスだった――の間も、『ヘンリー5世』が繰り返し上演されて大きな人気を博した。ホレイショー・ネルソン卿も、シェイクスピア劇のなかで特にこの作品を好んでいたという。

アジャンクールの戦いからちょうど500年経った1915年、イギリスはふたたびフランスに兵士を派遣していた。ただし今度の憎むべき敵はドイツ軍だった。イギリスの新聞は、中世の戦いを回顧する記事で埋め尽くされ、大衆の熱狂にインスパイアされた作家のアーサー・マッケンは、1914年に「弓兵」という短編を『イヴニング・ニュース』紙に発表している。それはモンスの戦い〔1914年8月23日にベルギーのモンスで起きた戦い〕についての物語で、イギリス軍はドイツ軍より数のうえで大幅に劣勢だったにもかかわらず、危急の際にアジャンクールの弓兵たちの亡霊が助けに駆けつけた、というものだった。もちろんこれはロマンチックなフィクションにすぎない。しかしやがてモンスで守護天使を目撃したという噂が広まり、これは神がイギリスに味方している証拠だとされた。

アジャンクールの持つ宣伝効果は1944年にもふたたび証明された。このときには、ノルマンディ上陸作戦の前に国民の士気を高めるため、『ヘンリー5世』がローレンス・オリビエの監督・主演で映画化されたのだ（実際に公開されたのは、連合軍が上陸作戦を実施した数か月後だった）。シェイクスピアの作品のなかの不適切な部分はカットされ、その結果ヘンリー5世は実際よりも品行方正な戦士として描かれている。ウェールズ人の弓兵がフランス軍に対する挑発の印としてVサインをして、2本の指を誇示したという伝説がささやかれるようになったのも、この頃だ。フランス側は、長弓をひくのに必要な指を切り落としたかったはずだからだというが、もちろん、これもまったくのでたらめだ！　しかしアジャンクールはいつの時代にも国民的伝説でありつづけた。

「伝説」と書いたが、もちろん戦い自体は史実だ。過去600年の大半で受け入れられてきた物語によると、これは上級貴族の大部分を含むフランスの大軍が、イングランド人とウェールズ人兵士からなるヘンリー5世の軍の退却を妨害しようとしたことがきっかけで起きた。港町アルフルールを陥落させた後、カレーに退却しようとしたヘンリー5世の軍は、フランス軍に気づかれませんようにと願っていた。もちろんフランス軍はすぐさま気づいた。しかし優れた戦略、勇気、そしてヘンリー5世の英雄的な指導力のおかげで、数的に劣勢なイギリス軍がフランスの大軍を壊滅させ、こうして百年戦争における思わぬ完璧な勝利がヘンリー5世に転がり込んだのだ。

すごい話じゃないか？

現代の歴史学者はさまざまな検証を行っており、全員がこの物語に完全に同意しているわけではない。一番懐疑的なのがサザンプトン大学教授のアン・カリーだ。彼女は当時の行政文書にあたり、ヘンリー5世がノルマンディに殴り込みをかけるために、正確に何人の兵士と、どれくらいの金額をかき集めたのかを調べた。普通、フランス兵の数はヘンリー5世の兵士の4倍だったとされている。古文書館で綿密な調査を行ったカリーが導き出したのは、はるかに控えめな数字だった。イングランド兵とウェールズ兵の合計は8700人――通常いわれる6000人より多い――だが、フランス軍の数は、2万4000人から一気に1万2000人まで減少したのだ。ジュリアン・バーカー博士などほかの研究者は、この数字はフランス軍を過小評価していると考えている。なぜなら、騎士はみな従卒を連れていたはずで、カリーはこれを考慮に入れていないからだ。バーカーは、戦慣れした騎士1万4000人に、予備の軽武装の兵士1万人がいたはずだと考えている。

技術的な議論はともかくとして、僕は別にアジャンクールの戦いの神話をぶち壊したいわけじゃない。イングランド＝ウェールズ勢が、明らかな劣勢から思いも寄らないノックアウトを繰り出したことは間違いない。ヘンリー5世の軍には騎兵がおらず、ウェールズ人の弓兵がイングランド人の武装兵より5倍も多いなど、妙にバランスを欠いていた。普通なら、この比率は間違いなく惨事を引き起こすところだが、アジャンクールでは、攻撃に弱い弓兵は両側に迫る森に守られていた。彼らは泥土に鋭くとがった杭を打ち込んで、フランス軍騎兵の勢いを削ぐための自前の防御柵を急遽出現させたのだ。こうして防御を固めると、弓兵は遠くからフランス軍に次々に矢を射かけた。たぶん、ほとんどの矢は鋼鉄製の鎧を貫通しなかっただろう。しかしフランス人やその乗馬の手足や目は弱点だった。さらにフランス軍はぬかるみのなかを前進しなければならず、戦える距離まで近づいた頃にはへとへとに疲れ切っていたはずだ。

泥土に足を取られ、猛烈な騎馬突撃もできず、側面に迫る森のせいで敵を包囲することもかなわず、さらに矢が雨のように降ってくる状態に陥ったフランス勢の背後からは、猛り立った自軍が突撃してきた。最前線にいる者は、側面からは泥などものともせずに敏捷に移動する軽武装のウェールズ兵の攻撃を受け、一方イングランドの武装兵は正面から攻めてきたのだ。

多くのフランス兵は、戦いが始まるより前にすでに、背後から押し寄せてきた援軍になぎ倒されて泥に沈み、なすすべもなく次々に殺されたことだろう。意地悪なことをいえば、この戦いで起きたのは、イングランド＝ウェールズ軍の勝利などではない。フランス軍が負けるのに成功したのだ。戦いにおけるフランス側の死者は6000名以上にのぼった。フランス軍の捕虜がふたたび攻撃に参加することを恐れたヘンリー5世が、卑怯にも捕虜の処刑を命じたことも、犠牲者の増加につながった。

この日、わずか半日の戦いの結果、複数のフランス貴族の家系が消滅した。王族7名が命を落とし、そのなかには公爵3名も含まれていた。無残な殺戮と化したこの戦いはフランス軍の士気をくじき、戦いつづける気を失わせたに違いない。そのうえ国家の統一までが危機にさらされた。当時のフランスは政治的に、アルマニャック派とブルゴーニュ派に分裂しており、彼らはイギリスに対しては一致団結して対抗するはずだった。しかしアジャンクールの惨敗は彼らの協力関係も解消した。アルマニャック派の多くが戦いで斃《たお》れ、ブルゴーニュ派はこの好機をとらえてアルマニャック派が掌握していたパリに進軍し、同国人を攻撃したのだ。

一方のヘンリー5世はこの好機を逃さず、続く4年間にノルマンディ地方で領土を拡大した。しかし戦場での目覚ましい成果にもかかわらず、ブルゴーニュ公ジャン無畏公との政治交渉はうまくいかず、やがてブルゴーニュ派とアルマニャック派はふたたび協調の道を探りはじめた。その後、ブルゴーニュ公ジャンが突然アルマニャック派に暗殺されたことから、ヘンリーにふたたび大きなチャンスが巡ってきた。

こうしてヘンリー5世は、復讐心に燃えるジャンの息子フィリップと同盟を結んだ。1420年に結ばれたトロワ条約で、ヘンリーはフランスの正統な王位継承者と定められた。精神が不安定な現王シャルル6世が死去したらヘンリー5世が王位を継ぐことになったのだ。ヘンリー5世はダメ押しとして、シャルルの娘のキャサリン・オブ・ヴァロワと結婚までしている。見事だ！

問題は、シャルル6世の息子の王太子シャルルがこの取り決めを承認しなかったことだ。彼は支持者たちを集めた自分の宮廷を構えて、辛抱強く好機をうかがった。他方ヘンリー5世は、単にイングランド王でしかなかった頃は冒険を楽しめたが、フランスの王位継承者になったとたんに、ウェストミンスターの議会が海外の冒険への関心を失ったことに気づいた。当初のノルマンディ侵攻のために徴収した税金や議会が認めた補助金——軍勢と補給物資を大陸側に送り込むための大量の船舶の建設費は言うまでもない——はとうとう底をついてしまった。この先もフランスで戦いつづけたければ、フランス側から金を絞り取るよりほかなかった。イングランド議会は、王が海外遠征のことばかり考えているとして、次第に不満を募らせていたのだ。

ノッティンガム大学教授のグウィリン・ドッドがいうように、ヘンリー5世は突然、自分が、勝利するまでいつまでもかかりそうな金食い虫の遠征の只中に――以前のような財政的裏づけもなく――いることに気づいた。彼が本当に、シェイクスピアがのちに描いてみせたような賢明な王だったとすれば、この時点で次のような気が滅入る結論に達したに違いない。つまりアジャンクールは偽りの夜明けにすぎず、自分はやっかいな難問に直面している、と。

百年戦争は勝者のいない戦争であり、英仏両国とも相手を征服する力を持たないことは、1300年代後半には明らかになっていた。それでもヘンリー5世は懲りずに、騒ぎの只中に突進していったのだ。しかしいまや残された金も人も乏しく、そのうえ成果として示せるものもほとんどなかった。

しかし苦しみは長くは続かなかった。1422年に彼は運命の皮肉に襲われたのだ。パリ近郊のモーの包囲戦中、ヘンリー5世は赤痢にかかった。無敵の軍神のごとき王は腹下しにより衰弱死したが、この事実はシェイクスピアの戯曲の完成稿では賢明にも伏せられている。その数週間後、フランス王シャルル6世も、精神疾患に苦しめられた生涯を終えた。正統なる世継ぎはすでに死去していたため、フランスの王位は法的には、ヘンリー5世とキャサリン・オブ・ヴァロアの息子――同じくヘンリー――が継ぐはずだった。幼王を戴くフランスは、摂政を必要としていた。しかしこの時点でも政治的対立は解消されたわけではなく、王太子シャルルの支持者たちはこの赤ん坊を自分たちの君主として認めようとしなかった。いつまでも終わらないテレビのメロドラマのように、このどうしようもない百年戦争は、新たなキャストを迎えてだらだらと続いた。

ブルゴーニュ派と同盟を結んだイギリス勢は、王太子のアルマニャック派を壊滅させようとして莫大な金額をつぎ込んだ。彼らの努力はある程度の成果をあげていたが、それも天使を見たと主張するズボン姿の十代の少女によって、オルレアン包囲戦でこてんぱんにされるまでのことだった。ジャンヌ・ダルクは戦いの潮目を変え、王太子を聖なる儀式で即位させ、その後、役目を終えた彼女はシャルルに裏切られた。

イギリス側は彼女を異端者として火あぶりにしたが、それまでに彼女の目指していたものの大部分が実現していた。わが家の食卓で母が好んで指摘したように、1453年にフランスは百年戦争に勝利した。あまりにもだらだらと続いたこの戦争は、その馬鹿げた名前でさえ控えめというしかない。なにしろげんなりすることに、116年も続いたのだから！

ということで、「最も有名だが、同時に最も無意味な戦い」としてなぜアジャンクールを選んだのか？　それは、大局的に見ると、この戦いでなにひとつ変わらなかったからだ。この決定的で感動的な、驚嘆すべき勝利は、イングランドの敗北が確実と思われていた戦争の1つのエピソードにすぎず、やがて彼らは実際に敗北した。戦いに勝利することによって、そしてフランス王位継承者の称号を得ることによって、ヘンリー5世の立場はさらに困難なものになった。つまり片側に大きく振れた振り子は、彼の関与の結果、反対側に振れただけだったのだ。

もちろん、アジャンクールの戦いがその後の歴史にいかなる影響も及ぼさなかったと言いたいわけではない。もちろん影響はあった！　フランスの政治状況は目もあてられないような複雑怪奇なものになり、その結果多くの命が失われた。それに、もしアジャンクールの戦いがなかったら、歴史上の最大の有名人の1人であるジャンヌ・ダルクが登場しただろうか？　もしヘンリー5世が赤痢の発作を生き延びてフランス王に即位していたら、ジャンヌはそれでも彼と戦っただろうか？　誰にもわからない！

ただし、確実なことが1つ言える。もしヘンリー5世がアジャンクールの戦いに敗北していたら、シャルル7世が即位していただろうということだ。ヘンリー5世は戦いに勝利したが、それでもシャルル7世は結局即位した。つまり短期的には、アジャンクールの戦いが歴史に大きな影響を及ぼしたことは間違いないが、最終的にはそれは、避けられない結末に向かう歴史の流れの意外な迂回路以上のものではなかったのだ。

アジャンクールはその後も数世紀にわたり、イングランド人、そしてウェールズ人にとっての縁起物となり、危機の時代には輝かしい武勲として繰り返し回想された。だが実際のところ、僕は何も知らない十代のガキで、辛抱強い母さんが正しかったのだ。つまり、いくら美辞麗句を連ねようと、アジンコートでは何も決まらなかった。ごめんよ、ママン！

42

完全武装の騎士はどうやってトイレに行ったんですか？

ピーターより

やあピーター、定番の質問をどうもありがとう。これは一番よく訊かれる質問の1つなんだ。誰もが身体機能について聞きたいわけじゃないと思うので、答えはできるだけ簡潔にする。そこでだが、君が記したように、ハーネスとして知られる完全武装の甲冑はたしかに、いろいろな点で難儀なものだった。しかし甲冑の歴史とはすなわち、防御力をいかに高めるかに尽きたので、この物語のどの部分に注目するかで事情は変わってくる。

ウィリアム征服王がイングランドに攻め込んだ1066年のヘイスティングスの戦いの場合、彼の、そして敵であるハロルド・ゴドウィンソン王の兵士たちは、布製のズボンの上にホウバーク(hauberks)という長い鎖帷子《チェインメイル》を着用していた。その頃なら、メイ

ルの裾をひょいと持ち上げて排泄するのは朝飯前だっただろう。そうした様子を描いた、少し後の時代の絵がいくつか残っている。

その後、板金《ばんきん》を部分的に使用した甲冑（プレートアーマー）が発達した。この場合、体の重要な部分はガチャガチャする鋼鉄の板金で守られていたが、ほかの部分はチェインメイルで防御されていた。股間と尻は通常、簡単に持ち上げられるメイルの裾で覆われるか、腰を守るフォールド（faulds）や臀部を守るキュレット（culet）という鋼鉄製のスカート状のパーツで保護されていた。これらは上からの一撃に対する防御力は高かったが、下から突き上げるような攻撃に対してはなすすべもなかったため、騎士たちは大事な一物を守るために大量の詰め物を股間に仕込んだ。ということは、トイレに行くことはできても、かがみ込んで詰め物を取り出さなければならなかったので、面倒ではあったに違いない。

ほかにも厄介な点はあった。プレートアーマーを着用する方法はいろいろあったが、普通、各パーツは、体の各部分の裏側に巻きつけたひもで留められ、その上に板金プレートが互いに重ねられ、穴に留め釘を通してしっかり固定された。大腿部を守る重いクウィス（Cuisses）は腰に回したガーターベルトから、またはジャケットのフックから吊り下げられた。こうして甲冑の重量を兵士の背中と腹筋に分散したわけだ。よく考えられている。

ただし、こうなるとズボンを下ろしたい騎士は、まずクウィスを外さずにしゃがむのは困難だったに違いない。ガーターベルトを着用していた場合はなおさらだ。その場合は従僕にクウィス、それにもし着用している場合は尻を守るキュレットも、外すか持ち上げてもらうかするしかなかった。それでも、トイレに行くのは、可能ではあるがひどく面倒な作業だっただろう。だが1400年代にイタリアとドイツの職人が全身を板金で覆ったプレートアーマーを開発し、これが1500年代に洗練さを増していくと、事態はさらに複雑になった。特に馬上槍試合に使用されたものはボディラインにぴったり沿っていて、股間と尻も板金で守られていたので、冗談抜きにマーベル・コミックのアイアンマンにそっくりだっただろう。複雑にかみあった板金パーツでできた甲冑は、他人の助けなしには着脱が不可能だった。つまりトイレに行くのも1人では無理だったということだ。

そしてここにぜひ記しておきたいのは、恐ろしい危険やアドレナリンの大量分泌を日頃経験し、食糧事情や衛生環境が劣悪なためにしばしば腹を下していた当時の騎士たちは、頻繁にトイレで失敗していたに違いないということだ。たぶん、騎士道の華というべきヒーローはなにかといえば便失禁して、びしょ濡れの不潔な甲冑とズボンを従僕や洗濯女に渡していたのだろう。ああ、中世騎士道のロマンはどこへ行った！

第11章

言語とコミュニケーション

43

イギリスではいつ、初めて手話が使用されたのですか？また補聴器が初めてつくられたのはいつですか？

ダナラーより

これはとても大事な質問だ。なぜなら耳の不自由な人はいつの時代にも存在したけど、彼らのことは人々の記憶にほとんど残っていないからだ。耳の聞こえない歴史上の有名人は、と聞かれて君が挙げるのはたぶんベートーヴェン、ヘレン・ケラー、それにひょっとしたらトーマス・エジソン……それ以上はなかなか思いつかないいんじゃないかな。正直なところ、障害の歴史について、たいていの人は何も知らない。だからダナラー、君が質問してくれたことには感謝している。知識に穴があることに気づき、これを埋めようとするのは大事なことだからね。

幸い聴覚障害を専門とする歴史学者たち——イースト・アングリア大学のエミリー・コッケイン博士、デラウェア大学のジャイプリート・ヴィルディ博士、シェフィールド大学のエスメ・クリール博士、ブリストル大学のマイク・ガリヴァー博士、それにジェラルド・シェア——により、近年興味深い研究が進んでいる。彼らは聴覚障害を持つ人々の経験を調査し、この人々が社会でどう扱われたか、どうやって意思表示をしたかを明らかにした。さらに耳の不自由な人々を助けるべく開発された医学的・技術的介入も検証した。ここではまず前者から話を始めたい。手話は、聴覚補助具よりもずっと長い歴史を持っているから、そして後者は残念なことにかなり心をかき乱される内容だからだ。

手話はほぼ間違いなく、人間の発話よりも古い歴史を持つ。そのことは、進化論上の僕たちの従兄弟である類人猿が、身振りによるコミュニケーションに長けていることからも明らかだ。ゴリラのココは2018年に死ぬまで、約1000の異なる身振りで飼育員に意思表示することができた（ココは「わたしの冷たいカップ」という身振りをしてアイスクリームを要求した）。初期の人間も、おそらく同じことをしていたのだろう。そしてはるか昔の石器時代、約10万年前にホモ・サピエンスが話し言葉を獲得したあとでさえ、同じ言葉を共有しない集団が接触した際には、身振りが使われていた可能性は非常に高いのだ。

聴覚障害者が身振りを通じて意思疎通をしていた痕跡は、おそらく古代エジプトまでさかのぼると思われるが、古代ギリシア時代になるとそれは確実だ。というのも、（弟子のプラトンによると）ソクラテスが次のように述べているからだ。「もしわれわれが、声も舌も持たない状態で互いにコミュニケーションを取ろうと思うなら、ろうあ者と同じように、手や頭や体のほかの部分を使って身振りをすべきだと思わないか？」と。

イギリスで、知られている最初の公式の手話は、聴覚障害者ではなく、沈黙の誓いを立てた

聖職者のものだった。中世期、カンタベリーのクライスト・チャーチ修道院の修道僧たちはベネディクト会の戒律に従っていた。つまり祈祷書の朗読と聖歌の朗唱の時間を除けば、日々の会話の時間をできるだけ制限していたのだ。1000年前の写本には彼らの使用していた手振りが記されており、そのなかには修道僧たちの日々の生活で使われていた127の手振りが含まれている。たとえばもしある修道僧が石鹸を必要とした場合、彼は両手をゴシゴシと勢いよくこすり合わせた。また下着のパンツが欲しいときは、まるでパンツを穿くかのように両手で両腿をなで上げた。もちろん、あまり勢いよくこれをしたら好色な倒錯者と誤解されかねないので、ほどほどにする必要があったが。

聴覚障害者の手話に関する最古の記録の1つが描き出すのは、なかなか美しい場面だ。それは1575年のトーマス・ティルシーとウルスラ・ラッセルの結婚式での出来事だった。ろうあ者だったトーマスは結婚の誓いを、「死が2人をわかつまで」という部分も含めて、身振りで行った。

彼はまず彼女を両手で抱きしめてから、彼女の手を取って指輪をはめ、そして自分の手を彼女の心臓に重ねて、次いで両手を天に上げた。それから、死ぬまで彼女とともに生きることを示すため、両手で自分の目を覆い、片足で土を掘り返す動作をした。そして鐘を鳴らすかのように腕をひいた……。

この時代の多くのすばらしい記録を発見したエミリー・コッケイン博士は次のように述べている。「日記や文学作品に見られる、聴覚障害者との出会いに関する記述からは、彼らが自ら考案した身振り手振りを通じて、見知らぬ者とは大ざっぱに、また親しい者たちとは細かい部分まで意思疎通に成功していたことがうかがえる」。この問題に興味を惹かれた16世紀の博識家、たとえばイングランドのフランシス・ベーコンやフランスのミシェル・ド・モンテーニュの観察も残されており、モンテーニュは、「ろうあ者は身振りで同意や不同意を示し、物を語ることができる。私は非常に柔軟で豊かな知識を持ち、言いたいことを理解させるのに何ら不自由を覚えない者とも出会った」と述べているのだ。

近世以前には、聴覚障害者の大半は自分たちだけのグループをつくっていたわけではなかった。彼らのほとんどは正常な聴覚を持つ両親の間に生まれたため、おそらく家族内で通用するコミュニケーション・システムを考案していたことだろう。ということは、初対面の聴覚障害者同士の間では、円滑な会話はおぼつかなかったに違いない。しかし今から約5世紀前、教育思想家たちがより標準化されたアプローチを求めはじめた。聴覚障害者に手話を教えることを最初に主張したことで知られるのは、1500年代半ばのスペインの修道僧ペドロ・ポンセ・デ・レオンで、その後1620年のファアン・パブロ・ボネットの活動に続く。

しかしダナラーは特にイギリスの歴史について知りたいんだった。そこで内科医のジョン・

バルワーに注目したい。聴覚障害者のための教育プログラムをつくるべきだと早くから主張していたバルワーは、手指で文字を表現するシステムを考案した。「われわれがいつも言葉を発しているのと同じように、あなた方はいつも身振りで意思の疎通を図っているのだから、あなた方はすでに身振りで多くを伝えることができる」と、彼は1648年に発表した著作に書いている。さらに「ろうあ者として生まれた者は……身振りを使って論理的に主張し、議論することができる……」と確信を持って述べ、したがって耳が聞こえないことは、レベルの高い議論に参加できないことを意味しないとした。ただし彼も当時の多くの哲学者たちと同様に、何らかの言語システム――話し言葉か手話かを問わない――を編み出さなかった者は、合理精神を育むことはできないと考えていた。他者とのコミュニケーションこそ人間であることの本質だと、彼は信じていたのだ。

1680年に出版された『ディダスカロコプス』(「聴覚障害者の教師」の意)の著者はスコットランド人の教師で言語学者のジョージ・ダルガーノで、彼が提案した手指を使ったシステムでは、左手の指先で母音を表している。興味深いことに、ダルガーノが関心を持っていたのは聴覚障害だけではなかった。彼は人類共通の言語というものが存在するかを調査していた。もしその秘密が解明されれば、異なる言語間の翻訳の際に生じる誤訳という問題を解消できるはずだった。

これらの著作は、驚くほど古い時代のものに感じられるだろうか。しかしイギリスの最初の言語療法士という名誉を与えられているのは、さらに時をさかのぼり、721年に死去したヨーク司教ベヴァリーの聖ジョンだ。彼はさまざまな奇跡を行ったとして列聖されており、なかでもよく知られているのが、ろうあ者を治癒したというものだった。しかし、中世の高名な聖職者である名高い尊者ベーダ（ベーダ・ヴェネラビリス）が伝えるこの物語をよく調べてみると、どうやらベヴァリーの聖ジョンは治癒の奇跡を行ったわけではないらしい。彼は相手にまず音節、次いで音のまとまり、そして複数の単語をどう発音するかを根気強く教え込んだらしいのだ——ちょうど18世紀の言語療法士のように。

実際、聴覚障害者の子どもを教育するための公立学校が設立されたのは1700年代半ばのことで、その最も重要な先駆者はおそらくトーマス・ブレイドウッドだった。エディンバラに彼が設立した学校は、有名な辞書編纂者のサミュエル・ジョンソンに称賛されている。ジョンソンは、生徒たちがむずかしい単語を発音できたことに感銘を受けている。このことからブレイドウッドはどちらかといえば、聴覚障害者を健常者の世界に適応させることを目指す「口話主義者」だったことがわかる〔「口話」とは、聴覚障害者が相手の口の形から言葉を読み取って理解し、またその形を真似ることで言葉を発すること〕。

しかし彼が編み出した秘密のテクニック——ブレイドウッドの死後、1809年にようやく甥のジョセフ・ワトソンによって出版された——はむしろ「折衷システム」と呼んだほうがよさそうだ。それは最初に音節に分解された音、それから単語を教えるだけでなく、指文字《フィンガースペリング》〔文字を手の形に対応させた視覚言語の一種〕や手話を使い、筆記練習も行っていたからだ。ブレイドウッドの生徒たちは資産階級の子弟だったが、ワトソンは受け継いだ技術をさらに発展させ、やがて裕福な親を持たない聴覚障害者の子どもたちを教育するための最初の公立学校で教えるようになった。したがってワトソンは、イギリス手話（British Sign Language, ＢＳＬ）の発展において重要な役割をはたしたといえる。

こうして教育の機会が広まっていっただけではない。イギリスの法律制度は、法廷で証人が手話で証言することについても、驚くほど寛容だったようだ。オールドベイリー〔ロンドンにある中央刑事裁判所の通称〕で１７７３年に通訳を務めた、初めての聴覚障害者の通訳ファニー・ラザルスの名が残っている。このことは、聴覚障害者が信頼できる証人とみなされていたことを示しているだけではない。たとえ裁判官や陪審員が証言を直接理解できない場合でも、手話から話し言葉への第三者による通訳に、法廷が完全な信頼を置いていたことを示しているのだ。

聴覚障害者が身振り手振りで意思表示することについて、いろいろなケースをたどってきた。そこで次に、治療に向けた医学的・技術的なアプローチに目を向けてみよう。残念ながらこちらはかなりぞっとさせられる代物で、近代になっても状況はなかなか好転しなかったので、心の準備をしてほしい。

聴覚障害は医学的に完全に理解されていたとはいいがたく、初期の治療法はかなり原始的なものだった。ジェラルド・シェアが重要な論考『光の言語：音なき声の歴史』（未邦訳）で次のようなぞっとする状態を描いている。

中世には、聴覚障害者の口に灼熱した石炭を詰め込み、「燃えさかる力で」しゃべらせようとした。こうした暴力的な実験は18世紀以降も続き、鼻孔にカテーテルを挿入し、鼻腔でひねって耳管まで達したら熱い液体を注ぐ場合もあった。……ほかの治療法には、ろうあ者である娘の頭蓋骨のてっぺんに大きな穴をあけ、開口部を通じて「聞こえる」ようにする、耳道にエーテルまたは電流を流す、鼓膜に穴をあけて中耳腔に熱い液体を注ぎ、恒久的な火傷を負わせる、魔術的な力を持つとされる燃える葉を詰めた熱いシリンダーで強い刺激性の薬物を首に塗り、首筋から顎までをただれさせる、粘着性のコットンをあてて火をつける、嘔吐剤や下剤を使用する、側頭骨の乳様突起に熱い針を刺したり乳様突起を除去したりするというものがあった。

聴覚障害者が聞こえるようにするための、より痛みの少ない方法は、補聴器を開発することだった。骨が音を伝えることや、棒を歯でくわえると音が聴き取りやすくなることは、少なくとも1550年代には学者たちに知られていた。1600年代半ばには、数名のヨーロッパの自然科学者たちがラッパ型補聴器について書いている。

そのなかでも最も知られているのはアタナシウス・キルヒャー〔1601／1602～1680ドイツの自然科学者、イエズス会司祭。地質学や医学、東洋学など幅広い分野で優れた業績を残した〕だろう。キルヒャーは、音波は旋回して進んだほうが耳に吸収されやすいという誤った考えを持ち、螺旋状のラッパ型補聴器をつくった。骨伝導を利用した棒、それにラッパ型補聴器は、最も普及した補聴具であり、１８００年代なかばには、耳の後ろに隠しやすいこうした機器のプロトタイプの特許がいくつか認可されている。

電気を利用した補聴器が登場したのは１８９８年で、それは電話やカーボンマイクロフォン〔炭素を利用して音声を電気信号に変換した〕の発明へとつながる聴覚技術の発展に伴うものだった。電話の発明の最大の功労者はもちろんアレクサンダー・グラハム・ベルだが、この目覚ましい業績は、彼が聴覚障害の撲滅に熱意を注いでいたという事実を覆い隠してしまったようだ。彼が一生を通じて聴覚技術に関心を持ちつづけたのは、母親と妻がどちらも聴覚障害者だったからだ。そして現実的な人間だった彼は、彼女たちのような大人と意思の疎通を図るために手話を学んだ。しかし子どもたちのためのろう学校を開設すると、彼は厳格な「口話主義者」となり、生徒たちが話せるように、手話だけでなく聴覚を訓練し、口の形を読み取る訓練をすべきだと主張した。

当時の多くの思想家と同じく、ベルも生物学的な純粋さを支持する優生学論者だった。そして子孫を持つことを許された人々のレベルに応じて、社会全体の質を向上させることも低下させることも可能だと信じていた。断種政策を支持することはなかったものの、聴覚障害はアメリカ社会に広がりつつある、脅威をもたらしかねない奇形であるとみなしていた。

なぜなら聴覚障害者は図々しくも結婚して子どもをもうけ、自分たちだけの社交クラブを設立して、同類だけで集っているからだ。彼らは自分たちだけで集まり、社会に分断を引き起こしている、とベルは文句を言った。そして英語こそが国民を1つに統合する接着剤であるべきだと考え、聴覚障害者を含むすべての人間に話し言葉を教えるべきだと主張した。彼は「話し言葉の価値を疑うこと！　それは生命の価値を疑うことに等しい」と述べている。

年若い生徒にとって何がよいか、自分が一番理解していると信じていたベルは、手話を使う聴覚障害者は自身に注目を集めて醜態をさらしていると信じていた。「口話システムについて重要なのは、ろうあ者に自分も人間として他人となんら変わらないと感じさせ、同時に彼らの欠陥を世界に見せつけることにある。しかし特別な［手話の］メソッドでは、彼らは欠点を誇りとし、ろうあ者であることを誇りとし、世界の一員でないことを誇りとしているのである」。

聴覚障害に対するベルの姿勢は、ケイティ・ブースの著書『奇跡の発明』（未邦訳）で注意深く示されているが、会話教育と電気式の聴覚補助具という強力な組み合わせは、彼が望まれない病と見なしたものの治癒に役立つはずだった。1880年にミラノで開催された第2回国際ろう教育会議では口話法の優位が宣言され、ベルはこれと前後して行われた1880年代の教育改革でも、口話法を推進すべく強力なロビー活動を行った。

その結果、手話法は各地のろう学校から姿を消した。ようやく変化の兆しが見えてきたのは1980年代になってからだったが、聴覚障害者とその文化はそれまでに大きなダメージを受けている。BSLのバリエーションは何世紀も前にすでに結婚式や法廷で使われていたが公的な言語として認められたのは、ようやく2003年になってからのことだった。

44

異なる大陸にある帝国は、どうやって互いに意思疎通を図っていたのですか？通訳がいたのですか？

トーマスより

君に質問がある。歴史上の有名な通訳を1人挙げてほしい。何人か存在するから、無理な質問ではないが、でも答えられなくても、君に辛くあたるつもりはないよ。だいたい通訳のことなど、誰が気にする？　重要な交渉をするのは、お偉方じゃないか？　大量の作業を、できるだけ目立たずにこなしている翻訳者についても同じことがいえる。彼らの名は知られていない。彼らのことを気にする人なんていない。でも彼らが存在しなかったら、世界はずいぶん違っていただろう。

通訳や翻訳者はしばしば歴史をつくるが、でも彼らがニュースの見出しを飾ることはめったにない。僕がすぐに思いつく例外としては、リビアの指導者だったカダフィ大佐が国連総会で演説をしたときのことがある。75分ぶっ続けで訳したあとで、絶望した通訳は「もう無理！」

と叫んで倒れたという。より最近では、ドナルド・トランプがアメリカの大統領に就任したとき、日本側の通訳が、彼のひねくれたたわごとを理解するのに苦労した、あるいはその恐るべき下品さに閉口したらしい。これまでに「nutjob（頭のいかれた）」とか「彼女のアソコをつかめ」なんていう通訳をしたことはない、と1人のベテラン通訳が文句を言ったという。

通訳は非常にむずかしい技術だ。複数の言語を完璧に理解かつ使用し、高い集中力、冷静な忍耐力、そして非常に入念な単語の選択を通じて潜在的な危機を回避する判断力がいる。トーマスはすばらしい質問をしてくれた。幸いなことに外交の歴史は、互いに相手国への侵略を繰り返していた青銅器時代の帝国までさかのぼることができる。

約4400年前、エジプト人は隣人であるヌビア人との交渉をまとめようとしたが、この時誰が通訳を務めたかはわかっていない。たぶん、侮辱的なほどゆっくりと「わたしエジプト人！　わたし貿易したい！　あなた貿易したい？」と叫ぶその辺の人間を連れてきたのではなく、相手国に滞在してそこの言葉を習得した商人か学者だっただろう。

エジプト人は、史上初の書面に記された平和条約も残してくれた。それは大王ラムセス2世と、その最大のライバルであるヒッタイト帝国皇帝ムワタリの間で結ばれたものだ。紀元前1274年にシリアのカデシュで両軍が激突したとき、戦闘は膠着状態に陥ったが、両軍とも勝利を宣言した。ラムセスとムワタリは、最終的にしぶしぶ休戦交渉を行ったが、「永遠の条約」という楽天的な題名を持つこの条約は、銀のタブレットに書かれ、ヒッタイト側のものは当時の国際外交語だったアッカド語で、そしてエジプト側のものはその後神殿の壁にヒエログリフで刻まれた。

ラムセスとムワタリはまた、心にもない親しげな、パッシブ・アグレッシブな手紙を互いに送りはじめた。彼らの妃たちも同じことをしはじめたので、こうしたやりとりには通訳が関与していたと推測できる。たとえばその50年前にもホレムヘブ将軍〔紀元前1348～20頃ファラオに即位〕の墓の浮彫装飾で、ファラオの言葉を聞いた通訳が集まった外国使節に向かって、それがよい知らせか否かを告げている場面がある。明らかに古代エジプト史のさまざまな場面で、数名の通訳が宮廷をうろうろしていたわけだ。

それから約1000年後、マケドニアの征服好きなアレクサンダー大王も通訳を雇った。巨大な帝国を征服したものの、「予はお前たち全員を所有している！」とそれぞれの言語でなんといえばいいか知らなかったからに違いない。特にペルシア語を理解しないままでいることは許されなかった。戦いでダリウス3世を破ったアレクサンダーは強力なペルシア帝国をわがものとしたが、新しい臣下と意思の疎通を図ることができなければ、公正な統治などおぼつかない。幸いなことに新しい臣下のなかから、ペルシア人を母、ギリシア語話者を父とする人物が通訳として名乗りをあげてくれた。

帝国病に取りつかれた後のローマ人も同じ問題に直面した。キケロによると、通訳は下級役人だった。もしかしたら戦争捕虜、奴隷、旅する学者、商人などだったかもしれない。キケロも、現代のトルコに位置するキリキアの総督に就任した際には通訳を必要とした。またローマの交易網は非常に広がっていたため、黒海沿岸の1つの港だけで、商人や船乗りが操る300の異なる言葉に対応できる130人の通訳を必要としたと、大プリニウスは述べている。

ローマ人が古代の中国と交流を持っていたこともわかっている。中国人はローマを「大秦」と呼んでいた。行き交っていたのは芸術家や商人だけではなく、皇帝マルクス＝アウレリウスは紀元166年に大使節団を乗せた船を中国に派遣している。またローマ人はインドから直接、香辛料や黒胡椒を輸入していた。皇帝ネロはナイル川の源流を発見すべく探検団をエジプトの南に派遣しているが、この探検行は兵士たちがスッド大湿地〔南スーダン共和国の白ナイル流域に広がる世界最大級の湿地〕にズブズブ沈むという不名誉とともに終わりを告げた。どの使節団も、地元民と交渉して友好関係を維持するため（または湿地に適したサンダルを手に入れるため）熟練の通訳を同伴していただろう。

通訳は必ずしも簡単な、あるいは安全な仕事とはいえなかった。ペルシアのダリウス大王がアテネとスパルタに使節団を派遣したとき、ギリシア側はなすすべもない彼らを井戸につき落としたといわれている。一部の記録によればその理由は、彼らが敵のために働くギリシア人だったからららしい。どちらにしても、あまり外交的なふるまいとはいえない。

ペルシア人の通訳だったブラドゥキオスという男は正反対の問題に直面した。548年に東ローマ帝国皇帝ユスティニアヌスのもとに交渉のために派遣されたブラドゥキオスは大歓迎を受け、食事の際には皇帝自身の隣に座るという名誉を与えられた。しかしペルシア王はこのあまりにも温かすぎる対応に疑惑を抱いた。ペルシアでは通訳は、下級役人の隣でさえ座ることは許されなかったからだ。「ブラドゥキオスは敵と内通しているに違いない！」と王は考えた。裏切り者だ！　ローマ側の信頼を得たブラドゥキオスが意気揚々と帰国したとき、報酬として彼を待っていたのは死刑の宣告だった。

外交官にとってそのほかの危険としては、遠方の地への困難な旅路があり、旅の途中で命を落とす場合もあった。イギリスから中国に派遣された初代大使のチャールズ・カスカートは1788年に赴任中に死去している。その後継者となった悪名高いジョージ・マカートニーは無事に中国に到着したが、彼に同行したのは、イタリアで通訳として雇った中国人のカトリック僧侶ただ1人だった。残念ながらこの男はラテン語は話せたものの、英語は話せなかったらしい。幸い優秀な学校を卒業したマカートニーはラテン語を解していた。また当時中国の宮廷に滞在していた、数名のフランス人のイエズス会士も役に立ったことだろう。

しかし正直なところ、そんなことはどうでもよかった。というのも中国皇帝は接近してきたイギリスのことを、信頼できるパートナーというよりも競争相手とみなしており、貿易関係の樹立に無関心だったからだ。宮廷を離れて中国の地方を旅行している間にこの悪い知らせを受け取ったマカートニーは、中国皇帝に三跪九叩頭《さんききゅうこうとう》の礼を尽くさなかったからに違いないと考えた。イギリス国王ジョージ3世は中国皇帝と同格であり、その代理人である彼、マカートニーが土下座するのは、主君に対する侮辱だからだ。こうして貿易交渉の失敗は、政治的な失敗というよりもむしろ礼儀作法に関する争いに帰せられた。歴史学者もごく最近までこの説明を受け入れてきたが、最終的には、外交儀礼的な失敗ではなく、むしろ政治交渉の失敗が糊塗《こと》されたにすぎない〔英清貿易の拡大を求めたイギリス側に対して、清側はマカートニーを朝貢使節とみなしたために、通商条約の締結に至らなかった〕。

もちろんマカートニーは、中国で最初に外交に携わったヨーロッパ人ではなかった。1260年代初めにフビライ・ハンの宮廷に到着したとされるヴェネツィア人商人のマルコ・ポーロは、その後ヨーロッパに戻る際、またアジア各地でも、さまざまな外交上の任務を与えられた。マルコ・ポーロが本当に中国まで旅したのかについては、歴史学者は論争を続けている。一方、彼がいったい何語を話したのかに注目する者もいる。支配層が使用していたモンゴル語・テュルク語、行政言語であるペルシア語、それとも地元の中国語、あるいは……？　17年も皇帝に仕えていたのだから、役に立つ文をいくつか覚えた可能性は高い。

そのわずか10年前にはフランドル地方のフランシスコ会修道士ウィリアム・ルブルックが、（タタール人としてヨーロッパ人に知られていた）モンゴル人をキリスト教に改宗させるため、フランス王によってアジアに派遣された。彼の旅行記は、モンゴル人の習慣が記されていて非常に興味深いのだが、それと同時に同行した通訳のおかげで、意外なほど笑える読み物となっている〔『中央アジア・蒙古旅行記』講談社学術文庫、2016年〕。「神の人（*Homo Dei*）」と形容される、トゥルゲマヌスという名のこの通訳は呆れるほど無能で、ほとんどの場合ウィリアムの説教を通訳できない。ある時ウィリアムは「カダフィ大佐」化したらしく、愚かな通訳は疲労困憊のあまり、すべての言葉を忘れてしまった。しかし最も愉快なのは、2人がようやく偉大なるモンゴル皇帝〔モンゴル帝国の第4代皇帝、モンケのこと〕と対面した時だ。ウィリアムが振り返ると、通訳は米酒をがぶ飲みした挙げ句酔いつぶれていたという！

クリストファー・コロンブスもまた、胡椒を生産するインドへの最短ルートを求めて1492年に船出したときに、同じような通訳問題に直面している。コロンブスはイスラム教徒やモンゴル人に会うことを予想していたため、ルイス・デ・トーレスなどのアラビア語を話す通訳を連れて行ったが、彼らが迷い込んだキューバの海域では、当然これらの通訳は何の役にも立たなかった。そこで自前の通訳を育成しようと考えたコロンブスは、先住民たちを誘拐してヨーロッパに連行し、スペイン語を教え込んでキリスト教に改宗させ、役に立つ通訳として新大陸に連れ帰ることを目論んだ。しかしそんな運命はごめんだと考えた先住民たちの一部は、船から海に飛び込んだ。

失望したコロンブスは別の島で同じことを試みたが、このときは狙った男性だけでなく、女性と子どもも誘拐した。こうすれば互いに相手を見捨てて逃げることはないだろうと考えたのかもしれない。捕らえられた人々は必ずしも家族ではなかったが、それでも妻と子どもが連れ去られるのを見た1人の男が必死になって島から泳ぎ出し、船に乗り込んだケースもあったことがわかっている。

その後の航海では、コロンブスはこうして捕らえた人々の1人を通訳として活用することができた。このタイノ族の若者はスペインに連行された後ディエゴ・コロンと名づけられてスペイン語を教え込まれ、コロンブスの非公式の養子となった。生まれ故郷に戻った後は、新しいヨーロッパ人の「義父」のために通訳を務めたのだ〔タイノ族はカリブ海の先住民族〕。

タイノ族はコロンブス一行が初めて出会った先住民で、大きな興奮を呼び起こしたが、このように強引に言語の集中講習を受けさせるのは、当時ではありふれたことだった。こうして話は一巡した。歴史上の有名な通訳を知っているかと、はじめに尋ねただろう？

実はアメリカでは学校の授業に定期的に登場する、アメリカ先住民族の花形通訳というべき人物が2人いる。サカガウィアはそのうちの2人目だ。彼女はレムヒ・ショーショーニー族の若い女性で、ルイジアナ購入を受けて1804年に実施されたルイスとクラークの探検隊に同行し、遠征隊がほかの先住民族に遭遇したときには交渉を通訳した。これは実はかなり複雑な作業だった。

サカガウィアは英語を話さなかったが、子ども時代にヒダーツァ族に捕らえられていたために彼らの言葉を解した。その後彼女はフランス系カナダ人の毛皮商人トゥーサン・シャルボノーに売られて、ヒダーツァ語を話す彼の妻となった。そこでサカガウィアがルイスとクラークに何かを伝えたい場合、彼女は夫に話し、夫は探検隊のなかのフランス語を話すメンバーにこれを伝え、それが英語に訳されたのだ。

1人目の通訳は、スクアントの名で知られるティスクアンタムだ。ワンパノアグ族パタクセット支族の一員だったスクアントは「メイフラワー号」の移住者たちに会い、有名な感謝祭のきっかけをつくり出した人物だった。彼はかつてイギリス人探検家トーマス・ハントにさらわれてスペインのマラガで修道院に売り飛ばされた。修道士たちの手で洗礼を授けられたのち、イギリスに移り住んだが、その際に有名なプリンセス・マトアカ（当時はレベッカという英語名を使っていたが、歴史上ポカホンタスという名で知られている）にも会ったかもしれない。彼女も早世する前にしばらくイギリスに住んでいたからだ。こんな具合で、スクアントは英語を話したのだ。

スクアントはイングランドを出発して生まれ故郷に戻ったが、コミュニティは恐ろしい疫病で1人残らず死に絶えてしまっていた。彼はパタクセット支族の最後の1人となったのだ。そこで彼はメイフラワー号の連中と仲良くして、このなじみのない土地でどうやって生き延びていくかを教えた。スクアントはそれからほどなく、同じく疫病で命を落とし、大いに惜しまれた。

最後に、（ドンナ・マリナとしても知られる）マリンチェについて簡単に述べたい。彼女はナワ族の女性で、奴隷として売られ、チョンタル・マヤ人によってスペインのコンキスタドール、エルナン・コルテスに献上された。マリンチェはコルテスの子を産んでいるが、同時にスペイン軍によるアステカ帝国の征服の際にはコルテスの通訳も務めている。この苦しみに満ちた歴史で重要な役割を果たしたせいで、マリンチェの評価は極端にわかれている。メキシコ民話では、彼女は抜け目ない誘惑者で民族の裏切り者であり、奴隷の境遇に落とされたことを恨んでアステカ人を裏切った人物として知られている。しかし奴隷化と抑圧の悲劇的な犠牲者という正反対の再評価も受けている。さらに別の者にとっては、彼女は中央アメリカの先住民族とヨーロッパ人の混血であるメスティーソの子を最初に生んだ人物でしかない。

これらの物語はすべて、非常に重要な言語の知識を持っていたがために、一般庶民が歴史上の大事件で重要な役割を果たす場合があったことを示している。それでも彼らが物語のヒーローとなることはめったにない。ときには悪人の役割を務める場合もあったが、むしろ犠牲者だった場合も少なくない。

45

外国語の地名はどこからきているんですか？ たとえばロンドン（London）はフランス語ではLondres（ロンドル）ですよね。何か正式な法則があるんですか？

ジョージアより

パリジェンヌの母の息子である僕はフランスの親戚を訪ねるたびに、ロンドンとパリが重々しげな響きの「ロンドル（Londres）とパリー（Paree）」に変化することに、幼い頃から気づいていた〔パリのスペルはフランス語でもParis〕。子どもが普通そうするように、僕もすぐにこの言語変換を何の疑問も持たずに受け入れた。でもテレビでサッカー・ワールドカップの試合を見ていたとき、出場チームが僕の地図に載っている地名と似ても似つかない名前を持っていることに仰天したのを覚えている。「Sverigeってどこ？」と僕は思った。「Magyarországっていったい何のこと！！？？」どうやらスウェーデンとハンガリーのことらしい。どうすればわかるっていうんだ！

その後何冊か本を読んだので、今じゃマジャール人が何者かは知っている。とはいえ、プロの歴史学者になった今でも、こうした言語学的な多様性は不可解なままだ。パリがパリーになったのはわかる。フランス人は「s」を発音しないからね。でも、ロンドンはどうなんだ？　言語学者は長年にわたってこの問題に頭を悩ませてきたが、僕はこれが省略に省略を重ねた結果ではないかと考えている。古代ローマ時代にはロンドンはLondiniumと呼ばれていた。もしかしたらこれがLondriumに短縮され、さらにLondrumに縮められてようやくLondreに落ち着いたという可能性はあると思う。でも、なぜ語尾に「s」がついているんだ？　公平を期して言えば、イギリス人はかつて、マルセイユの終わりにも不必要な「s」をくっつけたので、これは仕返しだったのかもしれない。

外国の都市の名前でそこの住民自身が使用しないものはエクソニム（外来地名または外名）と呼ばれる。1950年代にオーストラリアの地理学者マルセル・オールソーがつけた名称だ。「エクソニム」という言葉は文字どおり「外の名」を意味し、反対にその地域の公用語における地名は「エンドニム（内生地名または内名）」という。たとえばLondonはエンドニムで、ここで仕事している僕はこう呼んでいる。だがフランスの叔母が使っているLondresはエクソニムだ。どんな言葉があるか探しはじめると、エクソニムは非常におもしろい。きわめて多くの都市が複数の名前を持つが、その理由は必ずしもはっきりしていないからだ。1967年に創設された国連地名専門家グループ（UNGEGN）という組織が約5年ごとに会合を開いてもつれあった糸をほぐそうとしているが、まだまだ先は長そうだ。

たとえば、君が急にシュトゥルーデル〔詰め物を幾層にも巻いて焼いた中欧の菓子〕を食べたくてたまらなくなり、ウィーン（Vienna）行きの飛行機に飛び乗ったとする。到着する都市の名はWienだ。でもそこはフランス人にとってはVienne、オランダ人にはWenen、ポーランド人にはWiedeń、中国人にはWéiyěnà（維也納）、そしてハンガリー人にはというと、彼らは上記のすべてを窓の外に投げ捨ててBécsを選んだ。おいおいハンガリー人、いったいどうしちゃったんだ?! まあこれは、かつてウィーンが中世マジャール王国の端に位置していたことに関係する。Bécsは「衛兵詰所」「宝物庫」「砦」といった意味がある。要するにウィーンは彼らが厳重に警備を固めていた正面玄関だったから、こう呼んだというわけだ。

もちろんこのプロセスは近年まで続いており、独立後、あるいは脱植民地化の過程でイメージ・チェンジを図るために新しい名前を採用した都市や国家もある。インドのボンベイ（Bombay）は１９９５年に、大英帝国の古いアイデンティティを捨ててムンバイ（Mumbai）となった。１９７０年代にはピンイン式〔中国語の読み方をラテン文字で示す方法〕が国際的に採用された結果、中国語をアルファベットに変換しやすくなり、ペキン（Peking）はベイジン（Beijing）となった。

複数の選択肢を持たない都市もあるが、それは、これらの都市が国際的なハブとなった時期に関係しているのではないかと思う。古い地名はおそらく何世紀も前に、商業的・文化的なつながりを持つ諸外国の語彙集に収録され、使われつづけたせいで、変化しなかったのだ。化石みたいに固定されたこうした地名が各地に広まったこともあった。たとえばローマ（Rome）はイタリア語、ポルトガル語、ノルウェー語、スペイン語、ハンガリー語、ラトビア語、ルーマニア語、トルコ語でRomaと書かれる。ほかの多くの言語による表記も、非常に似ている。Rom（ドイツ語）、Rim（クロアチア語）、Rooma（エストニア語）というふうに。ということは、スペルの微妙な差は、同じ音節を言語によって少し違うふうに発音していることから生まれたのかもしれない。

しかし集団間の絶え間ない交流が言語学上の変化を引き起こし、誰の耳にも明らかな差異を生み出して、やがてそれが拡大していった場合もあったかもしれない。近代以前の人間は生まれた時から死ぬ時まで同じ悪臭漂う村で過ごしたと、以前は考えられていた。しかし今では当時の人々と思想が思いもよらないほど遠くまで移動していた実態について、歴史学者はずっと多くのことを知っている。それは宗教的な巡礼、交易、暴力的な十字軍、外交使節団、求職、留学、観光のためだったかもしれないし、または迫害、疫病、過酷な飢饉その他、故郷にとどまるのが望ましくない状況から逃れるためだったかもしれない。

こうした異文化交流の場では、まったく異なる言語や文字を使う旅人たちが何とか外国語を理解しようとする過程で、幾度となく言葉の単純化や変化が起きたに違いない。地方によっては複数の国の間で幾度も帰属が変わり、そのたびに新しい地名や言語を獲得して、その結果、複数のエンドニムを持つ多言語都市が誕生した場合もあった。ベルギーの首都ブリュッセルは中世にはBroekseleと表記されていたが、現在ではBrussel（フランドル語）またはBruxelles（フランス語）と表記される。しかし、これでは両グループが火花を散らしかねないため、平和を保つという目的でなぜかエクソノムである英語のBrusselsが使われる場合もある。一方ドイツのアーヘン(Aachen)は、混乱させられることに、フランス語ではAix-la-Chapelleだ。まったく似ていないようだが、でもどちらもラテン語で泉を意味するaquaeに由来している。

ブリュッセルは過去1000年間に何度も帰属が変わった。こういう場所はおそらく言語面でも何世紀にもわたる変遷を経験しただろうから、同じ言語的ルーツを持つ地名には逆にひどくまごつかされるのだ。時代が変わると古い考えを表現するのに新しい方法が使われるようになるため、スペルや発音が変化してエクソニムが生まれる場合もある。たとえばウェールズの可愛らしい町モンマスについて考えてみよう。モノウ川の河口に位置するこの町は、1086年にはウィリアム征服王の『ドゥームズデイ・ブック』〔ウィリアム王の命令で制作された、イングランド全土の詳細な土地調査の記録〕に「Monemude」と記されていた。「mude」は「ムーズ(moother)」と長く発音してほしい。つまりこの地名は「Monnow-Mouth(モノウの口)」という意味だったことがわかる。それが時とともにMonmouthとなった。簡単だ!

当時モンマスはイングランド領だったが、その後の数百年間、イングランドとウェールズの間で幾度も取り合いが起きた。ウェールズ語でモノウ(Monnow)川はMynwy(「メノイ」と発音する)という——あまり違わない。しかし中世ウェールズ語の話者は、語尾の「mouth」を捨てて代わりに語頭に「町」を意味する「tre」を置き、Tremynwy——つまり「モノウ川の町」——とした。さらに混乱させられることに、今から約400年前に、「m」はなぜか「f」 （「v」と発音する）に変化した。こうしてTremynwyは現代ウェールズ語でTrefynwy（「トレヴァノイ」と発音する）となった。並べてみると、MonmouthとTrefynwyは今では見かけも発音もまったく似ても似つかない。しかしその底に流れる考えはほぼ同じで、時の流れ、それに言語のチャーミングなニュアンスの違いによって無理やり引き離されてしまっただけなのだ。

これとは対照的なのがマンチェスター（Manchester）だ。多くのヨーロッパ人にとってマンチェスターはマンチェスターだ。僕が思いつく唯一の変化形はアイルランド語のManchainだけだ。ブルガリアやロシアのキリル文字、または日本語、中国語、韓国語など、別の文字体系を持つ言語では、物事はもう少し複雑かもしれないけど。なぜマンチェスターにはエクソニムがないいんだ？

時をさかのぼって1600年代初頭、まだマンチェスターがせいぜい人口数千人の小さな町だった頃には、外国人がその名を知っていなければならない理由など何もなく、したがってエクソニムも必要なかった。マンチェスターが産業都市化したのはここ250年のことで、つまり国際的に知られるようになったのは、新技術の発明によって遠方とのやり取りが簡単になり、言語が標準化され、識字率が急激に上昇し、そして国家の官僚組織が複雑化したのと同じ頃だったのだ。簡単に言えば、外国人がマンチェスターと筆記する必要が生じた頃には、読み書きのできる地元民が正しいスペルで記してやれた可能性が高いということだ。学ぶ側も読み書きができたため、これをねじ曲げずに受け入れることができた。そういうわけで僕の考える一般原則は、ある地の歴史が浅いほど、外国語のエクソニムの数も少ないというものだ。

　このことを心に留めながら、ミュンヘンについても考えてみよう。ドイツの中世都市ミュンヘンは、ハインリヒ獅子公によって1158年に建設された。もともとイーザル川にかかる橋に隣接する修道院の市場として始まったこの町の最初の名前は、おそらく「僧たちの近く」を意味するApud Munichenだった（「川の土手の場所」を意味するという説もある）。やがてMunichenはMünchenに短縮された。しかし町は急速に発展し、ヨーロッパの貿易ネットワークに足場を得たため、比較的早い時期にもとの名であるMunichenがイギリスでも知られるようになり、そのまま受け入れられた。それもまた縮められた結果、僕は今、この都市をMunichと呼んでいるわけだ。

　反対にイタリア人はドイツ語の名前を受け入れなかった。彼らはエクソニム精神を発揮して、「僧たちの場所」をそのままイタリア語に訳したMonacoと呼ぶことにしたのだ。したがってイタリア人によるとドイツのミュンヘンはMonaco di Bavariaであり、サッカーチームはBayern München／Bayern MunichではなくBayern Monacoなのだ！　もちろんそのせいで生じた愉快な勘違いはごまんとある。たとえば、フレンチ・リヴィエラ〔モナコ公国〕の豪華なカジノ施設に行くつもりが、なぜかバイエルンのビール祭りで陽気な調べに呆然として耳を傾けている旅行者についての皮肉な記事が毎年、新聞に掲載されている。こんな間違いなら楽しいと思わないか？

46

過去の人々のアクセントや言葉がどんなふうに聞こえたか、なぜわかるのですか？

キャットより

キャット、よくぞ訊いてくれた！　これは僕が頻繁に訊かれる質問でもある。**遠い昔に使われなくなった言語がどう発音されていたか、実は多くのことが知られているんだ。**まずはラテン語から見ていこう。

もし1850年代のイギリスのエリート・パブリック・スクール――または2020年のボリス・ジョンソンの記者会見――に紛れ込んだら、教室や礼拝堂で話される（明らかにイギリスなまりの）ラテン語をたっぷり耳にすることだろう。英語は文法的にはもともとゲルマン系の言語だが、ラテン語からの借用語が大量に含まれる。これらの言葉は1500年代から1900年代の間に、特にイギリス人を上品な気取った人々に見せるために導入されたのだった。そんなラテン語風言い回しのなかでも特にもったいぶったもの――古い伝統を感じさせるためにあえてつくられた新語もあった――は「inkhorn terms（学者言葉）」と呼ばれた。紳士学者たちは動物の角製のインク壺を愛用していたからだ。

　このラテン語化プロセスはあまりにも大きな勢いを持ったため、僕たちの使う辞書にどれほど多くのラテン語が登場するか、往々にして見過ごされがちだ。*Alias*（別称）、*circa*（およそ）、*agenda*（予定）、*appendices*（付録）、*sub*（〜の下）、*prefix*（接頭辞）等々はみな英語における常連だが、僕たちの発音は古代ローマ人とは全然違う。最も有名なローマ人、Julius Caesar の名でさえ、これまで英語話者によってめった切りにされてきた。正しくは「ジュリアス・シーザー」ではなく、ドイツの皇帝《カイザー》みたいにユリウス・カエサルと発音すべきなのだ。

　大英帝国と北米大陸で支配的なのは英語風ラテン語だが、フランス、ポルトガル、スペイン、イタリア、ルーマニアで使われるラテン語も、それぞれの国の言語であるロマンス諸語から変化した独自の特徴を備えている。ちなみに「ロマンス語」と呼ばれるのは、もともとローマで話されていた言語に起源を持つからで、別に恋愛にふさわしいからじゃない。一方カトリック教会で使用される美しいイタリア風ラテン語の発音は「教会／中世ラテン語」と呼ばれている。どんなものか知りたければ、ローマ教皇がキケロの名前を発音するのに耳を傾ければいい。古代の正しい発音である「キケロ」ははるかにセクシーな「チチェロ」に変化している〔なおキケロは

英語では「シセロ」と発音される〕。

しかしルネサンス時代になると、人文主義者たちは正しいラテン語を再発見してこれを再構築しようと努力するようになった。最も大きな努力をしたのがソネット大好き詩人のペトラルカと博識な学者エラスムスだ。とはいえ彼らは、ラテン語よりもむしろギリシア語発音に基づいて規則を定めることが多かった。近代の研究者たちが、実際にカエサルとキケロが話していたような古典ラテン語を再構築するという困難な作業に正面から取り組みはじめたのは、ようやく１８７０年代になってからだった。

文献学者と呼ばれるこうした学者の仕事は、言語が時とともにどう変化するか理解し、そのうえで推理力を働かせて、そのプロセスをリバース・エンジニアリングすることだ。世界中のほかの研究者と理解し合えるように、彼らは国際音声記号（ＩＰＡ）という複雑なシステムを使用する。１８８０年代に定められたＩＰＡではさまざまな音を音素を示す文字記号に分解し、またその長さ、どの部分を強調するか、口のなかのどの部分で発音すべきかなどを補助記号で示す（たとえば摩擦音は、口のなかの狭いすき間に空気を通過させることによって調音する。Frigid という語の fffr という部分）。

これまでの１５０年間に、文献学者はラテン語研究の分野ですばらしい成果を上げた。彼らは古代の詩の韻律のリズムを分析したり、偉大なるクインティリアヌスのような当時の修辞学者が執筆した教育書を調べたり、またときには古代の文筆家がラテン語で残したコメントや言い訳を追跡したりすることにより、母音や子音が実際にどう発音されていたかをしばしば発見できたのだ。文献学者たちは、当時のラテン語がどんな風に響いたかを解明できただけではない。さらにさかのぼって、そもそもどういう経緯でそうなったかまで明らかにしたのだ。

一般的に、古典ラテン語は書かれたとおりに発音されたが、その後の教会ラテン語よりも多くの規則を持っていた。「ae」という二重母音は、近代のカトリック聖職者は普通（エ）と発音しているが、もともとはより長い ai/aye（アエ）という音だった。古代の母音の長短に表記上の区別はなかったが、「c」や「g」などの子音はいつでも、「a」「o」「u」「ae」の前に置かれた場合でさえ強く短い音で発音された。そして「v」は「w」のように発音された。要するにユリウス・カエサルの有名な「*veni*《ヴェーニ》, *vidi*《ヴィーディ》, *vici*《ヴィーチ》（来た、見た、勝った）」は「wayni《ウェーニ》, weedi《ウィーディ》, weeki《ウィーキ》」と発音されるべきなのだ〔紀元前47年にカエサルがゼラの戦いに勝利した際に、ローマの元老院に書き送った言葉〕。

よし、これでラテン語は片づいた。次に英語に移ろう。ここでも膨大な研究の結果、アルフレッド大王や尊者ベーダ（ベーダ・ヴェネラビリス）が話していた古英語が、アングロ・ノルマン時代のジェフリー・チョーサー〔１３４０頃～１４００、イングランドの詩人で「英語詩の父」とも呼ばれる。『カンタベリー物語』の作者〕の中英語に変化し、さらにシェイクスピアの英語、そして僕たちにもなじみ深いダニエル・デフォー〔１６６０～１７３１、イギリスの著述家、ジャーナリスト。『ロビンソン・クルーソー』の作者〕とチャールズ・ディケンズの近代英語へ進化したプロセスが非常によく理解されるようになった。実際、中世文学の専門家であるトロント大学教授のデイヴィッド・N・

クラウスナーは、1066年と1750年の間に英語は、ほかのどのヨーロッパ言語よりも大きく変化したと述べている。

正直なところ、現代人にとって古英語は、そこにちりばめられた一部の単語を除けば、ほとんどまったく理解不能な代物だ。ユーチューブで「古英語の主の祈り」を視聴したら、延々と続く奇妙な言葉の間に突然「ファーザー（父）」「ヘブン（天国）」「フォーギブ（赦す）」というなじみある単語が登場するのに気づくだろう。一方チョーサーの『カンタベリー物語』の英語は、すべて書かれたとおりに発音されているため、風変わりではあるものの、集中して耳を傾ければどことなく聞き覚えがある。それでもわずか200年しか離れていないのに、僕たちにとってチョーサーの英語は、シェイクスピアよりも理解しづらい。そんな短期間になぜそれほど大きな変化があったのか？

何もかも、1400年代のある時期に起きた大母音推移のせいだ。なぜこれが起きたのかについては、研究者の間でも意見はわかれている。みんなフランス人に似たお上品な話し方を目指したという者もいれば、逆にイングランド人はフランス人っぽい喋り方を避けるために過剰修正したのだという者もいる！　要するに、見当もつかないということだ。大母音推移による最大の変化は、母音が音韻変化したということだ。その結果、out（以前はootと発音されていた。以下同じ）、mate (maht)、moon (mohn)、house (huuse)、boot (bott)、knight(kernicht)、queen (kwen)、daughter (dahrter)、bite (bitt) が、現在僕たちの知るような発音に変化したのだ〔大母音推移では、母音を発音するときに口の中の舌の位置が1つずつ上がり、すでに舌の位置が一番上にあった「イ」や「ウ」は「アイ」や「アウ」という二重母音で発音されるようになった〕。

古典ラテン語やギリシア語の詩は韻を踏まなかったが、中世後期と近世初期の詩はしばしば韻を踏んだ。この事実は、各単語をどう発音すべきか知るうえで非常に役に立つ。たとえば「oi」を間にはさむフランス語の単語（foil、boil、toil、coil）は、フランス語のように円唇音として発音するのではなく「aye」と発音されるようになった。つまりboilはmileと韻を踏むようになったのだ。1700年代になっても、有名な詩人アレキサンダー・ポープがobey、awayと……teaの韻を踏ませている。ここからわかるのは、彼の時代には美味しいティーは美味しいテーだったということだ。少なくともこの時代、彼はすでにやかんで湯をバイルならぬボイルさせていたはずだけど。

詩もまたこの問題を理解するのに役に立つ。なぜなら多くの詩人が（韻律として知られる）リズムに忠実に従っていたからだ。シェイクスピアは弱強五歩格を好んでいた。弱強五歩格では1行が、弱強のリズムの音節からなる5対の詩脚で構成されている〔詩脚とは詩の韻律の単位で、普通1つの強音節と弱音節の組からなる。強弱格、弱強格などの組み合わせがある〕。これはダ・ダン・ダ・ダン・ダ・ダン・ダ・ダン・ダ・ダンとたたみかけるようで、まるで心臓の拍動のように聞こえる。詩人たちはこんなリズムのなかに閉じ込められていたのだから、現代風の読み方では単語がリズムからはみ出てしまうのも無理はない。たとえばシェイクスピアはソネット129番でspiritという言葉を使っているが、2番目の音節のためのスペースはない。ということは、現在ではspi-ritと2音節で発音するが、彼はspritと単音節で発音したのだろう。

実際、グローブ座の再建に伴う調査——それに言語学者デイヴィッド・クリスタルやその息子で役者のベン・クリスタルらの探究心——のおかげで、シェイクスピアのすべての作品が16世紀当時の発音で舞台にかけられた。その台詞を耳にしたときに非常に興味深く思われるのは、複数の地方のアクセントを一度に耳にしたような気分になることだ。わずか30秒のくだりだけでも、西部地方の「r」の巻き舌、リズミカルなアイルランドとスコットランド方言、「a」が「ehh」と聞こえる有名なランカシャー方言、文末を下げるバーミンガム方言、土臭いヨークシャー方言、それにその他のあらゆる地方の影響が確認できるのだ。

文献学者が大いに活用したもう1つの素材は、いわゆる正音学者（orthoepist）、つまり1500年代から1600年代にかけて活躍したおせっかい焼きの言語学者たちの著作だった。彼らは正しい発音にこだわる人々で、誤った発音を耳にすると大騒ぎをした。またシェイクスピアの同時代人である劇作家のベン・ジョンソンのように文法書を執筆して、そこに単語の発音も記した。そのなかにはmove、love、approveも含まれている（それぞれmuvv、luvv、appruvvと発音する）。

ただし、この時代にも地域ごとの違いは存在したことを強調したい。つまり誰もがまったく同じ発音で話をしていたわけではないのだ。実際1300年代にはチョーサーが『カンタベリー物語』で、登場人物が北部出身か南部出身かによって発音に変化をつけたことが知られているし、コーンウォール出身の執筆家ジョン・トレヴィーサは、ヨークシャー人が「甲高く舌足らずで、耳障りで情報の少ない」話し方をすると不満を述べている。ただし、僕はここで彼の言葉を近代英語に翻訳した。さもなければ彼の中世的な言葉遣いが同じように甲高く耳障りだと、君も思いかねないから「彼の言葉は「scharp, slitting, and frotynge and vnschape」というものだった」！

最後に君にぜひ教えてあげたいのは、1700年代にアメリカの建国の父がどんな話し方をしていたかだいたいわかっているということだ。それも創意工夫に富んだベンジャミン・フランクリンが、おかしなイギリス風スペリングを取り去って識字率を向上させようと、発音辞典を執筆したからだった。それによると「when」は、「h」が「w」の前に発音され（huen）、「founding fathers（建国の父）」は（gathers と韻を踏むように）「Fowhndin' Fathers」と発音されたらしい。

というわけでキャット、発音が変化していった理由についてはまだ疑問が残っているものの、少なくとも昔の人がどんな話し方をしていたかについてはだいぶわかってきている。それでも、カエサルがバリトンでもぐもぐと話していたのか、それともキーキーと不満をぶちまけていたのかを知るには、残念ながらタイムマシンが必要だ。

第12章

大衆文化と歴史

47

時代考証が最も正しい歴史映画はどれですか？ また、あまりに間違えていて頭にくることがありますか？

クロエより

いいぞ！　ありがとうクロエ、これは僕の大のお気に入りのテーマだ。この件についてはイギリスの複数の大学で講義を行ったが、僕はいつも、歴史映画に対してみんな厳しすぎると強調している。むしろ、事実にもとづくといわれているテレビの歴史ドキュメンタリーに対してこそ、文句をつけるべきだ。なぜなら歴史ドキュメンタリーは客観性をよそおってはいるものの、実は映画に負けず劣らず主観的につくられた、人々を惑わせかねない代物だからだ。

そんなわけで大胆な主張、あるいは挑発から始めたい。歴史映画の時代考証は別に厳密である必要はない、と僕は思う。もし君が歴史的正確さを求めているなら、いつだってがっかりさせられるだろう。映画制作者が目指しているのは別に史実に忠実であることなんかじゃない。ドラマチックな芸術表現を駆使した（理想をいえば大きな利益を生み出す、あるいは寒い日曜の晩に1000万人に見てもらえる）おもしろい作品をつくることなのだ。僕たちは怪しげな歴史理解にもとづくシェイクスピア作品、あるいはおせっかいな神々が入り乱れる『イリアス』が大好きじゃないか。現代の映画がそれより高い基準を求められるいわれはない。

でもここで手持ちの材料を探って、もっと高尚で哲学的な観点から防戦に務めることにしよう。なぜならテレビで歴史ドラマが放映されるたびに視聴者から必ず、それが不正確であり、映画制作者がズルをしてプロの歴史学者のアドバイスを求めなかったと嘆くツイートが流れてくるからだ。僕は次のように返事している。

「やあ！　歴史的な正確性を求める脚本家は、脚本を書きはじめた瞬間から失敗を運命づけられている。そんなことは無理であり、史実に完全に忠実な映画なんてものは存在しない。それからクレジットをよく見てくれれば、彼らが歴史学者を雇っていることに気づくはずだ。グレッグより」

「ビッグな映画産業」の回し者みたいに聞こえるかもしれないが、僕は何も札束入りの茶封筒を受け取ってこう言っているわけではない。ただ、過去は理解不能なほど巨大で複雑であり、そこに誰がいて、何と言い、どう考えていたかなどについての情報が圧倒的に不足していることを理解しているだけなんだ。このあやふやさがスクリーン上に映し出されるのを、視聴者は本当に金を払って見たいと思っているのか？　そんなものを、見ておもしろいストーリーにまとめることが本当に可能なのか？　普通の映画の長さはせいぜい2時間だ。そんな短い時間に歴史上の真実をどうやって詰め込む？　どう考えても不可能だ。

歴史学者は同じストーリーを、10万語以上の書物に書くかもしれないが、その場合でさえ、あらゆる情報を網羅できるわけではない。すべての本が、14世紀のグリムズビー〔イギリスのリンカンシャー州の港町〕における漁業経済をテーマとしたおもしろくもない論考というわけではない。実は多くの歴史学者は優れた文章センスを持ち、著書を何らかの物語の型――悲劇、恋愛、高慢とその報いとしての破滅、どん底からの台頭など――に当てはめて書いている。

それだけでなく各章の終わりを、小説家顔負けの、続きを期待させるクリフハンガーで終わらせることだってある。歴史学者はストーリーテラーにだってなれるんだ。しかし同時に歴史学者は絶えず立ち止まっては「悪いけど、次の部分はわかっていないんだ！」と言ったり、複数のあらすじを示したり、あるいは脚注で異論を紹介したりする。彼らは意図的に、知識の空白に読者の注目を集めるのだ。

しかし映画に脚注などない。またもし物語に空白があったら、視聴者は非常にいらだつだろう。ただし物語の法則は存在する。つまり始まりがあり、真ん中（middle）があって、終わりがある（あるいは「始まりと混乱（muddle）と終わり」があるとも言われる）。物語にはヒーローと悪役、あるいは主人公と敵役が必要だ。またテンポが悪ければ視聴者は退屈してしまう。物語とは、非常に定型的なものなんだ。世界のあらゆる文学作品は7つのプロットに大別されると、一部の理論家は主張しているほどだ！

反対に歴史は無秩序に広がっていて、いらだたしいほど謎に満ちている。完璧な正確さを目指すのは、とにかく不可能なのだ。とはいえ、物語作者が意図していることにもとづいて、その優劣を論じることはできる。果たして彼らは真剣に時代精神をつかもうとしているのか、それとも歴史考証などどうでもいいのか？　歴史的真実を完全に無視したドラマは存在する。しかし主要な出来事を正しい年代順に示し、正しい人物を適切な場所に配し、当時の人々が世界をどうとらえていたかを理解しようと粘り強い努力を重ねた作品もある。ほとんどの作品は、この両極端の間のどこかに位置する。

そして、これまで受け入れられてきたストーリーに大筋で従いつつ、架空のエキサイティングな登場人物を考えだし、どうでもいい者は削除し、時系列をいじくり、華を添えるために恋愛をでっち上げ、いくつかのアクション・シーンを挿入する。なにより重要なのは、彼らは生き生きした会話シーンをすべて発明しているということだ。というのも、当時の実際の会話を僕たちに伝えてくれるような、現場をうろうろする速記者たちなどは存在しなかったからだ。

それに加えて、視聴者の感情に訴えかけるさまざまな技術が存在する。制作者側は、オーケストラの壮大な楽曲や悲しげなバラードなどを利用して、映像に合わせて視聴者の感情を盛り上げるが、実際に起きた事件では――当然ながら――チューバのブーッという音やピアノの叙情的なサウンドトラックが鳴り響いたりはしなかった。映像のズームインやアウト、あるいは編集方針などは、画面上に映し出された登場人物や出来事について視聴者が抱く印象に強い影響を与える。それは歴史に関する1つの意見表明であり、歴史的真実からはほど遠い。つまり感覚に訴える経験や感動でしかないのだ。

　歴史学部の学生だった頃に映画の史的正確さという問題に魅了されていた僕は、うれしいことに現在、テレビ番組やコメディや映画の歴史アドバイザーを務めている。この仕事では頻繁に異議を唱えなければならず、あまりにも多くの場合、予算の都合で、あるいは視聴者の楽しみを奪わないために、妥協しなければならない。たとえば中世の戦闘シーンでは、主要な登場人物はヘルメットをかぶらず戦場を走り回っている。顔が見えなければ誰と誰が戦っているのか、視聴者にはわからないからだ。もちろん実際の戦場でこんなことをするのは、体に血をこすりつけてサメの泳ぐ水槽に飛び込むのと同じくらい、無意味に危険なことだ。またいい奴と悪い奴を見分けるために兵士たちに色違いの制服を着せるが、統一された制服は実は近代の発明だ。さらに鞘から剣を抜くとき、本当は「シュッ」という音はしない。この音は、剣が非常に鋭く、お気に入りのヒーローが絶体絶命の危機にあることを示すために、撮影後の編集作業で挿入されるのだ。

　それからもちろん言語の問題がある。君は役者たちが全員チョーサーみたいな中英語を話す、中世を舞台とした映画を見たいかい？　僕なら見たい。でも僕はかなり変わったオタクだ。こんな無謀なことに本当に挑戦した最も有名な監督は、意外なことに高尚な芸術家ではなく、メル・ギブソンだった。彼の監督作品『パッション』と『アポカリプト』はどちらも、舞台となった時代に実際に使われていた言語だけで撮られている〔メル・ギブソンはアメリカの俳優、映画監督。２００４年に公開された『パッション』はキリストの受難をテーマとしており、アラム語とヘブライ語、ラテン語だけが使用されている。２００６年に公開された『アポカリプト』はスペイン人による侵略直前のユカタン半島が舞台で、マヤ語が使用されている」。僕の出版代理人の顧問弁護士たちは、僕がメル・ギブソンを人間としてどう思うか、意見表明することを許してくれない。とはいえ、近代英語が1語も話されていない映画作品をギブソンが2本も大ヒットさせたというのはすごいことだ。

ほかの映画監督が彼に追随しなかったのには、いくつか理由がある。まず、英語話者の視聴者に字幕を読ませるのは簡単ではない。とはいえ別の言語で映画を制作するのはロジスティック上の悪夢だ。

仕事を始めたばかりの頃、僕はノルマン人による1066年のイングランド征服を取り上げたテレビドラマの制作にかかわった。ドラマが近代英語で本格的に始まる前に、ヴァイキング、イングランド人、ノルマン人の登場人物が冒頭数分間、それぞれの言語で台詞を言った。今では誰も話さない3言語に台詞を翻訳し、役者たちに教えるのが僕の役割だったが、これは僕の能力の限界を試す試練だった。

さらにいらだたしいことに、僕以外の誰にも、役者が台詞をしくじったか、そして撮り直す必要があるか、わからなかったのだ。チーム全体が、彼らにはまったく理解できないシーンを撮影していた。この部分に費やしたのはわずか数日だったが、映画全編のために数か月間、この作業をすることを想像してほしい！

登場人物同士のコミュニケーションに内在するロジックも頭の痛い問題だった。僕が子ども向けコメディ『とんでもない歴史』の映画版『腐ったローマ人』を制作したときに最初に決めなければならなかったのは、登場人物はどうやって話し合うかという問題だった。ラテン語を話すローマ人はどうやって、ラテン語を解さないケルト人に話しかけるのか？　ゆっくりと大声で？　それともみんなが理解できるように全編で共通語を使用すべきか？　道路標識には何語を使うべきか――近代英語、それともより古めかしい、ラテン語っぽい英語？　それに剣闘士の教官は「ＣＸパーセントの力を出せ！」と叫ぶのか？　これにはみんなが笑ったが、しかしこの問題は映画の言語学的な一貫性を破ってしまった。というのもほかの部分で登場人物は「５」の代わりに「Ｖ」と言ったりしていないからだ〔ローマ数字ではＣＸは１１０、Ｖは５を表す〕。歴史アドバイザーはこうしたささいな点に日々頭を悩ませている。

正確な会話に関して重要なのは、視聴者もしばしば間違えているという事実だ。誰もが過去について一定のイメージを持っており、映画や番組がそれに合っていないといらだつ。しかし映画制作者はちゃんと調査を行っており、僕たちの考えのほうがむしろ時代遅れである場合もあるのだ。ＢＢＣのテレビドラマ『タブー』〔２０１７年に放映されたテレビドラマで東インド会社と主人公の攻防が描かれている〕は罵り言葉が多すぎると批判された。というのも批評家や視聴者は、それが彼らの考える上品な19世紀社会らしくないと思ったからだ。実は当時の罵り言葉は非常に下品で、かつ種類も多かった。しかしジェイン・オースティンの小説のリメイクを何度も見せられた結果、僕たちの言語学的な感受性は歪められてしまった。僕たちはしばしば、新しいものを以前のものに――おそらくそれが正しくなかったとしても——似せることを望むのだ。

しかし僕が強調したいのは、歴史ドラマは——何よりも——視聴者が現在と比べて楽しむものだということだ。ドラマ化されるのは、ある時点で社会の関心を集めている物語であり、僕たちは歴史を、現在の自分が、あるいは理想の自分がうっすらと映し出された鏡として利用している。つまり歴史は過去をノスタルジックに懐かしむ、あるいは21世紀に生きている幸運を噛みしめるための感動的な娯楽なのだ。よくパーティの余興として行うことだが、僕はある歴史映画の舞台となった時代を無視して衣装や髪型を見るだけで、それがいつ頃制作されたか当てることができる。

というわけで、僕は歴史映画のあら探しなどはしない。史実に合致しないことを見つけても、僕はありがちな間違いと笑って許すか、または物語の流れに必要な、意図的な選択だったのだろうと推測する。ここでいよいよ、最も史実に忠実な歴史映画として僕が選んだ作品を発表したい。トランペットを吹き鳴らせ！　皆様、それは……『モンティ・パイソン・アンド・ホーリー・グレイル』〔1974年に公開されたモンティ・パイソンによるコメディ映画で、アーサー王伝説をもとにしている〕だ！

たしかにこの映画はとても、とても馬鹿馬鹿しく、とても、とても1970年代っぽい。登場するのは「ニ！」とばかり言う騎士、凶暴な殺人ウサギ、荷物を持たないツバメの対気速度に関するジョーク、それに聖なる手榴弾だ。こんな知識を持っていても、GCSE（中等教育一般証明試験）では1点も取れないだろう。とはいえ、この映画は中世史家が喜ぶようなジョーク満載なのだ。たとえばアーサー王と聖杯の物語のフランス起源に関する古文書学のジョーク、また騎士ランスロットとギャラハッドの高貴な評判の変遷についてのジョークだ。この映画は現代的な無政府主義的共産主義への明白な言及と、中世アーサー王伝説を見事に組み合わせた、意外なほど豊穣なテキストなのだ。

僕は修士論文で中世を舞台にした映画に中世史家がどう反応するかを取り上げたので、歴史学者がこの映画を本当に気に入っていることをよく知っている。彼らは往々にして、別の時代に関する映画よりも、自分の縄張りを取り上げた映画に対してははるかに批判的だが、『ホーリー・グレイル』は質問表に挙げた映画のなかで一番人気が高かった。もしかしたら、あまりの馬鹿馬鹿しさのため、視聴者がその内容を真面目に取らなかった、つまり映画が歴史的な正確さを危険にさらさなかったということかもしれない。しかし同時にジョークの多くが、パイソンズが深い知識を持っていたことを示していたからでもある。ときには意図的な破壊性は正確さを保証する。というのも、まず内容を理解しないことには、これを滅茶苦茶にすることはできないからだ。『ホーリー・グレイル』は馬鹿馬鹿しいほどの暴力性と誤解だらけだが、それはアーサー伝説を取り上げた15世紀の『アーサー王の死』も変わらない。

そんなわけでクロエ、君の質問に対する答えは、不正確な映画は別に僕をいらだたせない、というものだ。映画制作者にはぜひ、彼らの望むとおりの物語をつくってほしい。もちろん僕の同僚のなかには、僕が一般の人々を相手とする歴史学者としての聖なる義務を放棄していると非難する者もいる。それに、誤った印象を与えかねない歴史ドラマは危険で、歴史へのリスペクトを損なうことは僕も百も承知だ。白人至上主義者とネオナチが中世を利用し、ヴァイキング戦士や十字軍の騎士たちを彼らの憎むべき主張の象徴に仕立て上げたことに中世史家が気づいたのはあまりにも遅かった。大衆文化がこれに関与していたことは明らかであり、つまり過去をどう表現するかという問題は、明らかに現実の世界に影響する。こうした歴史の危険な悪用とは、戦わなければならない。

しかし、だからといって大衆文化の検閲を行うべきだとは思わない。もちろん嘘だらけの映画も存在するが、これらを無視したり批判したりするよりむしろ、みんなで話し合うための出発点としたいのだ。君のお気に入りは間違っている、と相手を怒鳴りつけても、あまり耳を傾けてもらえないだろう。しかし歴史映画やテレビ番組が人々の大きな関心をかきたてることは、ウィキペディアのデータからも明らかだ。彼らはロマンチックな物語の背後の史実を知りたいのだ。そんなわけで僕は、間違ったものを好んでいると非難するよりは、この好機を利用して相手の熱意を優れた学問的業績へと誘導したい、といつも考えている。

要するに、『ブレイブハート』〔1995年に公開されたアメリカの映画で、メル・ギブソン主演。スコットランドの独立を目指した英雄ウィリアム・ウォレスの生涯を描いている〕は汗臭い感動的な歴史的嘘八百だが、それでもよい映画だし、会話のとっかかりとしては優れている。ただ、僕がメル・ギブソンについてどう思うかだけは訊かないでほしい。あの男はまったく［編集済み］……。

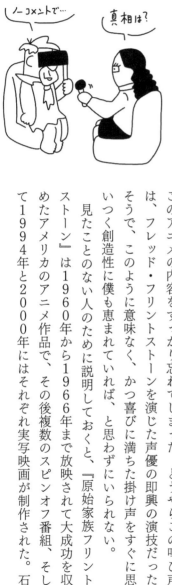

48

『原始家族フリントストーン』は石器時代のことをちゃんと描いていたんですか?

匿名より

いちばん大事な部分から始めよう。「ヤバダバドゥー!」というのはすばらしいキャッチフレーズだ。30年近く『原始家族フリントストーン』を見ていないため、本当に悲しいことに、このアニメの内容をすっかり忘れてしまった。どうやらこの叫び声は、フレッド・フリントストーンを演じた声優の即興の演技だったそうで、このように意味なく、かつ喜びに満ちた掛け声をすぐに思いつく創造性に僕も恵まれていれば、と思わずにいられない。

見たことのない人のために説明しておくと、『原始家族フリントストーン』は１９６０年から１９６６年まで放映されて大成功を収めたアメリカのアニメ作品で、その後複数のスピンオフ番組、そして１９９４年と２０００年にはそれぞれ実写映画が制作された。石器時代、おそらく紀元前1万年頃のベッドロックという町に暮らす、とにかくにぎやかな一家が主人公だ。だが実はこれは1960年代のアメリカの都市郊外の生活を取り上げたシットコムで、ただしマンモスが登場する。

退屈な知ったかぶりにはなりたくないので、まずは明らかな事実関係の誤りを指摘し、それから石器時代の生活についてのなんとなく正しそうな事柄に進もう。

最大の間違いは、フレッド、ウィルマ、バーニー、ベティ、ペブルス、バンバンが、人類が登場するより数千万年前に絶滅したはずの恐竜たちと楽しく共存している。実は紀元前1万年までに北米大陸ではすでにその次の大絶滅が起きていた。このときにはメガファウナ（巨型動物類）が姿を消したのだ。その原因として人類による乱獲、あるいは気候変動が挙げられている。そうだとすれば、『フリントストーン』に登場するマンモス、巨大ナマケモノ、サーベルタイガーはみな、北米大陸に最後に残った個体だったのかもしれない。

物語であまり注目を浴びない別の問題は、明らかに親2人、子ども1人、ペット1匹という核家族が自給自足できる家に住んでいることだ。たしかに僕たちの先史時代の祖先がペットを飼っていた可能性はある——彼らがオオカミを飼いならして犬とし、キツネを飼い、そのうえ子グマに綱をつけていた証拠が残っている。しかし石器時代の生活の基本単位はおそらく共同体であり、彼らが恐竜やカメや鳥の口で芝生や生け垣を「刈って」もらうようなすてきな庭を持っていなかったことは間違いないだろう。動物を道具として利用するこういうギャグは、子ども時代に見たこの番組のなかでも一番印象に残っている。たとえばマンモスの毛深い鼻をシャワーにしたり、メカジキをパン切りナイフとして使ったり、ポラロイドカメラのなかの鳥がくちばしで石板に画像を彫っていたり、別の鳥のくちばしがLPレコードプレイヤーの針に使われていたりするのだ。

『フリントストーン』で人間たちは、当時まだ発明されていなかった――しかし明らかに何だかわかる――いろいろな技術を利用している。たとえば近代の楽器、車輪と車軸を備えた乗り物（青銅器時代の発明）、家庭用オーブンや調理用の炉、煙を排出する煙突、それにスパゲッティ（中世の食べ物）用のフォーク（17世紀の発明）といった具合だ。男たちはひげをきれいに剃り、女たちは髪を高く結って完璧に化粧し、ありえないほど魅力的だ。これは典型的な1960年代ルックで、きわめつけにフレッドは、毛皮チュニックの上に大きな幅広ネクタイまでしめている。洞窟に住む人々が美しく身だしなみを整えるのは簡単ではなかっただろうが、だからといって人々がその努力をしなかったわけではあるまい。

それにもちろん、先史時代を取り上げたアニメ大作が、異星人についてのハリウッドの伝統的な執着から自由だなんてことはありえない。本書で先に取り上げた問題に戻って申し訳ないが（質問4を参照）、1965年に番組がテコ入れを必要としたときにフレッドとバーニーの親友2人が出会ったのは、宇宙を破壊できる恐ろしい兵器を制作したために故郷の惑星から追放された、グレート・ガズーという異星人だった。グレート・ガズーは大きな頭を持つ緑色の小さな二足動物で、ふわふわと浮き、また時間を止めたり物を消したりするなど、マンネリ化したシットコムに活力を与えるさまざまな魔力を備えている。その姿はすべての登場人物に見えるわけではないので、いろいろ笑える状況が生まれるんだ。

もちろん『フリントストーン』は単なる娯楽作品で、僕はこれを真剣にとらえすぎているのかもしれない。しかし作品をふたたび視聴すると、これが思っていたほど罪のない笑いを提供しているわけではないことに気づかされる。フレッドとウィルマの間では家庭内暴力が絶えないし、またバーニー・ラブルを劇的な自殺の瀬戸際まで追い込んだ、悲しい不妊の問題があった。なにより番組制作者たちは考古学的知見にまったく無関心だった。

この作品は、一風変わった背景で家族のシットコムを提供するための漫画的な《カートゥーン》――漫画とカリカチュアという両方の意味において――口実にすぎなかったのだ。とはいえ意外なことに『フリントストーン』には、たとえ単なる偶然だったにしても、正しい解釈もあったのだ。

詳しく知るために、僕はリバプール大学のレベッカ・ラッグ＝サイクス博士に訊いてみることにした。専門家である彼女の目は、僕が予想したよりはるかに多くの点に気づいていた。最初に彼女が気づいたのは、登場人物の服だ。フレッドが着ているのは、黒い斑点入りの特徴的なオレンジ色の毛皮で、これはおそらく当時生息していた、発達した犬歯を持つサーベルタイガー（ホモテリウム）のものだ。ペットとしても、ベイビー・プスと名づけたサーベルタイガーを飼っている――ということは、気分の悪い話だが、もしかしたらフレッドはその親の毛皮を身にまとっているのかもしれない。今じゃ猫のティドルスや犬のフィドの毛皮からつくったシャツ姿で職場に現れて無事に済む人間がいるとは思えないけどね〔ティドルスはペットの猫の、またフィドは犬の一般的な名前〕。

レベッカ博士がさらに興味を惹かれたのは、ほかの服や布に縫い目が見えることだ。これは正しい。裁縫用の針は少なくとも4万年前までさかのぼることがわかっている。ただし『フリントストーン』ではウィルマはもちろん、ミシン鳥を使っているけどね！　また2万8000年前の中欧からは、染色された植物繊維をロープのようにねじって目の粗い織物に織ったかもしれない痕跡が発見されている。

　つまり、ウィルマとベティーの色鮮やかなドレスは必ずしもありえないわけではなかったということだ。真っ白や青色に染めることは近年まで不可能だったが、でも当時の見事な洞窟壁画に見られるように、鉱物性の色鮮やかな染料はたしかに存在したのだから、染色された布という概念は、荒唐無稽とはいえないのだ。

　洞窟壁画に言及したところで付け加えると、フリントストーン一家は映画（動画）鑑賞もしている。もちろんギャグのつもりだろうが、しかしこれまた完全なでたらめとはいえない。フランスのショーヴェ洞窟やラスコー洞窟などで発見された旧石器時代の驚くほど洗練された洞窟壁画には、動物や人間の姿がダイナミックに描かれている。ゆらめく火に照らされたら、まるで動いているように見えたに違いない。

　また当時の芸術活動についてさらにいえば、石器時代の装飾品、たとえば象牙、キラキラ光る貝殻や動物の角、穴のあいたビーズを使った華やかなネックレスなどが発見されている。つまりウィルマがつけているおしゃれなパールのネックレスは、考古学的に正しいのだ。

家のなかの備品については、レベッカと僕は『フリントストーン』で設定された時代と、実際のその時代について知られていることを調整するために何度かやり取りをした。まずいことに時代設定は紀元前1万年頃のようで、制作者たちはこれがいわゆる穴居人の時代だと考えたらしい。これはどちらかというと曖昧で、ある場面では、（サル、カメ、それに水を噴出するマストドンが協力する）皿洗い機のプログラムが終了するのを待つウィルマが腰かけて足を上げ、『紀元前300万年の現代女性』という雑誌を読んでいるのだ。

もしシリーズがほぼ穴居人の時代に設定されているとすると、実はこの石器時代の僕たちの祖先は、1か所に定住などしていなかった。洞窟を拠点として狩りを行っていた可能性はあるが、しかしずっと住みつづけるための家、ましてやベッドロックという名の都市を建設するのは、好物のタンパク源が遠くの牧草地に移動するという腹立たしい習性を持っていることを考えれば、現実的とはいえなかった。

ただし、陽気なオープニング曲でフリントストーン一家は「モダンな石器時代の一家」と紹介されているので、そんなに用心深くする必要はないかもしれない。紀元前1万年は北米大陸では旧石器時代後期にあたる（ただし人類が洞窟に住んでいた考古学的証拠はこの時代に限定される）かもしれないが、トルコでは新石器時代にあたり、この時代には目まぐるしい変化が起きていた。この時代に人類は農耕、動物の馴化、巨大な宗教建築の建設などを試みはじめ、そして小さな村に集まって定住しはじめたのだ。

これまでに発掘された最古の都市であるトルコのチャタル・ヒュユクは紀元前7000年頃に繁栄したらしい。5000人から1万人が日干しレンガ製の家に居住していたチャタル・ヒュユクは、石の家や娯楽施設や労働場所を備えたベッドロックからそうかけ離れていないように思われる。ベッドロックというのはモダンな石器時代の一家が住んでいたとされる町で、ということは、フリントストーン一家はトルコ人だったのかもしれない。

そのうえ4500年前になると（スコットランド沖合の）オークニー諸島で、『指輪物語』のホビットの住居に似たスカラ・ブレイの有名な新石器時代の集落が築かれた。草の生えた丘の下に隠れた、8軒の可愛らしい住居はどれも通路で結ばれたシングル・ルームで、もしかしたら約100人からなる集落の人々が共同利用していたのかもしれない。

遺跡のなかで特に僕たちに強い印象を与えるのは、現存する先史時代の家具だ。すべて石でつくられた、ベッド、棚つきのたんす、貯蔵エリア、そして中央に調理用の炉がある。これは現代の小さな家具付きアパートに奇妙なほどよく似た、モダンな石器時代の家であり、同じことが『フリントストーン』にも言える。少なくともフレッドとウィルマが石の枕に頭を乗せて石板の上で寝ている様子に奇妙なところはまったくない。

スカラ・ブレイの人々は木材をほとんど手に入れられなかったようだ。しかしレベッカ博士に『フリントストーン』を見てもらうと、彼女は家具として、あるいは日常生活でずっと多くの木材が使用されていることに気づいた。困ったことに木材、革、毛皮のような有機物は、遺跡ではめったに発見されない。しかし残された証拠から、ネアンデルタール人と初期のホモ・サピエンスが木材加工の技術を持ち、木の幹やロープや動物の腱を使って物を制作できた可能性があることがわかった。足こぎ車は無理だろう――彼らは車輪も車軸も知らなかった――が、木の幹をくりぬいた丸木舟や動物の檻や漁業用の舟などはつくったかもしれない。

フレッド・フリントストーンについてもう1つよく知られているのは、彼が石切場で働いていたことだ。石器時代には道具を制作するために多量の石が必要とされたため、これはまったく的外れというわけではない。レベッカ博士によれば、その多くが川岸の砂利から、あるいは氷河堆積物などの二次堆積地で集められた一方で、ネアンデルタール人とその後のホモ・サピエンスは、必要に応じて岩石の露出した場所や石切場を探したらしいという。切り出された岩は作業場に運ばれて、加工された（詳しくは質問34を参照）。

要するにフレッド・フリントストーンは石切り場での雇用を維持することができたということだ――ヤバダバドゥーー！　でも残念ながら恐竜の助けは得られなかっただろうね。

49

なぜみんな、イギリスのテューダー朝が大好きなんですか？

ニックより

ニック、君が取り上げたのは、僕が常々感じている最大の不満の1つだ。一番簡単な答えはね、ニック、テューダー朝についてはみんな学校で学んでいる、つまり、僕たちが持つ歴史知識の土台になっているということだ。僕たちがテューダー朝に関するドキュメンタリー番組や本に惹きつけられるのは、みんな彼らに興味を惹かれるだけの知識は持っているけど、でもなんでも知っているわけではないからなんだ。

僕がBBCのポッドキャストの進行役に就任したとき、まずみんなに有無を言わせずに同意させたのは、少なくとも最初の数シリーズは「ヒトラーもテューダー朝もなし」というものだった。どちらもけっしておもしろくないわけではないが、問題は、僕は人々の歴史学の知識を広げたいと考えているのに、この2つのテーマは――肖像画に描かれたヘンリー8世のように――華々しすぎてほかのあらゆる時代からスポットライトを奪ってしまう。テューダー朝はあまりに人々の想像力をかきたてるため、大衆文化の担い手たちは競って彼らの求めるものを提供しようとする――それが本、映画、テレビ番組、ゲーム、ポッドキャスト、ポスター、インターネット・ミーム、観光産業のどれであれ。僕たちが飽きもせずに同じものを繰り返し求めつづけているのは、幼い子が寝る前にディズニーの『アナと雪の女王』を9回連続で見たがるのとなんら変わらない。

対話重視型の歴史学者として、僕はこの事態に興味をそそられると同時にいらだちを感じている。多くの放映時間がテューダー朝に奪われてしまうため、歴史上ほかにもずいぶんいろいろなことが起きたというのに、そのための時間を確保するのは容易ではない。僕が特にがっかりしているのは、17世紀に社会が過激化したことに人々が無関心だということだ。フランス、アメリカ、イタリア、ロシアでは、革命や内乱は彼らの歴史におけるハイライトとしてきわめて重視されている。

しかしイギリスの場合、17世紀に多くの事件が起きた――国王の頭が切り落とされ、激しい内乱が勃発し、アイルランドがジェノサイドに苦しみ、疫病で国土が荒廃し、反カトリック勢力のクーデタの結果、妥協の産物である奇怪な立憲君主制が導入された。ただしその形態はあまりに難解だったため、先日のブレグジットの議論のときも、女王がいったい議会を閉会する権限を持つのかどうか、誰も知らなかった――にもかかわらず、国民はろくに関心がないらしいのだ。テレビでこれらの物語を取り上げようと提案するたびに、返ってくる返事は「悪いけど、1600年代はあまり人気がないんだ。なにかアン・ブーリンに関するものはないかい？みんなアン・ブーリンが大好きなんだ！」というものだ。

小学校教育を別にすると、僕たちはどうしてテューダー朝がこれほど大好きなんだ？　まずは登場人物に注目してみよう。1485年から1603年までイギリスを支配したテューダー朝は、セックス、ドラマ、権力、専制、美、栄光、そして尊大さの代名詞となった。彼らがこれほど私たちを魅了するのは、1人ひとりがあれほど異なる人格の持ち主でありながら、複雑怪奇な一族の絆――数々の結婚、命取りとなりかねない離婚、宗教紛争、そして兄弟間の緊張関係に彩られている――で固く結びついていたからだ。

ヘンリー8世の子どもたちのエドワード、メアリー、エリザベスは、全員異なる母親から生まれた異母兄弟だった。誰1人安全とはいえない危険な宮廷で、彼らはときにライバルであり、ときに同志でもあった。メアリーとエリザベスは、それぞれの母親が父王の寵愛を失うと庶出の私生児と宣言され、またメアリーは次々に5人の義母を持つという奇妙な体験をしている。一方エリザベスの母親〔アン・ブーリンのこと〕は、父親の命令によって処刑された――この経験が彼女を傷つけたことは間違いない。3人の異母兄弟は、信仰する宗教さえ異なっていた。ということは、クリスマス・シーズンにはずいぶん緊張が走ったに違いない。

実はこれはテューダー朝だけの特徴ではなかった。プランタジネット朝も、一族の結束などというものは薬にしたくもなかったし、帝政ローマ時代のユリウス＝クラウディウス朝も同様だった。しかしテューダー朝のメンバーの1人ひとり、あるいはこの王朝全体に貼られたレッテルは、どこかしらピュアで魅力的だ。僕はふざけたい気分のとき、彼らのことを、各メンバーが特定の役割を担っている、90年代の典型的なボーイズ・バンドのようなものだと考えている。

- ヘンリー7世（在位1485〜1509）：過小評価された才能の持ち主。作詞作曲をするが、結婚式では老人みたいに踊る。
- ヘンリー8世（在位1509〜1547）：カリスマ性を備え、セクシーで危険。処方薬でハイになっているときに女性CAを殴ったが保釈中。
- エドワード6世（在位1547〜1553）：まだひげも生えていない可憐な少年。
- レディ・ジェイン・グレイ（在位1553）：最初のシングルが大コケして、レコード会社に見捨てられた。
- メアリー1世（在位1553〜1558）：努力していることは認めるが、やりすぎ。
- エリザベス1世（在位1558〜1603）：大ブレークしたスターで、ソロ活動を目指している。その肉声は広報官を通じてしか聞けない。

実はこのラインナップのなかに、本物のスターは2人しかいない。専制的で害をまき散らした残忍なヘンリー8世――6人の妻を持ったあの悪名高い男だ――と、その娘のエリザベス1世――英雄的で禁欲的かつ戦略的な処女王から、老いて年齢を超越したグロリアーナに変身したかの女王――だ。彼らが僕たちの想像力をかきたてる理由は明らかだ。どちらもイングランドを何十年も支配し、自己イメージを高めるために最も優れた芸術家を活用し、信頼する友を処刑し、複雑な恋愛をし、挑発的な宗教政策を行い、大陸諸勢力と戦い、さらに美しい宮殿を建設あるいは奪った。

ヘンリー8世とエリザベスは積極果敢に権力を行使し、彼らの行動は――それが無謀なものであれ慎重なものであれ――イギリス史の流れを決定づけた。過激な神学思想が伝統的なカトリック信者だった国民を分断させた宗派対立こそ、1500年代の最も重要な事件だったと主張する歴史学者もいる。それでも大衆文化においては、テューダー朝は思想対立あるいは宗派対立の時代としてではなく、君主の怒りっぽい気まぐれや欲望が信仰に優先した、つまり君主の性格がすべてを決めた、どちらかといえば世俗的な時代ととらえられているのだ。

実際ヘンリー8世とエリザベスはこれまでしばしば、コインの表裏として描かれてきた。ヘンリー8世は性欲と食欲と怒りと本能的な条件反射の塊だったとすれば、エリザベスは処女性、自己コントロール、寛容、そして慎重な発言の権化だった。父王は威厳に満ちた暴君で、娘は彼がまき散らした混乱を解決し、祖父王が打ち立てた用心深い基盤の上に王国を建て直したストイックな聖女だったのだ。もちろんこれはあまりにも事態を単純化しすぎている。両人ともこれよりはるかに複雑な性格の持ち主で、彼らの残した政治的遺産も、簡単に総括することなどできない。

読者のみんなはいらだつだろうが、僕としてはヘンリー8世もエリザベスも無視して、王朝の創始者ヘンリー7世の重要性に注目したいと思う。注目されることの少ないヘンリー7世は実は、驚くべきシニカルな冷酷さを発揮して内乱を終結させ、しっかりした経済基盤を持つ強力な国民国家をつくり上げたのだ。狡猾な成り上がり者だったヘンリー7世はいわば、濡れねずみのみじめな七面鳥のようだった王国をかすめ取り、これを黄金のガチョウに変えてみせた。ヘンリー8世が華やかで傍若無人なドラマの主人公のように振る舞えたのも、父王が頑固で常識的な男で、薔薇戦争〔イングランドの王位を巡ってランカスター家とヨーク家の間で1455年から1485年まで続いた内乱〕という危機のあとに国王権力を強化してくれたからなんだ。

念のために言っておくが、僕はけっしてアンチ・テューダー朝ではない。彼らは非常に重要だった！　彼らがとても興味をそそられる人々だったって、僕も本当に思っている！　16世紀は、社会、政治、文化、宗教、そして軍事の各分野で大きな変化が起きた時代だった。人口が激増し、ロンドンの面積は2倍に拡大した。海運業への投資が激増し、イングランドは海外帝国への道をたどりはじめた。アイルランドは冷酷に抑圧され、カトリック教会はイギリス国教会に取って代わられ、修道院は略奪されたのちに売却された。共有地の囲い込みが始まり

〔領主や富農層が農民の土地や共有地を取り上げ、柵で囲い込んで羊を飼うための牧草地にしたこと。15世紀末に始まり、16世紀を通じて続いたこの動きを第1次エンクロージャーという。背景には毛織物産業の隆盛があった〕、火薬技術が普及して騎士の威信は失われた。ハンス・ホルバイン〔１４９７～１５４３、ドイツ出身の画家で、のちにイギリスの宮廷画家となった〕、シェイクスピア、エドマンド・スペンサーは文化面での大物となり、そしてファッション面では「大きければ大きいほどよい」という狂乱的なお題目に従った結果、人間は、異性を引きつけるために極彩色に飾り立てて胸を膨らませた極楽鳥と化したのだ。テューダー朝時代に中途半端なものは何もなかった！

一方、僕たちは強力なブランド戦略にも惑わされている。テューダー朝の人々は神話づくりに長けており、彼らはまた、その後誕生した神話からも利益を得ていた。実は彼らは「テューダー」と呼ばれることを嫌悪していたに違いない。ウェールズ地方の下級貴族に由来するこの名に、ヘンリー8世は屈辱を感じていた。彼は、戦場で血まみれの王冠を奪うことに成功した父親の下級貴族としての出自よりも、むしろ正統なる英雄的な国王たちの系譜に自らを連ねるために、あらゆることをした。彼の王朝、それどころか当時イングランド王国に住んでいた数百万人を「テューダー朝」と呼ぶことは、時代をさかのぼる不正表示でしかないのだ。

派手な個人というのはたしかに重要な存在である——現代という視覚メディアの時代においては以前にも増してそうだ——とはいえ、テューダー朝マニアの深く根ざした勢いには、１７００年代に始まって１９００年代までさかんに宣伝された「陽気なイングランド」という神話の力も大いにあずかっていると思われる。これは、大陸諸国から別れて独自の道を行くイングランドの政治的な例外主義についての、そして田舎のパブやハーフティンバー様式の家々、緑色のなだらかな丘が連なる風景、ミンスパイ、道化師、陽気なはやし歌やバラードを楽しむ元気いっぱいな国民が登場する、牧歌的でロマンティックなおとぎ話だ。

ヴィクトリア朝人は、国家の偉大さについての、このつかみどころのない幻想を諸手を挙げて受け入れた。彼らは特に、海の支配者たるブリタニアの歴史を切り開いた英雄たち、フランシス・ドレイク〔1543頃～1596、イングランドの航海者、海賊、海軍提督〕とウォルター・ローリー〔1554頃～1618、イングランドの廷臣、探検家、詩人〕に注目した。そしてシェイクスピア、スペンサー、フィリップ・シドニー〔1554～1586、イングランドの詩人、軍人〕の詩的才能を擁護して、彼らは英語、つまり植民地帝国の隅々まで広めることで原住民を「文明化」する、明白にイギリスに帰属する新しい言語に生命を吹き込んだと主張したのだ。その証拠として、正真正銘のヴィクトリア朝人であるチャールズ・ディケンズがこの時代について述べた言葉を引用したい。

あの光輝に満ちた時代は、これを彩った偉大な人々によって永遠に記憶にとどめられる。この時代が生み出した偉大な航海者や政治家や学者のほかにも、文明世界は誇りと敬意を持ってベーコンやスペンサーやシェイクスピアの名を覚えているだろう。彼らの名は（あるいは特に理由はないものの）エリザベス女王ご自身の御名にいくばくかの光を添えるだろう。あれは発見と商業、そしてイングランドの事業と時代精神の全般にとって偉大な時代だった。イングランドに自由を与えた、プロテスタント信仰と宗教改革にとって偉大な時代だった。

善き女王ベスの時代のイメージに反カトリック的な偏見が後から注入されたことは、J・A・フロードなどの19世紀の歴史家の著作からも読み取ることができる。たとえば侵略してきた外国のガレオン船を理性的なプロテスタントが撃退した〔1588年に攻めてきたスペインの無敵艦隊をイングランド勢が破ったことを示す〕一方で、女王は国内では寛容さを発揮してカトリック信仰を黙認した、というふうに。エリザベスの姉のメアリー1世は、プロテスタントを火あぶりにして「血なまぐさい《ブラッディ》メアリー」というあだ名を獲得したが、しかし実際にはヘンリー8世とエリザベスの治世においてはるかに多くの血が流されたのだ。

メアリーの悪評は、ジョン・フォックス〔1516～1587、イングランドの歴史家、殉教学者〕が1560年代に出版して大きな反響を呼んだプロテスタントの殉教者に関する本とともに生まれ、イギリス政府がカトリックを忌み嫌いつづけたせいもあって、20世紀まで続いた。実際、イギリス（とアイルランド）のカトリック教徒が公職に就くことが認められたのは、カトリック教徒解放法がようやく成立した1829年のことだった。たまたま同じ頃、一部の議員たちは、ヴィクトリア王女が即位したら、若い女王が栄光ある歴史上のモデルを手本とするよう、即位名を「エリザベス2世」とすべきではないかと議論していた。結局これは却下されたが、それでも最終的にイギリス国民は「エリザベス2世」を戴くことになる。こちらの女王の治世もまたなかなか波乱万丈だ……。

そういうわけで、僕たちのテューダー朝びいきはけっして現代限定のものではなく、長い歴史を持つ。これを構成する成分はというと、**強烈な人物、わかりやすいブランド化、素朴な外国人嫌い、そして牧歌的な黄金時代への根深い郷愁**といったところだ。しかしもし小説家や脚本家に、なぜ16世紀が好きなのか訊いてみたら、彼らはテューダー朝の宮廷が恐るべき剣闘士の闘技場のようなものだったからだと答えるだろう。賢明な、あるいは美しい者は最高の地位に上り詰めるが、その首の上では絶えず斧がぶらぶらしている。それというのも、気まぐれで被害妄想的で、父親との関係に悩むとんでもない専制君主たちが宮廷を支配していたからだ。当然、これはすばらしいドラマになる。彼らに関するテレビ番組や映画や書物がひっきりなしに登場するのは、これが理由だ。できればほかの歴史物語ももう少し注目されればいいんだけど……。

50

『オーシャンズ11』みたいな強盗チームを結成するなら、歴史上のどの人物に声をかけますか？

匿名より

これが本書の最後の質問だ。『オーシャンズ11』とは、2001年に公開されたアメリカ映画で、犯罪スペシャリスト集団がカジノの金庫室にある大金を狙う話だ。僕がこれを最後まで取っておいたのは、あれこれ考えるのがとても楽しかったから、それに共犯者リストの作成にずいぶん時間がかかってしまったからだ。ほとんどの人間は基準を満たさなかった。たとえば18世紀の泥棒ジャック・シェパードは、牢屋からなんと4回も脱獄したことで非常に有名になった。もちろん彼の持つ技術は、どこかに忍び込む場合にも役立つことは間違いない。しかしシェパードには、すぐに再逮捕されてし

まうという困った習慣があった。魅力的な愚か者がわが家に警察官を連れてくるというのは願い下げだ。

暴力的な人間も、チームには加えたくない。温厚なペテン師集団がいいんだ！　ということは、歴史上最も悪名高い銀行強盗の1人である、ヨシフ・スターリンも除外される。恐怖の専制君主となるずっと以前、若いスターリンは数々の強奪事件を指揮したが、その1つが1907年にチフリス（現在のジョージアのトビリシ）の広場で発生した銀行強盗事件だった。革命を目指すボルシェヴィキのための資金調達策として、スターリンが計画をまとめあげたのだ。結果的にこれは流血事件となり、爆弾が使用されて多くの死者が出た。そんな手間をかけたにもかかわらず、奪った金は結局使えずじまいだった。紙幣の通し番号が当局に把握されていたからだ。

ということは、悲劇的なことだが、多くの死は無駄だったということだ。また恐るべき精神病質者であるスターリンは、僕の求めるような陽気で図々しい犯罪者の気質などは持ち合わせない。彼の役どころは間違いなく、映画の終わりに仲間全員を裏切るというものだ。お引き取り願おう！

というわけで、僕の空想上の歴史人物犯罪集団に迎え入れるのは誰か？　際限なくあれこれ考えた挙げ句に決めたのは次の面々だ。

首謀者：ムハンマド・イブン・アンマル（1031～1086）

優れた頭脳を持つこの男は11世紀の有名な詩人で、セビリア・タイファ国の文化的な支配者として名高いアル＝ムータミド・イブン・アッバードの顧問だった。なぜ彼を？　中世モロッコの歴史家アブデルワヒド・アル＝マラクシによると、イブン・アンマルは優れた詩人、優秀な行政官、そして最強のチェスの達人だったらしい。チェスといえば、忍耐心、先見の明、それに物事が計画どおりにいかない場合、臨機応変に計画変更するための適応力が欠かせない。そう、チェスの達人なら、襲撃を警戒するカジノの強奪作戦を立案する首謀者としてうってつけだ。

また、チェス・プレイヤーとしての彼の実績もすごい。カスティリア王アルフォンソ6世とのチェスの勝負に勝利して、都市セビリアを侵略される運命から救ったといわれているんだ。伝説によると、彼は手彫りの豪華なチェス・セットでアルフォンソに勝負を挑んだらしい。アルフォンソが勝ったらチェス・セットは彼のもの、もしイブン・アンマルが勝ったら、アルフォンソは彼の望むどんなことでもかなえなければならない。もちろんイブン・アンマルが勝利し、カスティリア軍の完全な撤退を要求した。物語の真偽は疑わしいが、正直なところ、僕にはどうでもいい。イブン・アンマルは、追い詰められた状況でも冷静でいられる、優れた戦略家だったようだ。チームにようこそ！　早速計画を立てよう……。

技術担当：蘇頌《そしょう》（1020〜1101）

カジノの防犯システムを破るには最高レベルのオタクが欠かせない。もちろん歴史上、科学の天才はいくらでもいる——天才発明家のニコラ・テスラにトーマス・エジソン、鉄道や蒸気船を設計したイザムバード・キングダム・ブルネル、暗号学者のアラン・チューリング、「コンピューターの父」ともいわれるチャールズ・バベッジ、世界初のコンピューター・プログラマーとして知られるエイダ・ラブレスなど。僕の歴史上のお気に入りが誰か知りたいなら言うけど、僕は驚異的な万能の天才、レオナルド・ダ・ビンチの大ファンで、彼のこととなると興奮を抑えられなくなる。ただしレオナルドは締め切りを守らなかったことでも有名だ。僕が金庫室への侵入を試みている間、彼が隅のほうで機械じかけのライオンを組み立てていたりしたら！

そこで僕は同じくらい輝かしい万能の天才だけど、遅延することはあまりなかった人物を選んだ。11世紀の中国北宋の官僚だった蘇頌は、詩、薬学、天文学、数学、地図制作、芸術論を含む多くの分野で優れた業績を残したが、とりわけ天文時計の制作で知られている。彼が制作した水運儀《ぎ》象台《しょうだい》（水運渾天《こんてん》儀《ぎ》）は、脱進機〔時計などで、振子などの振動体の振動が持続するように、それらの振動体に間欠的に力を与える装置〕の動力源として自動水車を利用した。非常に洗練された装置で、現代の研究者も縮尺モデルを制作するのに苦労したほどだった。たしかにＷｉ－Ｆｉが発明されるより１０００年も前の人間かもしれないが、それでも彼ならカジノの監視カメラを欺くことができると、僕は確信している。

陽動作戦：ジョセフィン・ベーカー（1906～1975）

映画『オーシャンズ８』〔２０１８年に公開された『オーシャンズ』シリーズのスピンオフ作品〕でアン・ハサウェイが演じる大物女優は、当初はターゲットだったが……以下、ネタバレ注意……高価な宝飾品に近づけるというそのセレブぶりのおかげもあって、最後には一味に加わる。僕もこのアイデアをパクりたいが、そのさらに上をいくことにする。なんといっても僕の選んだスーパースターは本物のスパイだったのだから。ジョセフィン・ベーカーは20世紀の最も驚くべき人物の１人で、ミズーリ州出身の貧しいアフリカン・アメリカンの踊り子はパリの伝説的なジャズの女王となったのだ。

ベーカーは非常にひょうきんで美しく、きわどくて、ダイヤモンドで飾り立てたペットのチーターを連れて映画を見に行くかと思えば、センセーショナルな歌手そしてダンサーでもあり、ナチスがフランスを占領すると、高い知名度を利用してフランスのレジスタンスのためにスパイを務めた。検問所で秘密の通信文をまんまと通過させた――なにしろジョセフィン・ベーカーの所持品検査をする勇気のある者などいるか？　それだけでは足りないとばかりに、彼女はその後、アメリカの公民権運動を導く光となり、マーティン・ルーサー・キング・ジュニアが登場して「わたしには夢がある」と言う前に群衆の前で心を揺さぶる演説を行った。どこに行こうと彼女は注目を集めた、ということは、チームが警備員の監視をすり抜けて侵入するときにも注意をそらしてくれるだろう。採用！

変装の名人：メアリー・ジェーン・リチャーズ（１８４０頃〜１８６７）

計画を完璧に成功させるには、内通者が欠かせない。そこで僕のひそかな目と耳になってくれるのは、誤ってメアリー・ボウザーと呼ばれることが多いメアリー・ジェーン・リチャーズだ。彼女も才能に恵まれた黒人女性だった。奴隷として生まれたメアリーは、解放され、教育を受けて、南北戦争中には勧誘されてエリザベス・ヴァン・ルー〔１８１８〜１９００、奴隷解放運動家、博愛主義者。もともとヴァン・ルー家の奴隷だったメアリーも彼女に解放されたと思われる〕のスパイ・ネットワークに参加している。彼女はアメリカ連合国大統領のジェファーソン・デイヴィスの住む官邸に雇われ、少なくとも一度は重要な軍事機密を求めて彼の書類を探っている〔アメリカ連合国は奴隷制存続を求めて１８６１年にアメリカから分離独立を宣言し、その結果南北戦争が勃発した。デイヴィスは連合国の唯一の大統領だった〕。メアリー・ジェーン・リチャーズについては誇張された伝説がいくつも伝わっている。たとえば写真のような正確な記憶力を持っていたとか、官邸を焼こうとしたなど。しかしはっきりしているのは、彼女が任務をうまく遂行し、また一度もスパイだとばれなかったことだ。僕にとってはそれで十分！

ペテン師：ジョージ・サルマナザール（１６７９頃〜１７６３）

非公開エリアに侵入するには、口のうまい詐欺師がいる。そこでジョージ・サルマナザールも一味に加えようと思う。１７０３年にロンドンに現れたサルマナザールは当時ヨーロッパでほとんど知られていなかったフォルモサ島（台湾）の出身だと主張した。ロンドンっ子を煙に巻くために彼は偽の言語、偽のカレンダー、偽の宗教、偽の文化習俗をでっち上げて、当時の最も学識豊かな紳士でさえも騙すことに成功した。ベストセラーとなった彼の著書には多くの詳細な情報が詰め込まれていたが、すべてまったくのでたらめだった。たとえ誰かが疑惑を抱いても、サルマナザールは巧みな話術でうまく話をそらした。やがて化けの皮がはがれ、実はフランス人であることが判明したあとでさえ、彼の名声は失われなかった。危機をうまく回避できる人間がいるとすれば、それはジョージ・サルマナザールだ。

コミュニケーション担当：ナンシー・ウェイク（１９１２〜２０１１）

完璧な犯罪計画は、人を動かす力を持つマネージャーを必要とする。そして組織の敏腕統括者として、ナンシー・ウェイク以上の適任者は思いつかない。ニュージーランド生まれの彼女はフランスのレジスタンスとイギリスのＳＯＥ（特殊作戦執行部）の両方で重要な役割を果たし、フランスのナチス占領軍を混乱に陥れ、そして敵地に墜落した連合軍のパイロットを国外脱出させた。

ウェイクはとにかくおもしろい人だった。ひょうきんで、激しく、頑固で、また状況がまずくなると優れた射撃能力を披露した。彼女の担当はロジスティクスと通信だったが、危険な戦闘を計画して自ら参加することもあり、必要とあれば敵兵を殺した。また敵兵の監視をくぐり抜けるために彼らといちゃついてみせることもあった。ロンドンに重要なメッセージを届けるべく、自転車で５００キロメートルをわずか72時間で走破したというのは有名な話だ。ナチスどもが彼女の正体に気づき、「ホワイト・マウス（白ネズミ）」と名づけて後を追いはじめたときでさえ、彼女は驚くほど巧妙に国外に脱出することに成功している。ナンシー・ウェイクはとにかくすごい女性で、彼女が僕のチームを動かしてくれることを確信している。

潜入スパイ：ヘンリー・「ボックス」・ブラウン（１８１５頃～１８９７）

僕は敏腕強盗とはとてもいえない。実はこれまでに、欲しいものを盗んだことなど一度もないという犯罪歴のわびしさだ。でも、映画『グランド・イリュージョン』〔２０１３年に公開された、奇術師が登場するアメリカの犯罪映画）を見て、華を添えるためだけにも奇術師がいるんじゃないかと気がついた。たちまち思いついたのはもちろん、偉大なるハリー・フーディーニ（１８７４〜１９２６）――驚くべき強靭さ、敏捷さ、呼吸調節力、それに集中力を併せ持つ「脱出王」――だ。ただし彼の虚栄心もまた相当なものだった。しかし僕が求めているのはチームの和を乱さない人物だ。それからジャスパー・マスケリン（１９０２〜１９７３）がいる。彼は第二次世界大戦中にイギリス軍に参加した奇術師で、アレキサンドリア港を消滅させたり偽の軍隊を出現させたりしてナチスを翻弄したと主張している。本当だとすれば大したものだ。しかし現代の研究者は、実は彼は無節操にほとんどの話をでっち上げたと疑っている。なんて恥知らずな！　こいつはお断りだ……。

　そんなわけで僕が選んだのはヘンリー・「ボックス」・ブラウンだ。ブラウンは１８１５年頃、ヴァージニア州で奴隷の子として生まれた。妻と子が奴隷として売られたことを知って逃亡を決意し、奴隷解放運動家の助けを得て、小さな木箱のなかに隠れて州を脱出した。窮屈な箱に閉じ込められた彼は、水入りの小瓶とビスケット（アメリカ風ビスケット、つまりイギリスでいえばスコーン）だけを手に、汽車や荷馬車を何度も乗り継いで移動したのだ。こうして彼は安全と自由を手に入れた。ブラウンは奴隷解放運動を象徴するヒーローとなり、やがてイギリスに渡って各地で箱に隠れるパフォーマンスを行って観衆を喜ばせた。その後、巡回奇術師となり、観客を幻惑させて欺く技術を磨いた。そこで、――もし彼が同意してくれるなら、僕たちも快適性に気を配ることを約束する――彼を箱に詰めてカジノの金庫室に送りつけようと思う。そうしたら箱から飛び出して、盗みを始めてくれるだろう！

金庫破り：アメンパヌファ（紀元前2世紀頃）

ときには常習犯が役に立つ場合もある。盗みの手際がいいだけでなく、警察への対処方法も知っているからだ。歴史上、名高い大泥棒は何人もいるが、金庫破りの大任はこの古代エジプト人労働者にまかせたい。3000歳になるアメンパヌファは常習的な墓泥棒だった。彼のことが知られているのは、紀元前1108年に書かれたマイヤー・パピルスにその自白が記されているからだ。つまり最後には裁きの場に引き出されたということだが、自白によると、彼は多くの墓で盗みを働き、捕まると役人に袖の下をつかませて自由を取り戻し、次の墓を盗みに行ったという。頼んだよ！

逃走運転手：ガイウス・アプレイウス・ディオクレス（104〜146頃）

状況がまずくなって急いで逃げなければならなくなったら、俊敏で強気で、迫りくるどんな障害物でもかわせる人間が必要だ。そこで登場するのが古代ローマの有名な戦車乗り、ディオクレスだ。獲得した賞金を現代の通貨に換算すれば、彼は史上最高額を獲得したスポーツ選手となる。１４６２回も勝利した、非常に優れた戦車乗りだっただけではない。きわめて危険なことで知られるこの競技を生きのびたということ自体、驚くべきなのだ。４２５７勝をあげたのちに引退したが、ほとんどのライバルたちはそれよりずっと前に事故死していた。ディオクレスは天才だったのか、はたまた信じられないほど幸運だったのか。どちらにしても、車の鍵を預ける相手は彼しかいない。

これでドリーム・チームが完成した。犯罪計画を持ってこい！ ただし、ヨシフ・スターリンにだけは知らせないでほしい。さもなければ、僕たちみんな死ぬことになるから……。

謝辞

本を書くのは簡単ではない。恐ろしいパンデミックの最中に執筆するのはさらに大変だ。僕たちはみんな突然、不安に押しつぶされそうになりながら、ニュースの見出しや政府発表にかじりつくようになった――一刻も早くワクチンが開発され、愛する者たちが恐ろしい新型コロナウイルスの魔手から逃れられることを祈って。あまりにも多くの貴重な生命が悲劇的に失われた。ソーシャルメディアで長年やり取りしてきた人たちが愛する者の死を公表し、僕のタイムラインには悲しみに満ちたメッセージがあまりにも頻繁に流れてきた。重い疲労感を引き起こす悲しみと恐怖の1年であり、そんななかで楽しく生き生きと明るい文を書くのは、けっして簡単なことではなかった。

パンデミックに関して予期していなかったもう1つのことは、仕事の量だ。僕の予定は一夜にして倍増した。気がついたら本を2冊執筆し、ポッドキャスト・シリーズ3本を司会し、そのうえ歯が生えてきて泣きわめくわが子の世話が重なったのだ。言うまでもなく、睡眠時間は激減した。

そんなわけで、僕がまず感謝しなければならないのは、すばらしい妻のケイトだ。彼女の超人的な我慢強さ、忍耐心、それに配慮――仕事をしながら、僕と愛する娘の世話をしてくれた――のおかげで、1回に14時間続く勤務シフトという、膨大な量の仕事をこなすことができた。人生においてこれほどの愛とサポートを得ている僕は、本当にラッキーな男だ。

本書のための調査を手伝ってくれた、友人で同僚のアンリ・ウォードにも大いに感謝している。テレビ番組『とんでもない歴史』で数年間一緒に働いたアンリは、とことん調べずには済まない歴史学者であると同時に、常に熱意とポジティブなエネルギーを発散している。本当は本書のために彼と一緒に仕事する予定はなかった。締め切りを2023年に設定して、長期プロジェクトにするつもりだったのだが、そこへ新型コロナが襲ってきて……あとはわかるだろう？

優秀で辛抱強いエージェントのドナルド・ウィンチェスターにも大きな感謝を捧げたい。彼はいつでも僕の長すぎる電話やメールを、黙れと言わずに（本当は言うべきなのだが）静かに、そして親切に我慢してくれている。またワイデンフェルド＆ニコルソン社の編集者である、すばらしいマディー・プライスにも大きな借りがある。彼女は僕を昼食に連れ出し、僕自身もポッドキャストのアイデアとして温めていたことを知らないまま、本書のアイデアを提案してくれた。うまくいくか、実は僕は少し不安だったのだが、どうやら大丈夫だったようだ（少なくとも……そう願っている！）。

マディーは、僕が「本当に疲れていて、少なくともこの先2年は本を書きたくないんだ！」と訴えて上述のように締め切りを2023年にするように懇願し、その2か月後にまた電話をかけて「計画変更だ。今書いてもいいかな？」と伝えたときも、すばらしく柔軟に僕を支えてくれた。まったく僕は面倒な奴だ、それは認める。親切で頼りになるマディーは、洞察力を持ち信頼できる編集者で、彼女の伝説的な赤ペンは、僕のとりとめない駄文をシャープにまとめてくれた。

僕の前著『デッド・フェイマス』と同じように、ジョー・ホイットフォードとロレーヌ・ジェラムは、誤字や間違いや犯罪的な文法間違いを直してくれた。9万5000ワードの文書から間違いを見つけるには、強い集中力を必要とする。そして彼らはそれをいくつも見つけてくれたんだ！

力強く目を惹く表紙をデザインしてくれたレオ・ニッコルスにも大いに感謝したい（原著）。色がすてきだし、特にゴジラサイズのげっ歯類が気に入った！　たぶん君も、この美しい表紙を見て買ってくれたんじゃないかな。とすればレオ、君のミッションは成功だ！

本の執筆というものは、ただ1人の作者が取り組む大仕事のように感じられるし、外部からもそう見える。表紙に1人の人間の名前しか記されていないからだが、しかしどんな本でも、多くの人の協力があって初めて完成する。彼ら全員には、多くの労力を注いでいただき、支援をいただいたことに深く感謝している。

ご想像いただけると思うが、非常に幅広いテーマを扱っている本書みたいな本は、事実確認を行うのも簡単ではない。そこで僕はここで、快くパンデミック下の自由時間を費やして僕の草稿を読み、間違いを正したり僕の主張を強化するための提案をしたりしてくださったすべての歴史学者に、深い敬意と感謝を表したい。この研究者のパンテオンに含まれるのは次の方々だ（順不同）。ピーター・フランコパン教授、スザンナ・リプスコーム教授、ティネケ・デースラー博士、キャンベル・プライス博士、サラ・ボンド教授、ルウェリン・モーガン教授、セブ・ファーク博士、ジャニナ・ラミレス博士、ジャイプリート・ヴィルディ博士、アニー・グレイ博士、ファーン・リッデル博士、ジョナサン・ヒーリー博士、ムーディ・アル＝ラシード博士、デイヴィッド・ヴィーヴァース博士、エレノア・ヤネガ博士、キャサリン・フレッチャー教授、リンゼイ・フィッツハリス博士、オリヴィア・ワイアット、アルニマ・ダッタ教授、キャロライン・ドッズ・ペノック博士。

またレベッカ・ラッグ＝サイクス博士には石器時代と『フリントストーン』がらみの質問に答えるのを助けていただいたことに、またエマ・ハンター教授には本書で最もむずかしかった質問、つまりアフリカの国境線の起源を解明するのを助けていただいたことに、特に感謝している（この質問は僕のエージェントであるドナルドからのものだったと、あとで知った。もしかしたら僕の長大メールへの愉快な仕返しだったのかもしれない……だとすれば、1本取られたよ、ドナルド！）。

質問を寄せてくださったすべての方に――ドナルドは別だ！――深く感謝している。数百もの質問が送られてきて、そのなかから50だけを選ぶ作業には大いに頭を悩ませた。なので、君の質問が含まれていなかったとしても、どうか許してほしい。みんなが何に興味を持っているかを知るのはいつもわくわくすることで、そのすべてに僕がふさわしい回答をできていることを願っている。

最後に親愛なる読者の方々、君の時間を僕と分かち合ってくれて、本当にありがとう。僕が楽しく、興味を持って書いたように、君も楽しく、興味を持って読んでくれたことと願っている。もっと知りたいと思ってくれたのなら、僕の以前の著書やBBCのポッドキャストもあるが、ぜひほかの本にも目を通して、歴史の旅路を続けてほしい。歴史のすばらしいところは、いつまでも尽きることのない探究の楽しみがあるということだ。次に会うときまで……。

お元気で！

グレッグ・ジェンナー

2021年4月

【著者紹介】

グレッグ・ジェンナー（Greg Jenner）

◉——歴史学者、キャスター、作家。ロンドン大学ロイヤル・ホロウェイ校の名誉研究員。BBCの子ども向け歴史番組「Horrible Histories」のコンサルタントを務める。軽妙な語り口から、イギリスでは歴史の面白さに目覚める子どもや大人が続出している。著書に“A Million Years in a Day: A Curious History of Daily Life”“Dead Famous: An Unexpected History of Celebrity from Bronze Age to Silver Screen”がある（いずれも未邦訳）。

【訳者紹介】

木村 高子（きむら・たかこ）

◉——仏語・英語翻訳者。ストラスブール大学歴史学部卒、早稲田大学大学院文学研究科史学（考古学）専攻修士課程修了。訳書に『地政学で読む世界覇権2030』（東洋経済新報社）、『フォトグラフィー 香水瓶の図鑑』『図説 イスラーム庭園』（以上、原書房）、『ユダヤ人の起源』（共訳、ちくま学芸文庫）、『ジョン・ボルトン回顧録』（共訳、朝日新聞出版）、『「接続性」の地政学』（共訳、原書房）など。スロヴェニア在住。

翻訳協力／リベル

ロンドン大学歴史学者《だいがくれきしがくしゃ》の
「歴史《れきし》のなぜ」がわかる世界史《せかいし》

2023年6月19日　第1刷発行

著　者——グレッグ・ジェンナー
訳　者——木村　高子
発行者——齊藤　龍男
発行所——株式会社かんき出版
東京都千代田区麹町4-1-4 西脇ビル　〒102-0083
電話　営業部：03(3262)8011㈹　編集部：03(3262)8012㈹
FAX　03(3234)4421　　振替　00100-2-62304
https://kanki-pub.co.jp/

印刷所——ベクトル印刷株式会社

 ISBN978-4-7612-7677-5 C0022